NOS OISEAUX

Couverture

- Conception graphique:
  Violette Vaillancourt
- Illustration:
  Bob Hines

Maquette intérieure

- Illustrations:
  Bob Hines
  Donald W. Stokes

DISTRIBUTEURS EXCLUSIFS:

- Pour le Canada et les États-Unis:
  LES MESSAGERIES ADP*
  955, rue Amherst, Montréal H2L 3K4
  Tél.: (514) 523-1182
  Télécopieur: (514) 521-4434
  * Filiale de Sogides Ltée

- Pour la Belgique et le Luxembourg:
  PRESSES DE BELGIQUE
  96, rue Gray, 1040 Bruxelles
  Tél.: (32-2) 640-5881
  Télécopieur: (32-2) 647-0237
  Télex: PREBEL 23087

- Pour la Suisse:
  TRANSAT S.A.
  Route du Grand-Lancy, 2, C.P. 125, 1211 Genève 26
  Tél.: (41-22) 42-77-40
  Télécopieur: (41-22) 43-46-46

- Pour la France et les autres pays:
  INTER FORUM
  13, rue de la Glacière, 75624 Paris Cédex 13
  Tél.: (33.1) 43.37.11.80
  Télécopieur: (33.1) 43.31.88.15
  Télex: 250055 Forum Paris

TOME III

DONALD W. STOKES
LILLIAN Q. STOKES

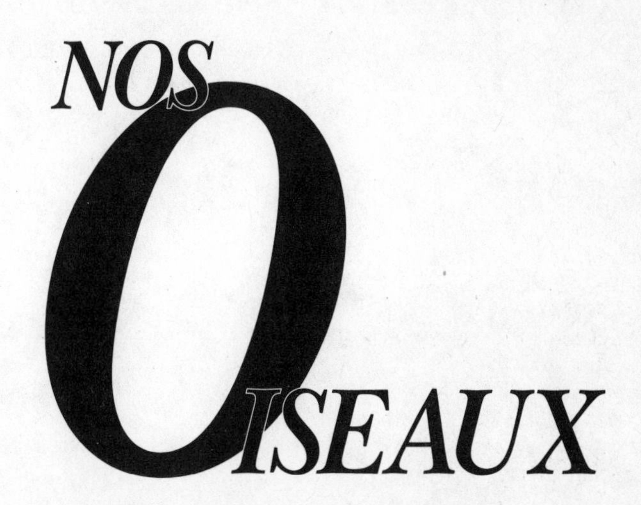

TOUS LES SECRETS DE LEUR COMPORTEMENT

Traduit de l'américain
par Marie-Luce Constant

Données de catalogage avant publication (Canada)

Stokes, Donald W.

Nos oiseaux

Traduction de: A guide to bird behavior.
Comprend des références bibliographiques.

ISBN 2-7619-0806-6 (v. 1) — 2-7619-0807-4 (v. 2) —
2-7619-0881-3 (v. 3).

1. Oiseaux — Mœurs et comportement. I. Stokes, Lillian Q.
II. Titre.

QL698.3.S7614 1989 598.251'097 C89-096067-4

Édition originale: *Bird Behavior. Volume III*
Little, Brown & Company
(ISBN 0-316-81717-1)

Bibliothèque nationale du Québec
Dépôt légal — 1er trimestre 1990

ISBN 2-7619-0881-3

Remerciements

Nous adressons d'abord et avant tout nos plus sincères remerciements aux auteurs des ouvrages et articles que nous avons consultés. Leurs patientes études ornithologiques forment la charpente de ce livre. Sans eux, nous n'aurions jamais pu initier les lecteurs à la vie secrète des oiseaux ni aux plaisirs que recèle l'observation de leur comportement. Nous aimerions remercier tout particulièrement Lawrence Zeleny, qui nous a donné d'intéressantes idées à propos du merle bleu, et Paul Roberts, qui nous a aidés à rassembler les données nécessaires à la confection des cartes d'observation des rapaces.

Pourquoi un troisième tome?

Malgré leur apparente similarité, les trois tomes de *Nos Oiseaux* remplissent chacun une fonction qui lui est propre. Pour s'en rendre compte, il suffit d'étudier de plus près le choix des espèces qui peuplent chaque volume.

Lorsque j'ai rédigé le tome I, je n'imaginais pas qu'il pût un jour y en avoir d'autres. D'ailleurs, les Guides Stokes de la Nature n'existaient même pas. Le premier volume portait à l'origine un titre différent: *A Guide to the Behavior of Common Birds* (Guide du comportement des espèces d'oiseaux les plus communes). Quelques années plus tard, après notre mariage, nous avons commencé à écrire ensemble ma femme et moi et c'est seulement vers cette époque qu'est née l'idée des Guides Stokes de la Nature. Nous avons changé alors le titre du premier volume et décidé d'en écrire deux autres.

Plusieurs raisons nous ont dicté le choix des espèces du premier tome. Tout d'abord, il s'agit d'oiseaux faciles à observer, car ils vivent dans des milieux ouverts et ne sont guère effarouchés par les humains. Ensuite, beaucoup d'entre eux tels que les pigeons, les moineaux domestiques et les étourneaux vivent dans les zones urbaines. C'est pour cette raison que nous les avons choisis, car, que vous viviez à la ville ou à la campagne, il est facile d'observer leur comportement. Enfin, nous voulions présenter des espèces appartenant à différentes familles pour vous permettre d'observer toute une gamme de comportements et d'utiliser vos connaissances d'une espèce pour comprendre les autres de la même famille.

Avant que nous entamions la rédaction du deuxième volume, de nombreux lecteurs nous avaient expliqué qu'ils souhaitaient en apprendre davantage sur le comportement d'autres oiseaux et que nous avions omis d'inclure leurs espèces favorites telles que les cardinaux, les mésanges bicolores, les sittelles, les orioles et beaucoup d'autres. C'est ce qui a dicté notre choix des espèces qui composent le tome II. Il s'agit d'oiseaux qui se reproduisent dans la plupart des régions d'Amérique du Nord. On les rencontre fréquemment et ils nichent surtout dans les campagnes et les banlieues. Ce sont principalement des oiseaux de jardins et de terres agricoles.

Le volume III est entièrement différent des autres. Il contient de nombreuses espèces difficiles à observer, peu communes, voire rares. Elles présentent toutefois un point commun: elles attirent toutes beaucoup les amateurs d'ornithologie, qui souhaitent en savoir davantage sur leurs habitudes et leur comportement. Dans certains cas, elles ont retenu l'attention du public, car il s'agit d'espèces menacées, par exemple l'aigle pêcheur, l'aigle à tête blanche ou le faucon pèlerin. Il arrive aussi que la seule beauté de l'oiseau éveille l'intérêt, comme c'est le cas du merle bleu ou du colibri. D'autres espèces ont coutume de nicher à proximité des humains, comme l'hirondelle pourprée, ou représentent un gibier de choix, comme le faisan. D'autres oiseaux, tels le canard huppé, le huart, le grand pic, le grand héron et la bécasse d'Amérique occupent une place à part dans le cœur de tous ceux qui aiment les oiseaux.

Nous avons également inclus de nombreux oiseaux de proie (sept éperviers et trois chouettes), car nous savons que, lorsqu'on les rencontre, on a envie de s'en approcher davantage pour connaître leur vie et leur comportement. Dans les chapitres consacrés aux oiseaux de proie, nous décrivons certains comportements particuliers que vous pourriez observer pendant les migrations.

Ce tome est le dernier de la série *Nos Oiseaux*. Nous espérons que cette nouvelle conception de l'observation des oiseaux vous aura permis d'enrichir votre expérience. Bien qu'il nous ait été impossible d'inclure toutes les espèces favorites, nous espérons que vous trouverez dans ces ouvrages des chapitres consacrés à la plupart des oiseaux que vous aimez. Bonne chance pour vos observations!

«Ornithophilement» vôtres,
Don et Lillian Stokes

Comment utiliser ce guide

Ce livre a pour but de vous aider à découvrir vos oiseaux préférés et à étudier leur comportement. Parcourez-le pour vous familiariser avec les 25 espèces qu'il contient. Ensuite, choisissez un oiseau que vous aimez, que vous avez déjà vu ou que vous risquez d'apercevoir, et lisez le chapitre qui lui est consacré.

Pour chaque espèce, vous trouverez, après une brève introduction, trois types d'informations: un calendrier du comportement, un guide de la communication et une description du comportement.

Le calendrier vous présente les grandes étapes du cycle de vie d'un oiseau et vous fournit une idée de la période au cours de laquelle on peut s'attendre à certains types de comportement. Bien entendu, il faut tenir compte d'importantes variations selon la latitude à laquelle vous vivez. Le calendrier fourni ici s'applique aux latitudes moyennes du continent — environ 40° — soit la latitude à laquelle se trouvent Philadelphie, Indianapolis, Denver et la région située légèrement au nord de San Francisco.

On a constaté que les périodes de reproduction variaient de dix à quinze jours chaque fois que la latitude changeait de 5°. La carte ci-après devrait vous permettre d'adapter ce calendrier à votre région*.

* Notons que les villes de Montréal, Sherbrooke et Hull se trouvent légèrement au-dessus du 45e parallèle. Québec se trouve près du 47e. Par conséquent, pour obtenir des données applicables au sud de la province... (...)

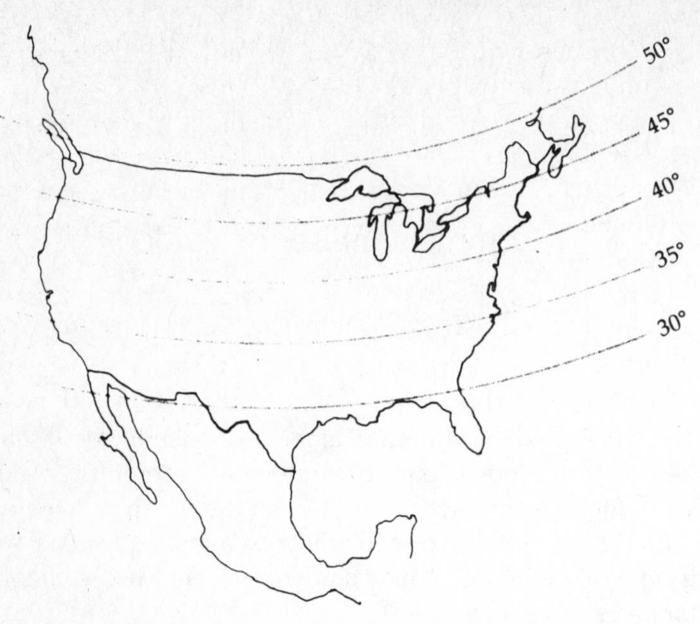

Le guide de la communication énumère les principales manifestations ritualisées que chaque espèce a adoptées. Il s'agit de gestes ou de sons qui, dans certaines situations, influencent le comportement des autres oiseaux. Plus généralement, c'est un ensemble de signaux qui servent aux oiseaux pour communiquer entre eux.

La section «Guide de la communication» se divise en deux catégories: auditive et visuelle. La description est accompagnée de la saison au cours de laquelle les types de comportements décrits sont les plus fréquents (P pour printemps, É pour été, A pour automne et H pour hiver). Nous précisons également chez quel sexe ce comportement se manifeste, quels sont les principaux indices qui permettent de l'identifier et quels événements se déroulent à ce moment-là dans la vie de l'oiseau. Chaque rubrique vous

---

de Québec, il convient de retarder de deux semaines environ les époques de reproduction mentionnées ici. La région du lac Saint-Jean et la Gaspésie se trouvent principalement entre le 48e et le 49e parallèle. Sous ces latitudes, il faut donc retarder les dates de près de trois semaines. *(N.D.T.)*

renvoie pour plus de détails à la section consacrée aux descriptions du comportement.

Apprendre à reconnaître les rituels de communication est l'un des aspects les plus passionnants de l'observation des oiseaux. En outre, c'est ainsi que vous parviendrez le plus rapidement à comprendre ce qui incite l'oiseau à se comporter de cette manière.

La section «Description du comportement» constitue la partie la plus touffue du guide. Elle se divise en plusieurs rubriques, selon les principaux aspects de la vie de l'oiseau: territoire, cour, nidification, ponte, incubation, éducation des oisillons, plumage, mouvements saisonniers et comportements en société. Ces rubriques vous renseigneront sur les phénomènes que vous pourrez observer pendant ces phases.

L'observation du comportement des oiseaux fera appel à vos compétences d'ornithologue, à votre concentration, à votre patience et, surtout, à votre curiosité, car c'est elle qui, grâce à ce guide, vous aidera à découvrir les oiseaux sous un jour tout à fait différent. Vous parviendrez à connaître leur existence et à prédire leur comportement comme vous ne l'auriez jamais cru possible. Au cours des années que nous avons passées à faire connaître le comportement des oiseaux, beaucoup de gens nous ont répété à quel point leur univers avait changé, simplement parce qu'ils avaient acquis la capacité d'interpréter les comportements des oiseaux qu'ils observaient. Aujourd'hui, ils ont une vision tout à fait différente des oiseaux dont ils apprécient davantage toutes les espèces, qu'elles soient des plus communes ou des plus rares.

BobHines

Huart à collier*

Gavia immer (Brünnich) / Common Loon

Depuis toujours, le fascinant cri nocturne du huart de même que son appel angoissant émeuvent les humains qui les ont comparés à toutes sortes de bruits sinistres, tant à des gémissements d'agonie qu'à des rires de psychopathes. Si l'on y ajoute la préférence de ces oiseaux pour les lacs peu fréquentés, on comprend facilement pourquoi nos maigres connaissances sur le huart empruntaient davantage à l'imagination qu'aux observations.

Récemment, tout a changé. Plusieurs chercheurs ont entrepris d'étudier en détail la vie des huarts, en partie parce que les populations déclinaient au fur et à mesure que les vacanciers envahissaient les lacs à proximité desquels ces oiseaux se reproduisent. Le *North American Loon Fund* a fait de sérieux efforts dans le but de protéger le huart et de sensibiliser le grand public aux besoins de cette espèce.

Aujourd'hui, nous apprécions davantage la présence de ces oiseaux d'autant plus qu'il n'est même pas nécessaire de les voir pour étudier leur comportement. Il suffit d'interpréter leur «langage» pour connaître plusieurs des événements qui tissent leur vie. Par exemple, le prétendu «rire» ou «trémolo» est habituellement un cri d'alarme. En revanche, le long appel angoissant permet au couple de rester en contact auditif. Quant au «cri jodlé», il est utilisé pour revendiquer et défendre le territoire.

Souvenez-vous toutefois que les huarts sont facilement dérangés pendant l'incubation. Si vous vous approchez du nid, même par mégarde, ils s'en éloigneront en exécutant une série de longs plongeons et n'y reviendront pas tant que vous n'aurez pas quitté les lieux. En décryptant les secrets de leur comportement, vous devinerez à quel stade en est

* On écrit aussi: «huard». *(N.D.T.)*

rendue la reproduction. Vous saurez donc si vous les avez dérangés, ce qui vous permettra de les respecter davantage, tout en continuant d'apprécier leurs cris mystérieux et leur comportement fascinant.

CALENDRIER DU COMPORTEMENT

	TERRITOIRE	COUR	NIDIFICATION	ÉDUCATION DES OISILLONS	PLUMAGE	DÉPLACEMENTS SAISONNIERS	COMPORTEMENT EN SOCIÉTÉ
JANVIER							
FÉVRIER							
MARS							
AVRIL							
MAI							
JUIN							
JUILLET							
AOÛT							
SEPTEMBRE							
OCTOBRE							
NOVEMBRE							
DÉCEMBRE							

Communication visuelle

1. Plongeon du bec

Mâle ou femelle *P, É, A, H*

L'oiseau plonge rapidement le bec dans l'eau. Il lui arrive parfois de le secouer de côté lorsqu'il refait surface.

Cri: Aucun.

Contexte: Les oiseaux agissent ainsi lorsqu'ils se rejoignent, qu'il s'agisse, par exemple, de deux partenaires ou des membres d'un même vol. Il est possible que ce mouvement contribue à atténuer l'agressivité des oiseaux afin de favoriser leur rapprochement. (Voir *Le territoire, La cour, Le comportement en société.*)

2. Plongeon avec battement de pattes

Mâle ou femelle *P, É, A, H*

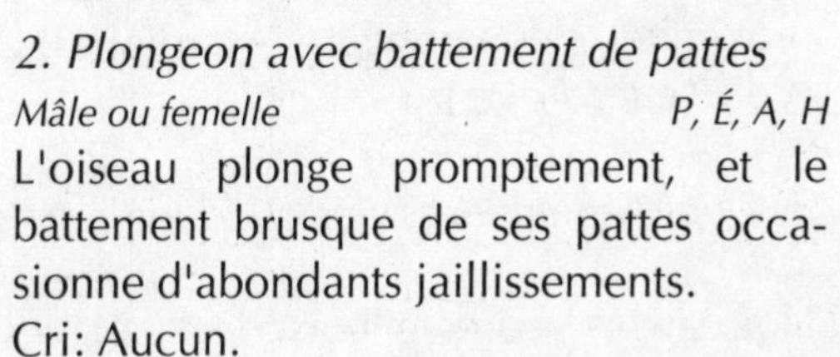

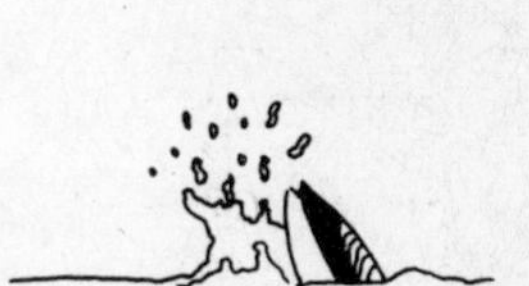

L'oiseau plonge promptement, et le battement brusque de ses pattes occasionne d'abondants jaillissements.

Cri: Aucun.

Contexte: En association avec le «plongeon du bec», ce mouvement remplit peut-être une fonction identique, servant à atténuer l'agressivité de certains oiseaux. On l'observe également chez le couple, toujours accompagné du «plongeon du bec», dans le cadre du rituel précédant la copulation. (Voir *Le territoire, La cour.*)

3. Redressement du corps

Mâle ou femelle *P, É, A, H*

L'oiseau redresse le corps hors de l'eau en se maintenant bien droit grâce aux battements de ses pattes, exposant ainsi sa poitrine blanche. Parfois, il déploie simultanément les ailes.

Cri: Aucun.

Contexte: On observe ce mouvement lors de querelles territoriales. (Voir *Le territoire.*)

4. Tête au niveau de l'eau et cri jodlé

Mâle *P, É, A, H*

L'oiseau tend la tête et le cou au niveau de l'eau.

Cri: «Cri jodlé».

Contexte: On observe ce mouvement chez les mâles qui s'affrontent, et à proximité des frontières territoriales. (Voir *Le territoire.*)

5. Déploiement des ailes et cri jodlé

Mâle *P, É, A, H*

L'oiseau se redresse hors de l'eau, les ailes entièrement déployées.

Cri: «Cri jodlé».

Contexte: Cette attitude caractérise les affrontements entre mâles qui sont à proximité les uns des autres, aux frontières des territoires ou à l'intérieur des vols. (Voir *Le territoire, Le comportement en société.*)

6. Vol en V

Mâle ou femelle *P, É*

En plein vol, l'oiseau tient ses ailes en un V rigide, au-dessus du dos. Il lui arrive ensuite de planer en cercle jusqu'à l'atterrissage.

Cri: «Trémolo».

Contexte: Surtout pendant la saison de reproduction. On ignore sa fonction.

Communication auditive

1. Appel plaintif

Mâle ou femelle *P, É, A, H*

Il s'agit d'un long cri expiré, que l'on pourrait confondre avec le hurlement d'un loup ou d'un coyote. On note une ou deux élévations de ton bien distinctes, mais il redescend parfois à la fin. Il dure environ deux secondes.

Contexte: Lorsque l'oiseau essaie de repérer son partenaire ou lorsqu'un adulte recherche l'un de ses oisillons. On l'entend aussi chez la femelle pendant que le mâle émet le «cri jodlé».

2. Trémolo

Mâle ou femelle *P, É, A, H*

Comme son nom l'indique, c'est un cri frémissant sur un ou plusieurs tons. Il dure près d'une demi-seconde. Dans le langage vernaculaire, on parle du «rire» du huart.

Contexte: Il s'agit du cri d'alarme qu'émet un oiseau qui a été dérangé, parfois uniquement par l'apparition d'un autre huart. C'est le seul cri que l'oiseau émette en vol. Il est fréquemment associé à d'autres cris, auxquels s'ajoute alors une note d'alarme ou de crainte.

3. Cri jodlé

Mâle *P, É, A, H*

C'est le plus long et le plus complexe des cris du huart. Il débute par un hurlement, suivi d'une série de variations vocales qui durent plusieurs secondes. On l'associe aux «déploiement des ailes et cri jodlé» ou aux mouvements de «tête au niveau de l'eau et cri jodlé» chez le mâle.
Contexte: L'oiseau utilise ce cri lorsqu'il revendique ou défend son territoire, surtout au printemps ou au début de l'été. On l'entend principalement du crépuscule à l'aube. On a constaté qu'il était également utilisé pour des revendications du territoire hivernal. (Voir *Le territoire*.)

4. Cri bref

Mâle ou femelle *P, É, A, H*

Il s'agit d'un cri bref et doux, à note unique mais à ton variable.
Contexte: On pense qu'il permet aux membres d'un couple de rester en contact auditif. Les adultes l'utilisent aussi pour communiquer avec les oisillons. On l'entend parfois au sein des vols.

5. Cri des oisillons

Les oisillons pépient comme des poussins pour demeurer en contact avec les parents. Lorsqu'ils sont très jeunes, ils appellent pratiquement sans arrêt. On les entend de moins en moins au fur et à mesure qu'ils grandissent. Pendant tout l'été, leur ton demeure très aigu, mais il se rapproche de celui des adultes pendant l'automne et l'hiver.

DESCRIPTION DU COMPORTEMENT

Le territoire

Territoire d'été

Fonctions: Accouplement; nidification; subsistance.
Dimensions: Entre 3 000 et 10 000 m^2.
Comportements habituels: «Cri jodlé»; «déploiement des ailes et cri jodlé»; «tête au niveau de l'eau et cri jodlé».
Durée de sa défense: De l'arrivée des oiseaux jusqu'à la seconde phase de croissance des oisillons.

Il est fréquent que les oiseaux atteignent les lacs où ils se reproduisent quelques jours seulement après la débâcle. Les couples retrouvent les sites des années précédentes et s'empressent de commencer à revendiquer un territoire qui englobera les alentours d'un lac assez profond pour la plongée et doté soit d'îles, soit d'un rivage assez échancré pour qu'ils y bâtissent leur nid.

Si la superficie du lac est inférieure à une cinquantaine d'hectares, il est probable qu'un seul couple y nichera. En revanche, les plus grands lacs accueillent deux ou plusieurs couples. Les territoires sont alors définis selon le tracé du rivage, qui doit comporter des baies, des chenaux ou des presqu'îles. Les dimensions du territoire varient également en fonction de l'abondance de nourriture et de matériaux servant à la construction du nid et s'établissent habituellement entre 30 et 100 ha. Tout au long de la saison de reproduction, on note parfois sur les grands lacs la présence de zones «neutres» entre les territoires. Les huarts s'y retrouvent sans manifester la moindre agressivité les uns envers les autres.

C'est principalement la parade appelée «tête au niveau de l'eau et cri jodlé» qui permet à l'oiseau — mâle seulement — de revendiquer, puis de défendre son territoire. Dès qu'il aperçoit l'un de ses congénères à proximité, il aplatit la tête au ras de l'eau en lançant le «cri jodlé». L'intrus, qui peut être un simple voisin, répond en l'imitant; il peut arriver que leurs cris se chevauchent. La confrontation cesse après quelques parades. Ensuite, le mâle et sa compagne s'éloignent peu à peu en plongeant.

Lorsque deux mâles se rapprochent, ils ont plutôt tendance à exécuter le «déploiement des ailes et cri jodlé». Cette manifestation semble plus hostile que la «tête au niveau de l'eau et cri jodlé».

Lorsque des huarts se rencontrent aux frontières de leurs territoires, ils ne se comportent pas toujours avec agressivité. Une série de manifestations leur permet au contraire d'atténuer l'hostilité, par exemple lorsqu'il s'agit de deux voisins qui se connaissent et ont déjà délimité les frontières de leurs territoires. Parmi ces parades, on remarque principalement le «plongeon du bec», le «plongeon avec battement de pattes» et des manœuvres d'encerclement. On a également observé un autre comportement qui, malgré son nom, est dépourvu d'agressivité: la charge, au cours de laquelle l'oiseau bat des ailes en volant rapidement au ras de l'eau.

Bien que le couple commence à défendre son territoire dès son arrivée, sa vigilance s'accroît progressivement jusqu'au jour où les œufs sont éclos et les oisillons, capables de se déplacer sur l'eau. Pendant les premiers jours de ponte et d'incubation, le couple quitte rarement les alentours du nid, négligeant de défendre le reste de son territoire. Mais, au fur et à mesure qu'approche le moment de l'éclosion, il défend une superficie de plus en plus vaste, entrant plus souvent en conflit avec ses voisins. C'est pourquoi l'on entend davantage le «cri jodlé» à cette époque. Au cours des semaines suivantes, tandis que les oisillons apprennent à nager et à plonger, la famille se promène davantage. Le territoire est donc moins bien défendu. Vers la fin de l'été, sa défense est devenue presque symbolique.

Il arrive qu'au début de la saison de reproduction, on entende plusieurs oiseaux lancer le «cri jodlé» en chœur sur le même lac, voire d'un lac à l'autre. Pendant que les mâles émettent ce cri, les femelles lancent le long «appel plaintif». On pense que ces chœurs leur permettent de revendiquer leur territoire.

Certains couples ne parviennent pas à se reproduire. Pendant la période d'incubation, on les reconnaît facilement, car ils patrouillent ensemble les frontières de leur territoire. Normalement, on ne devrait n'y voir qu'un oiseau puisqu'à cette époque l'autre est généralement occupé à incuber. En raison de leurs fréquentes allées et venues, ces oiseaux se querellent davantage avec leurs voisins que les couples qui ont réussi à se reproduire. On a également remarqué qu'ils abandonnaient parfois leur territoire plus tôt que les autres. (Voir *Le comportement en société*.)

Un oiseau solitaire, c'est-à-dire qui n'a pas de partenaire, peut se déplacer impunément sur le territoire d'un couple tant qu'il ne s'approche pas du nid et se comporte avec discrétion. Mais il est fréquent que ces oiseaux passent presque tout leur temps sur le territoire des couples qui n'ont pas réussi à se reproduire. Peut-être y sont-ils mieux tolérés.

Lorsque les oiseaux sont dérangés, par exemple si vous pénétrez sur leur territoire, ils émettent le «trémolo».

Territoire d'hiver
Fonction: Subsistance.
Dimensions: De 500 à 1 000 m^2.
Comportements habituels: «Cri jodlé», «trémolo»; «redressement du corps».
Durée de sa défense: De l'aube au crépuscule pendant l'hiver.

Les huarts qui hivernent se nourrissent sur les rivages. Pendant la journée, ils demeurent sur leur territoire de subsistance, qu'ils défendent à l'aide du «cri jodlé», du «trémolo» et du «redressement du corps». Celui-ci a une superficie variant entre 500 et 1 000 m^2, et englobe souvent des baies ou des chenaux. Au crépuscule, les oiseaux cessent de manger pour former de petits groupes qui se réunissent au fond de criques abritées. Le lendemain, ils se dispersent à nouveau sur leurs territoires respectifs.

La cour

Comportements habituels: «Plongeon du bec», «plongeon avec battement de pattes».
Durée: Inconnue.

On ignore à quel moment a lieu la formation des couples, car lorsqu'ils arrivent sur leur territoire de reproduction, au printemps, ils semblent déjà formés. Par conséquent, ce phénomène se produit soit à la fin de l'été, soit en automne, soit en hiver. Il est possible que ce soit entre le milieu et la fin de l'été que les rituels présidant à la formation des couples se déroulent. En effet, on a constaté qu'au sein des vols qui se rassemblaient vers cette époque, les mâles se querellaient parfois en adoptant le «déploiement des ailes et cri jodlé». Des observateurs croient que ces parades se produisent lorsqu'un couple déjà formé est pris à partie par un mâle célibataire qui convoite la femelle. Il est également possible que les mâles cherchent de cette manière à assurer leur domination à l'intérieur du vol tout entier et, donc, le droit d'avoir une femelle.

On peut observer quelques manifestations entre les mâles qui arrivent au printemps sur leur territoire. Les plus courantes sont le «plongeon du bec» et le «plongeon avec battement de pattes». On aperçoit également, à cette époque de l'année, des oiseaux en train de regarder sous l'eau, de se frotter le dos avec la tête ou d'élever rapidement le bec. On observe ces parades surtout lorsque deux oiseaux se retrouvent après une séparation.

Lorsque le «plongeon du bec» ou le «plongeon avec battement de pattes» se produisent seuls, ils jouent le rôle de parades précopulatoires. Ensuite, le couple nage en direction du rivage. La femelle marche jusqu'à la terre ferme, où elle s'accroupit. Le mâle la suit, accomplit immédiatement la copulation et s'éloigne quelques instants plus tard. La femelle attend généralement quelques minutes avant de le rejoindre. On peut observer la copulation et les manifestations qui l'accompagnent dès l'arrivée des oiseaux sur le territoire de reproduction jusqu'à la ponte, souvent avant l'aube ou très tôt le matin.

On aperçoit fréquemment les huarts se livrer à plusieurs autres parades dont on ignore encore la signification. Par le passé, plusieurs chercheurs les ont associées à la cour, à la revendication ou à la défense du territoire. Toutefois, aucune interprétation n'a jusqu'ici été confirmée. On a remarqué, par exemple, que deux ou plusieurs huarts se rapprochaient les uns des autres, se livraient au «plongeon du bec», au «plongeon avec battement de pattes» et au «redressement du corps» avant de nager en cercle les uns autour des autres. Puis l'un d'entre eux — parfois plusieurs — décolle en battant des ailes contre la surface de l'eau. Ces manifestations sont souvent accompagnées du «trémolo».

Une autre parade se produit en plein vol, notamment entre le milieu et la fin de l'été. Les oiseaux planent en formant un V rigide avec leurs ailes. En général, plusieurs d'entre eux exécutent simultanément cette parade, mais il leur arrive de s'y prêter en solo. Ils décrivent parfois ainsi un arc de cercle, voire un cercle presque fermé, et achèvent leur vol en atterrissant sur l'eau. On ignore la signification de ces manifestations.

La nidification

Emplacement du nid: Sur le rivage, généralement celui d'une île ou d'une presqu'île.
Dimensions: Diamètre d'environ 60 cm.
Matériaux: Végétation trouvée dans les environs, soit des roseaux, de l'herbe, des plantes aquatiques, des mousses.

Pendant les jours qui suivent leur arrivée, les futurs parents recherchent un emplacement convenable au bord de l'eau. Ils choisissent les îles de préférence, mais si leur territoire n'en contient pas, ils se satisfont habituellement de presqu'îles ou de promontoires. Les îles choisies sont généralement exiguës, d'une superficie inférieure à 1 ha. D'une année à l'autre, les oiseaux reviennent fréquemment bâtir leur nid dans la même région.

Le nid est généralement dissimulé par la végétation environnante et, au moment de sa construction, se trouve au bord de l'eau. Mais il peut arriver qu'une période de pluie ou de sécheresse le rapproche ou l'éloigne du rivage. Les oiseaux utilisent de la terre, de l'herbe, des mousses ou de la végétation flottante très épaisse.

Avant la ponte, le nid demeure très sommairement construit. À ce stade, il se résume à une légère dépression dans le sol, entourée d'un petit bourrelet de matériaux. C'est surtout pendant l'incubation qu'il est achevé, car l'oiseau installé sur les œufs cueille la végétation qui encercle le nid pour la placer autour de lui. Les deux oiseaux agissent ainsi et finissent par créer une minuscule clairière tout autour du nid.

L'éducation des oisillons

Œufs: La femelle en pond 2, parfois 1; bruns tirant sur le vert olive.
Incubation: Environ 29 jours; les deux parents incubent.
Première phase de croissance: 1 jour.
Seconde phase de croissance: De 2 à 3 mois.
Couvée: 1.

Ponte et incubation

La femelle pond un œuf par jour, parfois un œuf tous les deux jours, et l'incubation commence dès que le premier a été pondu. Pendant cette période, les parents ne se séparent guère, n'occupant qu'une petite portion de leur territoire, à proximité du nid. Ils sont habituellement très discrets pendant cette période et restent aux aguets.

Tous deux incubent les œufs, mais il est probable que la femelle passe plus de temps au nid que le mâle. Tout dépend du couple. Ses périodes d'incubation varient de une heure à presque toute la journée. Ensuite, l'oiseau qui remplace son partenaire s'approche du nid. L'oiseau incubateur s'éloigne en nageant. Il lui arrive de remuer les brins d'herbe entourant le nid avant de le quitter et l'on a remarqué que ces gestes pouvaient se poursuivre après son départ. Quant à son partenaire, il retourne parfois les œufs avec son bec, puis s'installe face à l'eau avant de déplacer à son tour les matériaux du nid.

Première phase de croissance

Les œufs éclosent à une journée d'intervalle. Le premier oisillon reste dans le nid ou à proximité jusqu'à l'apparition du second. Tous deux attendent d'être secs avant de se déplacer. Ensuite, ils quittent le nid avec leurs parents et ne reviennent au rivage qu'occasionnellement, s'ils ont froid et ont besoin de se réchauffer sous l'aile de leurs parents. Dès leur éclosion et jusque vers le milieu de leur seconde phase de croissance, les oisillons sont nourris par les parents d'aliments solides.

Seconde phase de croissance

Les juvéniles suivent leurs parents et ils sont toujours accompagnés de l'un ou l'autre lorsqu'ils sont sur l'eau. C'est uniquement à l'approche d'un danger que les parents s'éloignent d'eux. À ce moment-là, les jeunes vont se dissimuler parmi la végétation du rivage, tandis que les parents plongent avant de refaire surface à une bonne distance des petits. Ils lancent le «trémolo», puis replongent pour refaire surface encore plus loin. On pense qu'il s'agit d'une manœuvre de diversion destinée à éloigner les prédateurs. Une fois le danger passé, les parents reviennent auprès des juvéniles en une série de longs plongeons.

Arrivés à l'âge de deux ou trois semaines, les jeunes n'ont plus besoin de se cacher sur le rivage. Au contraire, ils plongent à la suite de leurs parents. Dès qu'ils sont un peu plus âgés, ils prennent l'habitude d'imiter les manœuvres des adultes pour s'éloigner des prédateurs.

Parfois, l'on peut admirer le merveilleux spectacle d'un très jeune huart accroché au dos de l'un de ses parents pendant qu'ils voguent sur l'eau, ce qui lui permet sans doute de se réchauffer. L'adulte se baisse pour permettre au jeune de sauter plus facilement sur son dos. À l'arrivée, le parent plonge, laissant le petit flotter à la surface. Pendant les quatre premiers jours qui suivent l'éclosion, le juvénile passe environ la moitié de son temps sur le dos de l'un de ses parents. Ensuite, il se montre de plus en plus autonome. Dès la deuxième ou la troisième semaine, il abandonne cette habitude.

Les parents apportent de la nourriture aux petits toutes les heures. En général, l'un d'eux reste avec eux pendant que l'autre part à la recherche de nourriture qu'il offre ensuite telle quelle aux oisillons. La durée des «repas» peut aller de quelques minutes à plus d'une demi-heure. Pendant deux ou trois mois, parfois plus longtemps, les parents continuent d'apporter de la nourriture à leur progéniture, pourtant capable de se débrouiller depuis plusieurs semaines.

Seulement deux jours après l'éclosion, les oisillons peuvent parcourir de courtes distances sous l'eau. Leur technique s'améliore rapidement et, lorsqu'ils ont atteint une semaine, ils peuvent nager sur une distance de près de quinze mètres, à trois mètres de profondeur. Lorsqu'ils atteignent deux ou trois mois, ils savent voler et peuvent s'émanciper de la tutelle parentale.

Le plumage

Comment différencier le mâle de la femelle

Il est impossible de différencier un mâle d'une femelle en se fiant au plumage, car il est identique chez les deux sexes. Quant à leur comportement, il n'offre pas beaucoup d'indices. Certains ornithologues avancent que, lorsqu'un couple communique, le mâle lève légèrement le bec tandis que la femelle l'abaisse tout aussi légèrement. On sait toutefois que seul le mâle émet le «cri jodlé».

Comment distinguer les jeunes des adultes
Les juvéniles sont presque noirs au cours de leur premier été, à l'exception de plumes plus claires au niveau de la gorge et sur le ventre. En hiver, ils deviennent semblables aux adultes.

Mue
Les huarts muent totalement à l'automne et partiellement vers la fin de l'hiver. Le plumage d'hiver est gris foncé, à l'exception des plumes plus claires de la gorge et du ventre. Le plumage d'été est sombre, à l'exclusion de taches blanches sur le dos et d'un collier noir et blanc.

Les déplacements saisonniers

Les huarts migrent de jour le long des côtes, au large ou à l'intérieur des terres. Ils se déplacent seuls ou en groupes, qui peuvent compter de deux à quinze oiseaux. Le long des rivages, ils accompagnent parfois les macreuses ou les eiders. Ils volent soit au ras de l'eau, soit à haute altitude, et l'on a remarqué qu'ils pouvaient s'éloigner jusqu'à 40 km des côtes. La migration à l'intérieur des terres les conduit au bord de grands lacs, sur lesquels ils peuvent se poser. Ils survolent le paysage à très haute altitude (300 à 600 m) et, par mauvais temps, des vols contenant jusqu'à 300 individus se posent sur des lacs. La région des Grands Lacs constitue pour eux une étape importante.

La migration d'automne commence en septembre et se poursuit jusqu'en novembre. Dès octobre, on peut apercevoir des huarts dans le golfe du Mexique. Parents et juvéniles migrent ensemble à l'automne.

Les huarts hivernent le long des côtes est et ouest, au nord du Mexique, des îles Aléoutiennes jusqu'à la Basse-Californie, du Texas à Terre-Neuve. Ceux qui passent l'hiver dans le Sud entament leur migration dès la troisième semaine de mars. Ils atteignent le rivage du Nouveau-Brunswick vers la première semaine de mai.

Le comportement en société

On aperçoit toute l'année des vols de huarts, qui se divisent en quatre catégories.

Pendant l'été, de petits vols se rassemblent sur les territoires de reproduction. Ils sont surtout composés d'oiseaux solitaires, de couples qui ne se sont pas reproduits et de couples dont la nidification ne s'est pas poursuivie comme prévu, pour une raison ou une autre. Au départ, ces oiseaux demeurent dans des régions neutres du lac, qui n'ont été revendiquées par aucun couple. Ils se rassemblent pendant la journée, dès l'aube, pour se disperser autour du lac au crépuscule. Vers la fin de l'été, ces vols grossissent au fur et à mesure que des familles se joignent à eux.

Il peut arriver que des querelles s'y produisent, notamment à partir du milieu de l'été. Il s'agit d'affrontements brefs entre mâles qui lancent le «cri jodlé». Le reste du temps, les oiseaux se nourrissent, font leur toilette et se reposent en toute quiétude. On remarque que tous les oiseaux se livrent simultanément à la même activité.

Pendant la migration automnale, de grands vols, qui peuvent compter plusieurs centaines d'oiseaux, font étape sur de grands lacs. Au cours de la journée, ils se dispersent pour former de petits vols qui comptent environ une dizaine d'individus et ils se nourrissent ensemble. Vers la fin de l'après-midi, les grands vols se reforment à proximité des eaux profondes du lac et tous s'installent pour passer la nuit ensemble. Au petit matin, ils se dispersent à nouveau.

En hiver, les huarts revendiquent un territoire dans certaines régions pendant la journée (voir *Le territoire*), mais dès le crépuscule, ils rejoignent leurs congénères pour former de petits vols qui passent la nuit ensemble, sur des îlots abrités.

Au printemps, d'immenses vols comptant des centaines de huarts parcourent les cieux des régions côtières. Ils se rassemblent pendant la nuit pour migrer ensuite vers le nord.

BobHines

Grand héron (phase bleue)

Ardea herodias (Linné) / Great Blue Heron

La majorité d'entre nous doivent se contenter d'entrevoir un grand héron tandis qu'il traverse le ciel de son vol majestueux, battant puissamment des ailes, le cou arqué, les pattes traînant en arrière. Il nous arrive parfois de l'observer sur son territoire de subsistance, parfaitement immobile, scrutant les eaux peu profondes ou se déplaçant d'un pas mesuré à la recherche d'une proie.

Il est rare de pouvoir observer le comportement présidant à la nidification des hérons, car loin de se disperser pour se reproduire, ils nichent en petites colonies denses, appelées héronnières ou héronneries, dans des régions reculées. Toutefois, si vous vous adressez à une association locale de naturalistes ou d'ornithologues amateurs, vous obtiendrez des renseignements sur l'emplacement de la héronnière la plus proche. Prenez garde de ne pas déranger les oiseaux. Une seule visite peut suffire à vous révéler tout un éventail de manifestations.

Même si vous ne parvenez pas à observer les parades nuptiales, vous prendrez plaisir à regarder les hérons évoluer sur leur territoire de subsistance. Lorsque beaucoup d'entre eux se nourrissent ensemble, il arrive que des individus décident de revendiquer provisoirement un territoire qu'ils défendent à grand renfort de parades, de cris et de poursuites. La taille de ces oiseaux rend toutes les manifestations rituelles vraiment impressionnantes.

En outre, si vous observez les hérons en dehors de leur territoire de reproduction, tâchez de remarquer si vous avez affaire à des adultes ou à des juvéniles. Il suffit, pour les identifier, d'observer le sommet de leur tête. En effet, les juvéniles ont une tête entièrement sombre tandis que les adultes arborent une couronne blanche. Le nombre d'adultes ou de juvéniles que vous apercevrez peut varier d'un jour à l'autre, traduisant des changements dans le comportement social des oiseaux, par exemple ceux qui se produisent à la fin de la saison de reproduction.

CALENDRIER DU COMPORTEMENT

	TERRITOIRE	COUR	NIDIFICATION	ÉDUCATION DES OISILLONS	PLUMAGE	DÉPLACEMENTS SAISONNIERS	COMPORTEMENT EN SOCIÉTÉ
JANVIER							
FÉVRIER							
MARS							
AVRIL							
MAI							
JUIN							
JUILLET							
AOÛT							
SEPTEMBRE							
OCTOBRE							
NOVEMBRE							
DÉCEMBRE							

GUIDE DE LA COMMUNICATION

Communication visuelle

1. Redressement du corps

Mâle ou femelle *P, É, A, H*

L'oiseau se redresse, la tête et le cou tendus formant un angle de 45° avec le sol.

Cri: Aucun.

Contexte: On observe ce comportement surtout pendant que les oiseaux se nourrissent, pendant la défense de leur territoire ou de leur espace vital. Il s'agit du premier avertissement lancé à un intrus. Les oiseaux se livrent aussi à cette parade lorsqu'ils sont au nid. (Voir *Le territoire.*)

2. Redressement du corps/tête baissée

Mâle ou femelle *P, É, A, H*

L'oiseau se redresse, le cou tendu pour former un angle de 45° avec le sol, mais pointe le bec vers le bas. Les plumes de la huppe, du cou et du dos sont hérissées. À ce moment-là, il lui arrive de s'avancer d'une démarche raide vers l'intrus.

Cri: Parfois, on entend le «croassement rauque».

Contexte: Cette parade a lieu lorsqu'un intrus s'approche du territoire de subsistance ou du nid. Elle est plus agressive que le simple «redressement du corps». (Voir *Le territoire.*)

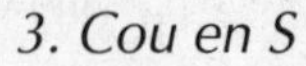

3. Cou en S

Mâle ou femelle *P, É, A, H*

Le corps à l'horizontale, le cou arqué et la tête rentrée entre les épaules, l'oiseau semble s'apprêter à frapper son adversaire. Ensuite, il s'avance parfois à pas rapides vers l'intrus en déployant légèrement les ailes.

Cri: «Croassement rauque».

Contexte: Il s'agit de la parade la plus agressive du répertoire de cet oiseau. Elle signifie que l'attaque est imminente. On observe ce comportement surtout à proximité du nid ou sur le territoire de subsistance. (Voir *Le territoire.*)

4. Tête en bas

Mâle ou femelle *P, É, A, H*

Les pattes sont légèrement pliées, la tête et le cou sont tendus vers le bas, au-dessous du niveau du corps. Parfois, l'oiseau hérisse les plumes de la huppe, du cou et du dos.

Cri: «Claquement du bec».

Contexte: Il s'agit d'une parade territoriale que l'oiseau exécute depuis son nid pour le défendre des autres hérons. On l'observe également chez deux partenaires, debout dans le nid. À ce moment-là, il arrive que les deux cous se croisent. (Voir *Le territoire, La cour.*)

5. Étirement du cou

Mâle ou femelle *P, É*

L'oiseau pointe le cou et le bec vers le haut, puis il rabaisse la tête vers les épaules tout en maintenant le bec en position verticale.
Cri: «Hurlement».
Contexte: On observe cette manifestation chez le couple lorsqu'il se trouve dans le nid. (Voir *La cour.*)

6. Oscillement de la tête

Mâle ou femelle *P, É*

À l'aide de son bec, chaque oiseau agrippe l'extrémité du bec de l'autre. Ensuite, il balance la tête d'avant en arrière.
Cri: Aucun.
Contexte: Cette parade constitue un élément de la cour. On l'observe aussi à proximité du nid. (Voir *La cour.*)

Communication auditive

1. Croassement rauque

Mâle ou femelle *P, É, A, H*

Ce cri bref, rauque et guttural, est habituellement répété deux fois.
Contexte: En général, ce cri accompagne une parade agressive à l'intention d'un intrus.

2. Honc

Mâle ou femelle *P, É, A, H*

Il s'agit d'un cri expiré bref et guttural.
Contexte: Ce cri accompagne les hostili-

tés, par exemple les poursuites sur le territoire de subsistance.

3. Claquement du bec

Mâle ou femelle *P, É, A, H*

L'oiseau referme son bec avec un bruit sec.

Contexte: Ce cri accompagne le mouvement «tête en bas».

4. Hurlement

Mâle ou femelle *P, É*

Il s'agit simplement d'un long cri expiré, qui rappelle le roucoulement.

Contexte: Il accompagne l'«étirement du cou».

5. Cri des oisillons

Il s'agit de «kak-kak» répétés. Ces cris, secs et sonores, peuvent s'entendre de loin.

DESCRIPTION DU COMPORTEMENT

Le territoire

Fonctions: Accouplement; nidification.
Dimensions: Les environs immédiats du nid.
Comportements habituels: «Tête en bas», «claquement du bec».
Durée de sa défense: Du début de la phase de reproduction jusqu'à la seconde phase de croissance des oisillons.

Pendant la saison de reproduction, les grands hérons défendent les environs immédiats de leur nid à l'aide de parades agressives. La posture «tête en bas», accompagnée du «claquement du bec», est la plus courante de ces manifestations. D'autres parades hostiles se déroulent parfois à proximité du nid, mais elles sont plus fréquentes sur le territoire de subsistance. Il s'agit du «redressement du corps», du «redressement du corps/tête baissée» et de la posture «cou en S».

À n'importe quel moment de l'année, les grands hérons peuvent revendiquer temporairement des territoires de subsistance dont le diamètre varie de quelques mètres carrés à plusieurs hectares. La superficie du territoire, voire son existence, dépend principalement de l'abondance de la nourriture. C'est uniquement en période de relative disette que ces territoires sont vigoureusement défendus. Certains chercheurs affirment que les juvéniles ne revendiquent pas de territoires de subsistance, mais préfèrent se nourrir en groupes qui réunissent un nombre variable de spécimens.

Toutefois, il est facile d'observer la défense de ce type de territoire, qui revêt la forme de poursuites dans les airs et de parades hostiles («redressement du corps», «redressement du corps/tête baissée», «cou en S») accompagnées de «honc». Il est rare que de véritables combats se produisent, mais lorsque cela arrive, ils peuvent être particulièrement violents. L'un des oiseaux se pose alors sur le dos de son adversaire et chacun essaie de blesser l'autre à coups de bec.

La cour

Comportements habituels: «Tête en bas», «étirement du cou», «oscillement de la tête», toilette mutuelle.
Durée: De l'arrivée sur le territoire de reproduction jusqu'à la fin de la première phase de croissance.

On pense que les grands hérons ne se reproduisent pas avant leur deuxième ou troisième année, moment où ils acquièrent leur plumage d'adulte.

La cour commence lorsque les oiseaux arrivent sur le territoire de reproduction et se poursuit jusqu'à la fin de la première phase de croissance des oisillons. On connaît au moins quatre parades nuptiales. La posture «tête en bas», qui sert aussi à la défense territoriale, s'observe entre les membres d'un couple au début de la saison. Les deux partenaires se livrent à cette parade au-dessus du nid et il arrive ainsi que leurs cous se croisent.

On remarque également une autre parade nuptiale lorsque le mâle apporte à sa compagne des matériaux servant à la nidification. À ce moment-là, elle exécute l'«étirement du cou» et lance le «hurlement». Le mâle réagit parfois de la même manière lorsque la femelle revient au nid après une absence.

Une troisième parade est liée à la cour. Il s'agit de l'«oscillement de la tête» (les deux oiseaux se tiennent par l'extrémité du bec et balancent la tête d'avant en arrière). Les oiseaux l'exécutent à proximité du nid.

Enfin, la toilette mutuelle permet à chaque oiseau de nettoyer ou de lisser les plumes de la tête, du cou et du dos de son partenaire à l'aide de son long bec. Toutefois, on ignore encore de quelle manière ces diverses parades s'inscrivent dans le tableau d'ensemble de la cour chez les grands hérons bleus.

La copulation est précédée de l'une ou de plusieurs des manifestations décrites ci-dessus. Elle se produit au nid ou sur une branche proche. À ce moment, la femelle se recroqueville tandis que le mâle monte sur son dos en saisissant dans son bec les plumes du cou de sa compagne.

La nidification

Emplacement du nid: Dans de très hauts arbres ou, à défaut, dans les buissons, mais rarement au sol.
Dimensions: Diamètre extérieur de 60 cm à 1 m.
Matériaux: Petites branches, brindilles, feuilles ou herbes.

Les oiseaux nichent en colonies avec d'autres grands hérons ou des hérons d'autres espèces, dans des endroits isolés, loin des habitations et des perturbations. Ils préfèrent les grands arbres et s'installent si possible au sommet de branches verticales. On remarque souvent des nids dans les arbres situés sur des îlots ou entourés d'eau. Peut-être essaient-ils ainsi de se protéger de prédateurs terrestres tels que les ratons laveurs.

Les héronneries sont parfois utilisées pendant des dizaines d'années et comportent une multitude de nids, en nombre parfois supérieur au nombre de couples qui y nichent. Chaque année, les grands hérons restaurent les mêmes nids, qui finissent par devenir énormes et assez solides pour résister à de grands vents.

À leur arrivée dans la héronnerie, au printemps, les oiseaux se perchent dans les arbres. Ils se font mutuellement la toilette, se reposent et visitent leur territoire de reproduction. Ils n'entament pas immédiatement la construction du nid. Quelques jours plus tard, ils commencent à revendiquer un emplacement et à le défendre contre les autres hérons.

Ils recueillent des brindilles sur le sol, les arrachent aux arbres et n'hésitent pas à s'approprier les matériaux d'autres nids, désaffectés ou non. Chaque brindille doit mesurer au moins 30 cm de long et 1,5 cm de diamètre. Le mâle apporte généralement les matériaux à la femelle qui l'accueille avec l'«étirement du cou» avant d'accepter l'offrande pour la placer dans le nid. Les travaux peuvent aussi bien durer quelques jours que quelques semaines. On a même remarqué que le couple continuait d'améliorer le nid pendant l'incubation.

Lorsque les oiseaux reprennent un nid déjà utilisé l'année précédente, ils se contentent de le restaurer en y apportant quelques brindilles. Qu'il s'agisse d'un nid neuf ou d'un ancien, les hérons ont coutume de le tapisser de fines brindilles, d'herbes et de feuilles.

Dans les colonies déjà anciennes, il arrive que la végétation environnante ou les arbres mêmes qui supportent les nids soient complètement morts. On pense que ce phénomène résulte de l'accumulation d'excréments tombés du nid.

L'éducation des oisillons

Œufs: De 3 à 5; bleu-vert allant jusqu'au vert olive pâle.
Incubation: Environ 28 jours; les deux parents incubent.
Première phase de croissance: De 7 à 8 semaines.
Seconde phase de croissance: De 2 à 3 semaines.
Couvée: 1.

Ponte et incubation

La ponte du premier œuf se produit plusieurs jours après l'achèvement du nid. La femelle pond de trois à cinq œufs, à intervalles d'au moins deux jours. L'incubation commence parfois avant la ponte du dernier et c'est pourquoi l'éclosion peut s'étaler sur plusieurs jours.

On observe un rituel très simple où l'un des partenaires vient remplacer l'autre au nid. Une fois à proximité, l'arrivant émet parfois une sorte de gargouillis, et l'oiseau qui incubait se lève, se tient debout sur le rebord, puis s'envole. Quelquefois, l'arrivant transporte des brindilles qu'il offre à son partenaire, qui les place dans le nid avant de s'envoler.

L'arrivant s'installe avec précaution sur les œufs, parfois après les avoir retournés. Ensuite, on ne l'entend plus. C'est d'ailleurs pendant cette période que la colonie est la plus calme. Elle n'est toutefois pas entièrement silencieuse, car tous les couples ne traversent pas la même phase de reproduction au même moment.

Première phase de croissance

L'éclosion peut s'étaler sur sept jours. Par conséquent, on observe fréquemment des différences de taille très marquées parmi les oisillons. Au début, ils restent presque constamment sous l'aile de leurs parents qui, contrairement à leur comportement pendant l'incubation, se montrent alors plus agités et plus actifs.

À leur naissance, tout ce que les oisillons peuvent faire, c'est ramper pitoyablement dans le nid. Les deux parents les nourrissent. Ils commencent par se tenir sur le rebord du nid en régurgitant de la nourriture qu'ils placent avec précaution dans le bec tendu des oisillons. Une fois la couvée rassasiée, les parents s'installent dans le nid pour la tenir au chaud.

Peu à peu, les oisillons deviennent plus actifs et commencent à lancer leur «kak-kak» dès qu'ils aperçoivent l'un de leurs parents à proximité. À partir de ce moment-là, les parents continuent à régurgiter de la nourriture à leur intention, mais les petits viennent la chercher eux-mêmes à l'aide de leur bec. On remarque que, par la suite, les parents se contentent de régurgiter la nourriture dans le nid. Les oisillons se jettent alors dessus en se querellant.

Il est fréquent qu'un ou plusieurs oisillons de la même couvée ne survivent pas. Ce sont généralement les plus jeunes qui meurent, ceux dont les œufs ont éclos en dernier lieu. Ils sont trop petits pour se battre efficacement et finissent par mourir de faim. C'est une façon naturelle de réduire le nombre des oisillons lorsque la nourriture est insuffisante pour tous.

Les jeunes s'efforcent de déféquer par-dessus le rebord du nid, mais ils n'y parviennent pas toujours. C'est pourquoi le bourrelet extérieur est fréquemment taché d'excréments.

Lorsqu'un danger menace le nid, les petits réagissent en régurgitant de la nourriture sur l'intrus... Une mauvaise surprise pour tout observateur mal renseigné, humain ou autre.

Seconde phase de croissance
Les oisillons quittent le nid après sept ou huit semaines. À ce stade, ils sont aussi grands que les adultes. Auparavant, on peut les voir marcher sur des branches proches du nid pour s'exercer à voler. Il n'est pas rare que de jeunes oiseaux se tuent à ce moment-là en tombant de leur nid.

Les juvéniles restent avec leurs parents qui continuent à les nourrir pendant les deux à trois semaines qui suivent leur départ du nid. Ensuite, ils les quittent, se nourrissant en compagnie d'autres juvéniles.

Le plumage

Comment différencier le mâle de la femelle
Il est impossible de distinguer le mâle de la femelle en se fondant uniquement sur l'apparence. Quant aux indices de comportement, ils sont très rares. En général, c'est la femelle qui s'occupe principalement de bâtir le nid. Pendant la copulation, c'est évidemment la position de l'oiseau qui trahit son sexe: la femelle se trouve sous le mâle.

Comment distinguer les jeunes des adultes
Les juvéniles ne ressemblent aux adultes qu'après leur troisième automne. On remarque plusieurs différences avec ces derniers. Tout d'abord, l'absence de couronne blanche sur la tête entièrement noire du jeune oiseau, puis l'absence d'épaulettes noires. Ces marques apparaissent au fur et à mesure qu'il grandit.

Mue
Les grands hérons muent entièrement vers la fin de l'été et au début de l'automne. Une mue partielle des plumes du corps a également lieu en hiver et au début du printemps.

Les déplacements saisonniers

Lorsque les juvéniles savent voler, les grands hérons se dispersent dans toutes les directions. Il est fréquent que les jeunes parcourent les plus grandes distances. Vers la fin de l'été, ils peuvent même atteindre des régions où on ne les voit jamais à d'autres moments de l'année, par exemple au nord de leurs territoires de reproduction. Après s'être nourris pendant quelques semaines dans ces régions, ils commencent à migrer vers le sud.

La migration d'automne se déroule de la mi-septembre à la fin octobre. Les oiseaux dont l'habitat est situé au nord-ouest du continent suivent le rivage, ceux des Prairies descendent vers le golfe du Mexique, le centre du Texas ou du Mexique. Les oiseaux du Sud et de la côte ouest des États-Unis n'ont pas l'habitude de migrer et ne se déplacent que sur de courtes distances, en fonction de l'abondance de la nourriture.

La migration d'automne est surtout diurne mais certains oiseaux se déplacent aussi de nuit. Ils migrent seuls ou par petits groupes allant jusqu'à une douzaine d'oiseaux, parfois plus.

La migration printanière débute en février et se poursuit jusqu'en mai si les oiseaux ont un long chemin à parcourir pour se rendre dans des régions septentrionales.

Le comportement en société

En hiver, les grands hérons bleus se joignent parfois à d'autres espèces de hérons. La nuit, tous s'installent dans des abris communautaires. Au matin, ils se dispersent pour aller se nourrir dans leurs endroits favoris.

Bob Hines

Canard huppé

Aix sponsa (Linné) / Wood Duck

Le canard huppé est la seule espèce de canard branchu indigène d'Amérique du Nord. Les canards branchus se caractérisent par des serres bien développées, une longue queue et des ailes irisées. En outre, ils nichent dans les cavités des arbres.

Au fur et à mesure que les colons européens défrichaient les régions orientales de l'Amérique du Nord, le nombre d'arbres dans lesquels pouvaient nicher les canards diminuait. Les populations ont donc progressivement décliné et, au début du siècle, les canards huppés avaient pratiquement disparu.

Des mesures de conservation et de protection, notamment contre les chasseurs, permirent aux populations de canards huppés d'amorcer une timide remontée. Malheureusement, l'ouragan de 1938 fit disparaître d'innombrables nids dans le nord-est. À la suite de quoi, on mit en œuvre un programme comportant l'installation de nichoirs dans le sanctuaire faunique national de Great Meadows au Massachusetts. Les canards y élirent domicile en grand nombre, consacrant le franc succès de cette initiative, qui put ainsi être étendue à d'autres régions. À l'heure actuelle, les populations se maintiennent à un niveau satisfaisant, grâce à l'accroissement du nombre de cavités naturelles dans les forêts de repousse et aux programmes d'installation de nichoirs parrainés par les organismes de protection de la sauvagine.

Les nichoirs permettent aux éthologues amateurs d'observer les parades nuptiales dans les sanctuaires ouverts au public. Les canards huppés semblent actifs toute l'année, mais la cour a surtout lieu au printemps et à l'automne. Certaines parades, très complexes, sont particulièrement fascinantes.

CALENDRIER DU COMPORTEMENT

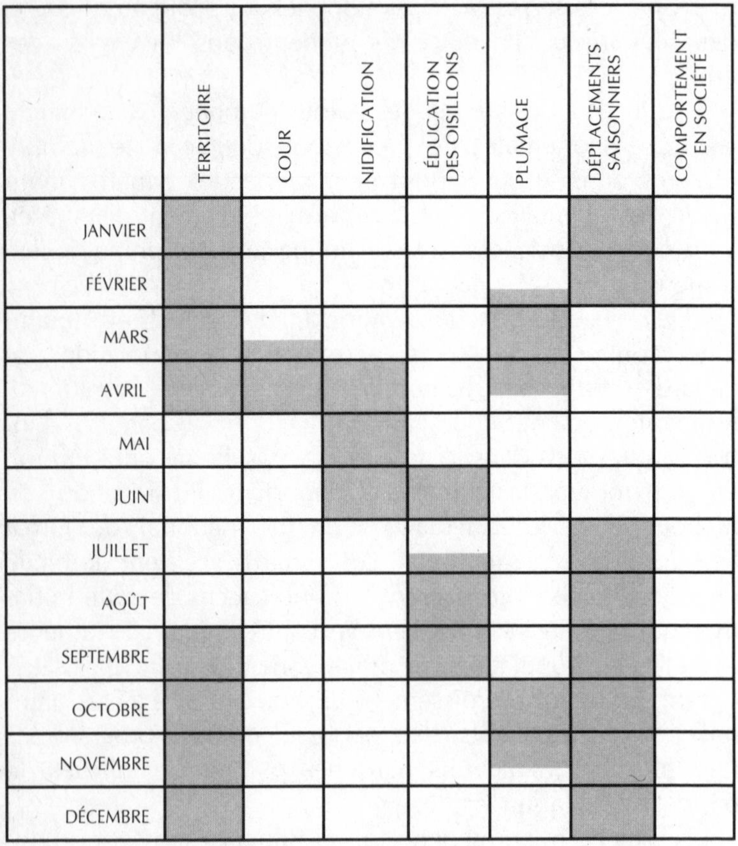

	TERRITOIRE	COUR	NIDIFICATION	ÉDUCATION DES OISILLONS	PLUMAGE	DÉPLACEMENTS SAISONNIERS	COMPORTEMENT EN SOCIÉTÉ
JANVIER							
FÉVRIER							
MARS							
AVRIL							
MAI							
JUIN							
JUILLET							
AOÛT							
SEPTEMBRE							
OCTOBRE							
NOVEMBRE							
DÉCEMBRE							

Communication visuelle

1. Ailes et queue hautes

Mâle *A, H, P*

Les ailes et la queue légèrement élevées, le mâle s'éloigne de la femelle en lui tournant le dos. Généralement, elle le suit.

Cri: Aucun.

Contexte: Cette parade suit habituellement la formation du couple et sert peut-être à renforcer les liens entre les partenaires. Elle répond à la «provocation» (voir ci-dessous) de la femelle. On l'observe surtout chez le mâle. (Voir *La cour.*)

2. Provocation

Femelle (parfois mâle) *A, H, P*

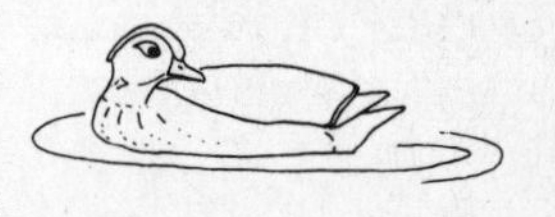

La femelle ramène à plusieurs reprises son bec sur le côté en nageant.

Cri: Aucun.

Contexte: Il s'agit de la parade la plus fréquente chez la femelle. Elle se déroule à proximité du mâle, mais elle vise un autre mâle qui s'approche du couple. Le partenaire répond habituellement par la parade «ailes et queue hautes» tandis que le couple s'éloigne de l'intrus. On observe aussi ce mouvement chez le mâle du couple lorsqu'un autre mâle s'approche. (Voir *La cour.*)

3. Élévation du bec

Mâle ou femelle *A, H, P*

L'oiseau, nageant normalement, élève soudain son bec, exposant ainsi les plumes blanches de son menton. Parfois, il répète ce mouvement à plusieurs reprises.

Cri: Aucun.

Contexte: Chaque membre du couple accueille l'autre de cette manière. Lorsque tous deux se livrent simultanément et plusieurs fois de suite à ce mouvement, il prélude à la copulation.

4. Ébrouement

Mâle *A, H, P*

L'oiseau commence par se tenir immobile pendant quelques secondes, la tête rentrée dans les épaules et la huppe hérissée. Puis, soudain, il arque le cou et élève la poitrine hors de l'eau, le bec toujours pointé vers le bas. En général, le mâle se tient à quelques dizaines de centimètres de la femelle, perpendiculairement à elle, pendant cette parade.

Cri: Aucun.

Contexte: On l'observe lorsque le couple est seul ou lorsqu'un autre mâle s'approche de la femelle. Cette parade sert peut-être à renforcer les liens entre les partenaires. (Voir *La cour.*)

5. Toilette derrière l'aile

Mâle ou femelle *A, H, P*

L'oiseau commence par rentrer la tête dans les épaules en hérissant la huppe. Ensuite, il penche le bec comme pour

boire avant de le tendre en direction de la femelle, l'aspergeant parfois de quelques gouttes d'eau. Ensuite, il place son bec sous son aile, du côté de la femelle, tout en exposant son miroir blanc. Pendant cette parade, le mâle se tient généralement devant la femelle, perpendiculairement à elle.
Cri: Aucun.
Contexte: On l'observe au printemps chez les couples déjà formés, plus rarement à l'automne. Il s'agit peut-être d'une parade destinée à renforcer le lien «conjugal». La femelle s'y livre parfois. (Voir *La cour.*)

6. Exhibition de la tête et de la queue

Mâle *A, H, P*

L'oiseau commence par rentrer la tête dans les épaules, tout en hérissant partiellement sa huppe. Ensuite, il élève brusquement la tête, les ailes et la queue. Il hérisse alors complètement la huppe. En moins d'une seconde, il reprend sa position normale. Pendant cette parade, le mâle se tient devant la femelle, perpendiculairement à elle. Lorsque toute la séquence est terminée, il lui arrive de secouer la queue en nageant à quelques mètres de sa compagne.
Cri: Cri bref et guttural.
Contexte: Il s'agit probablement d'une parade destinée à renforcer les liens du couple. (Voir *La cour.*)

7. Secouement du bec

Mâle *A, H, P*

L'oiseau élève la tête et hérisse la huppe, tout en secouant le bec de côté en direction de la femelle. Ensuite, il baisse la tête et lisse sa huppe. Cette parade est souvent répétée à plusieurs reprises.

Cri: «Pfuit» pendant le secouement du bec.

Contexte: On observe cette parade agressive lorsque les oiseaux sont en groupe. (Voir *La cour.*)

8. Immersion du bec

Mâle ou femelle *A, H, P*

L'oiseau plonge à plusieurs reprises le bec dans l'eau, à la verticale.

Cri: «Cri d'accompagnement du plongeon du bec».

Contexte: On observe cette parade agressive lorsque les oiseaux sont en groupe. Les autres imitent parfois le premier. (Voir *La cour.*)

Communication auditive

1. Wou-îîk

Femelle *P, É, A, H*

C'est le cri expiré que l'on associe habituellement aux canards huppés. En réalité, il est propre à la femelle. Les dernières notes sont de plus en plus aiguës.

Contexte: La femelle lance ce cri lorsqu'elle vole ou nage, ou lorsqu'elle s'approche d'un groupe de mâles. Peut-être annonce-t-elle ainsi sa présence. Une variante plus brève sert de cri d'alarme.

2. Pfuit

Mâle *A, H, P*

Il s'agit d'un sifflement très court, très aigu, bien reproduit par la graphie «pfuit».

Contexte: Ce sifflement accompagne le «secouement du bec» chez le mâle. On l'entend le matin, le soir et au sein de groupes de canards pendant la cour. (Voir *La cour.*)

3. Diiii

Mâle *P, É, A, H*

Ce sifflement expiré, très ténu, est accentué vers la fin. On ne l'entend que de très près.

Contexte: Le mâle émet ce cri à l'aube et au crépuscule, lorsque les oiseaux entrent dans l'abri ou s'installent pour la nuit. On l'entend aussi au sein de groupes pendant la cour.

4. Cri d'accompagnement de l'immersion du bec

Mâle ou femelle *P, É, A, H*

Il s'agit d'une note douce, rapidement répétée, que l'oiseau émet pendant qu'il exécute l'«immersion du bec». Chez les mâles, on entend un son semblable à «djibdjibdjib» tandis que chez la femelle, le cri ressemble davantage à «dîîdîîdîî». C'est la parade d'accompa-

gnement qui permet surtout de le reconnaître.
Contexte: Le mâle ou la femelle lancent ce cri lors de rencontres hostiles, pendant la cour. (Voir *La cour.*)

5. Cri de coquetterie
Femelle *A, H, P*
C'est une simple note très brève, lancée sur une gamme descendante.
Contexte: Ce cri accompagne les parades nuptiales.

6. Tii-tii
Femelle *P*
On entend une note rapidement répétée qui ressemble au «cri d'accompagnement de l'immersion du bec».
Contexte: La femelle lance ce cri pendant qu'elle cherche un nid. (Voir *La nidification.*)

DESCRIPTION DU COMPORTEMENT

Le territoire

Aucune observation ne laisse croire que les canards huppés défendent un territoire.

La cour

Comportements habituels: «Élévation du bec», «provocation», «ailes et queue hautes», poursuites.
Durée: De l'automne à la fin du printemps.

Chez les canards huppés, la cour se divise sommairement en trois stades: les rencontres et les parades hostiles au sein d'un groupe, la formation du couple et le renforcement des liens du couple.

La cour commence vers la mi-septembre, lorsque la plupart des mâles adultes ont acquis leur brillante livrée nuptiale. De petits groupes d'une dizaine d'oiseaux, comportant plus de mâles que de femelles, se rassemblent. On commence à voir plusieurs mâles nager autour d'une femelle, la tête souvent rentrée dans les épaules.

Ensuite, on peut observer l'«élévation du bec» et entendre des sifflements tandis que les femelles lancent le «cri de coquetterie». Les oiseaux des deux sexes exécutent également l'«immersion du bec». Les parades deviennent de plus en plus fréquentes et parfois la femelle se livre à la «provocation», incitant les mâles au combat. Ceux-ci se poursuivent alors tête baissée, avec force éclaboussements. La fin du combat marque la cessation temporaire des hostilités, et les mâles qui se sont battus recommencent à se baigner tranquillement.

À la suite de cet épisode, qui peut durer jusqu'à vingt minutes, tous les oiseaux flânent, font leur toilette et se nourrissent. Une nouvelle série de parades peut avoir lieu presque aussitôt ou beaucoup plus tard. En général, ces manifestations se déroulent tôt le matin ou en fin d'après-midi. Les canards huppés sont des oiseaux silencieux, sauf pendant leurs parades. Par conséquent, pour découvrir l'endroit où ils se trouvent, tâchez de repérer les cris des groupes occupés à parader.

On pense que ces manifestations de groupe ont pour but d'établir une hiérarchie parmi les mâles. Le mâle dominant (il peut y en avoir plusieurs) est le premier à pouvoir s'approcher d'une femelle. La formation du couple se passe, semble-t-il, sans cérémonie. La femelle n'accepte plus près d'elle qu'un ou deux mâles et se montre agressive envers tous les autres. Les «élus» tiennent également leurs congénères à distance en leur manifestant de l'hostilité ou en les prenant en chasse. Peu à peu, un seul mâle réussit à s'approcher suffisamment de la femelle pour lui lisser les plumes de la tête.

Après la formation du couple, les deux partenaires restent ensemble, évitant la compagnie d'autres groupes. Après une brève séparation, ils s'accueillent avec l'«élévation du bec». Lorsqu'un autre mâle s'approche, la femelle se livre à la «provocation» tandis que son compagnon répond avec les «ailes et la queue hautes», tout en s'éloignant de l'intrus. La combinaison de ces deux parades représente le comportement nuptial le plus courant chez les canards huppés. Elle nous permet de savoir si les couples sont déjà formés.

Pendant les deux premières semaines de la cour, les mâles continuent de se quereller pour obtenir les faveurs d'autres femelles. Par conséquent, les couples ne sont pas stables. Parfois, ils ne durent qu'une dizaine de minutes. Les parades nuptiales les plus élaborées sont exécutées par les mâles lorsqu'ils sont à proximité de leur compagne. Parfois, ils répondent ainsi à l'intrusion d'un autre mâle, parfois, ils les exécutent après s'être débarrassés des intrus. Les plus courantes sont l'«ébrouement», la «toilette derrière l'aile», les «ailes et la queue hautes», le «secouement du bec». (Voir *Guide de la communication.*)

Dès le milieu de l'hiver, la majorité des femelles ont accepté un mâle. Les couples restent ensemble et paradent moins que les oiseaux solitaires, qui ont tendance à évoluer en groupe. On peut observer davantage de parades en automne qu'au printemps.

Le couple se trouve généralement isolé au moment de la copulation, car le mâle a chassé les autres oiseaux. Il arrive que le mâle et la femelle se livrent ensemble à l'«élévation du bec», en un mouvement synchronisé, juste avant la copulation. Parfois, ils boivent également quelques gouttes d'eau. Peu à peu, la femelle s'étend sur l'eau, le mâle s'approche par derrière, lui grimpe sur le dos et lui saisit la nuque dans son bec. Après l'accouplement, le mâle lâche son emprise et se retourne en nageant pour faire face à la femelle pendant qu'elle se baigne. Il peut également exécuter ensuite l'«exhibition de la tête et de la queue» ou les «ailes et queue hautes». La copulation est fréquente au printemps. Lorsqu'elle a lieu en automne et en hiver, son objectif n'est pas la fécondation mais, plus vraisemblablement, le renforcement des liens du couple.

La nidification

Emplacement du nid: Dans les cavités des arbres ou des nichoirs.
Dimensions: L'entrée doit avoir au moins 9 cm de diamètre; l'intérieur doit avoir au moins 28 cm de diamètre; la profondeur de la cavité doit être d'au moins 30 cm.
Matériaux: Le nid est tapissé de duvet provenant de la poitrine de la femelle.

Les couples commencent au printemps à rechercher un emplacement pour y nicher. La plupart des femelles retournent toujours au même endroit. Quant aux oiseaux d'un an, ils ont tendance à rechercher des cavités dans les régions où ils sont nés.

C'est surtout le matin que le couple part à la recherche de son nid. Il survole une région et se perche sur les arbres susceptibles d'abriter des cavités. La femelle se charge d'explorer l'intérieur de ces cavités tandis que le mâle l'attend, perché à proximité. Parfois, elle se contente de s'installer à l'entrée et, à d'autres reprises, elle y pénètre.

Les canards huppés utilisent parfois d'anciens nids de pics, tels ceux des grands pics ou des pics flamboyants. Il leur arrive aussi de choisir des orifices créés naturellement par la putréfaction du bois ou des nichoirs artificiels. Le nid choisi se situe habituellement à une hauteur variant de 1 à 18 m au-dessus de l'eau ou du sol. La femelle a besoin d'une ouverture dont le diamètre atteint au moins 9 cm. La profondeur du trou varie entre 30 cm et 3 m. Le diamètre intérieur doit être d'au moins 28 cm.

Les étourneaux essaient souvent de s'approprier des nids choisis par les canards huppés. Ces derniers, à la recherche d'une cavité, s'introduisent parfois dans les cheminées où ils restent coincés.

Lorsqu'une femelle a choisi son nid, elle le tapisse de duvet qu'elle arrache de sa poitrine. Dans les cavités naturelles, on voit aussi des copeaux de bois au fond du nid.

L'éducation des oisillons

Œufs: Entre 11 et 14; blancs tirant sur le beige.
Incubation: De 27 à 30 jours (habituellement 30); seule la femelle incube.
Première phase de croissance: Seulement 1 jour.
Seconde phase de croissance: Environ 5 semaines.
Couvées: Habituellement 1; parfois 2 sous des climats plus chauds.

Ponte et incubation

Avant de pondre son premier œuf, la femelle creuse une petite dépression ovale dans la litière qui tapisse le fond de son nid. Dès que le premier œuf a été pondu, elle le recouvre de litière, formant ainsi un petit cône au centre du nid.

Les jours de ponte, le mâle et la femelle s'approchent du nid tôt le matin. La femelle entre dans la cavité tandis que le mâle s'installe tout près. Elle pond un œuf par jour. Pendant les premiers jours, elle ne passe que quelques minutes au nid, recouvrant les œufs de litière avant de s'envoler. Peu à peu, elle passe plus de temps — une heure ou plus — à proximité des œufs.

La femelle arrache du duvet de sa poitrine; celui-ci lui permet de tenir ses œufs au chaud, dès que le sixième ou le huitième a été pondu. Après la ponte, on peut observer une épaisseur considérable de duvet au fond du nid.

Bien que la majorité des canes huppées ne pondent guère plus de quatorze œufs dans leur propre nid, beaucoup de cavités en contiennent de quinze à vingt, car elles ont coutume d'aller pondre quelques œufs dans les nids d'autres femelles. Ce phénomène porte le nom de parasitisme interspécifique. Au cours d'une étude, on a découvert que 37 p. 100 des œufs trouvés dans les nids d'une région donnée n'avaient pas été pondus par l'occupante du nid. Par conséquent, il s'agit d'une habitude très courante chez cette espèce.

Selon certaines études, les canes qui parasitent les nids se présentent le matin chez leurs «voisins» en compagnie du mâle, en l'absence de l'occupante. Elles pondent dans plusieurs nids et ne s'attardent guère ensuite. On a d'ailleurs constaté que certaines canes huppées ne possédaient même pas leur propre nid. D'autres pondent dans des nids étrangers avant d'aller pondre dans le leur. Apparemment, on ne note aucune animosité chez les femelles dont la couvée a été enrichie de cette manière. Elles incubent tous les œufs et élèvent les petits comme s'ils étaient les leurs.

Les scientifiques s'interrogent encore sur les raisons de cette habitude. Le moins qu'on puisse dire de la femelle parasite et de son compagnon est qu'ils ne «placent pas tous leurs œufs dans le même panier»...

On ne sait pas exactement à quel moment commence l'incubation. La femelle passe parfois la nuit sur les œufs pendant qu'elle pond les quatre derniers de la couvée. En outre, les œufs étant recouverts de duvet, il est évident qu'une certaine incubation doit se produire avant la ponte du dernier.

Cependant, la plupart du temps, la «véritable» incubation ne commence pas avant la fin de la ponte. Ensuite, la femelle ne quitte le nid que deux fois par jour, tôt le matin — parfois avant l'aube — et en fin d'après-midi, uniquement pour se nourrir. Ces pauses durent en moyenne une heure.

Au moment de quitter le nid, elle lance un cri qui a sans doute pour but de repérer le mâle qu'elle rejoint sans tarder. Il revient avec elle près du nid, ne la quittant que lorsqu'ils sont tout près de la cavité. Aucun des deux n'émet le moindre son sur le chemin du retour. On sait que le mâle n'incube pas.

Vers la quatrième semaine d'incubation, les deux oiseaux ne se rejoignent plus pendant les pauses de la femelle. Le mâle quitte parfois les environs pour se joindre à d'autres mâles et entamer une mue partielle.

Si la première couvée est détruite, les canards huppés peuvent en pondre une ou deux autres.

Première phase de croissance

Les œufs éclosent à quelques heures d'intervalle et la femelle ne quitte le nid que lorsque tous les canetons sont capables de se déplacer. Elle ne les nourrit pas, car ils quittent le nid dès le deuxième jour.

La femelle les incite à sortir dès le matin. Elle commence par regarder à plusieurs reprises à l'extérieur du nid, peut-être pour s'assurer qu'il n'y a aucun danger. Lorsqu'elle se décide à faire sortir ses canetons, elle lance un cri particulier que l'on n'entend que de très près, une sorte de «couic-couic-couic». À ce moment-là, les canetons se rapprochent du rebord du nid et, sans la moindre hésitation, sautent à l'extérieur, ailes déployées, en lançant un cri très doux.

Il leur arrive, en sautant, de rebondir sur le sol et même de s'assommer, mais il est rare qu'ils se blessent. Commence alors, pour la mère et les petits, un long voyage qui les conduira vers l'eau et leur source de nourriture. Parfois, il leur faut ainsi parcourir près de 2 km et c'est durant ce voyage que les canetons sont le plus vulnérables.

Seconde phase de croissance

Les canetons et leur mère s'installent dans des endroits abrités, où abonde une nourriture facilement accessible. Parfois, ils se joignent à d'autres familles de canards huppés. La cane demeure à proximité des petits pendant les deux premières semaines. Ensuite, elle les quitte tôt le matin et dans l'après-midi pour chercher seule sa nourriture. Les canetons font rapidement preuve d'indépendance et, au bout de dix jours, partent se promener seuls.

Deux semaines plus tard, d'autres couvées les rejoignent. La flottille de canetons n'est parfois surveillée que par une seule femelle. Après cinq semaines, la femelle quitte les petits pour rejoindre les autres femelles et muer. Lorsque le couple a une deuxième couvée, la femelle quitte les canetons plus tôt, car le moment de la mue est imminent. Sous des climats plus tièdes, les femelles ont parfois une seconde couvée si la première a survécu normalement.

Les canetons savent voler à l'âge de huit ou neuf semaines. Ils se joignent à d'autres juvéniles, avec lesquels ils passent la nuit. (Voir *Le comportement en société*.)

Le plumage

Comment différencier le mâle de la femelle

Quelle que soit sa livrée, le mâle a toujours des plumes rouges à la base du bec. Son iris reste rouge et il ne perd jamais les deux bandes blanches de chaque côté du menton. La femelle a le bec gris, l'iris brun et une seule bande blanche de chaque côté du menton.

Comment distinguer les jeunes des adultes

Les juvéniles ressemblent à la femelle adulte, mais leur ventre est tacheté, contrairement au ventre de l'adulte, qui est uniformément blanc.

Mue
Mâle et femelle muent deux fois par an, entièrement à la fin de l'été, et partiellement (les plumes du corps seulement) au début de l'été.

La mue partielle du mâle commence un peu avant celle de la femelle. Son plumage éclipse le fait ressembler à la femelle, à l'exception des marques distinctives mentionnées plus haut: le rouge à la base du bec, l'iris rouge et les deux bandes blanches perpendiculaires au menton.

Vers le milieu de l'été, le mâle commence à revêtir sa flamboyante livrée nuptiale, après une mue complète de trois semaines, durant laquelle il lui est impossible de voler. Dès la mi-septembre, il a entièrement mué.

Le cycle de la femelle est à peu près identique. Toutefois, il commence une semaine ou deux plus tard. Les mues ne modifient ni la couleur ni les motifs de son plumage.

Les déplacements saisonniers

Les canards huppés des régions méridionales y restent généralement toute l'année. En revanche, chez les résidants du Nord, se produisent des migrations d'envergure variable. Les oiseaux de Nouvelle-Angleterre descendent jusqu'au Maryland le long des côtes. Ceux des Prairies se dispersent dans le Sud, du Texas à la Géorgie. Les canards huppés de la côte ouest descendent en Californie méridionale et au Mexique, le long du Pacifique.

En août, avant la migration d'automne, ils se dispersent dans toutes les directions, sur un rayon de plusieurs centaines de kilomètres. La cour commence en septembre. La migration d'automne a lieu en octobre et en novembre. La migration du printemps se produit en mars et en avril. Les oiseaux migrent en couple ou par petits vols.

Le comportement en société

Les abris des canards huppés rassemblent des effectifs importants chaque soir, près d'une étendue d'eau. Les groupes se forment en juillet, tandis que les juvéniles trouvent des endroits sûrs pour y passer la nuit. Au matin, ils se dispersent pour trouver leur nourriture. Des adultes se joignent à eux après avoir retrouvé leur capacité de voler, après la mue. Les oiseaux demeurent en groupe tout l'automne et tout l'hiver dans les régions du Sud. On a dénombré près de cinq mille oiseaux dans des abris méridionaux. Les canards migrateurs se déplacent d'un abri à l'autre pendant leur migration vers le sud, mais dès que commence la saison des amours, au printemps, les groupes se dissolvent.

Bob Hines

Bécasse d'Amérique

Scolopax minor (Gmelin) / American Woodcock

Des bécasses, on connaît surtout les spectaculaires parades aériennes auxquelles se livrent les mâles au-dessus du territoire de reproduction, vers la tombée de la nuit et à l'aube. Les oiseaux volent en cercle jusqu'à une hauteur d'environ trente mètres, puis redescendent en zigzaguant. À leur atterrissage, leur «pîînt» caractéristique déchire le silence des heures tranquilles du soir ou du matin.

Bien que ce spectacle, visuel et auditif, permette de reconnaître facilement la bécasse, les observateurs n'ont pas entièrement élucidé le comportement que cet oiseau adopte aux heures crépusculaires. On ignore toujours pourquoi les bécasses exécutent des parades aériennes, on ne sait ni comment les femelles choisissent les mâles, ni comment les couples se forment, ni quelles relations les femelles entretiennent entre elles.

Vous pourrez également observer les bécasses à d'autres phases de leur existence, par exemple au cours de la deuxième phase de croissance des oisillons. À ce moment, la femelle passe son temps avec ses oisillons, l'été, se nourrissant en leur compagnie dans des marécages boueux. Si vous la dérangez, elle s'envolera en frémissant des ailes comme si elle était blessée. Cette manœuvre a pour but de détourner l'attention du prédateur en l'éloignant des oisillons. Mais si vous examinez avec attention l'endroit d'où elle s'est envolée, vous pourrez apercevoir les petits, qui sont adorables.

Peut-être aurez-vous la chance de voir les bécasses se rassembler en grands vols par les soirées d'été ou pendant les dernières heures des journées d'hiver.

CALENDRIER DU COMPORTEMENT

	TERRITOIRE	COUR	NIDIFICATION	ÉDUCATION DES OISILLONS	PLUMAGE	DÉPLACEMENTS SAISONNIERS	COMPORTEMENT EN SOCIÉTÉ
JANVIER							
FÉVRIER							
MARS							
AVRIL							
MAI							
JUIN							
JUILLET							
AOÛT							
SEPTEMBRE							
OCTOBRE							
NOVEMBRE							
DÉCEMBRE							

GUIDE DE LA COMMUNICATION

Communication visuelle

1. Vol de parade

Mâle *P, É, A, H*

L'oiseau s'élève en décrivant de grands cercles. À une quinzaine de mètres du sol, il commence à émettre le «sifflement des ailes» tout en continuant de s'élever en cercles plus petits. Après avoir atteint 60 ou 90 m, le sifflement s'interrompt; l'oiseau lance alors le «chant de vol» tout en redescendant en zigzags vers le sol. La dernière partie de la descente s'effectue en silence.

Cris: «Sifflement des ailes» en montant; «chant de vol» en descendant.

Contexte: Cette parade se produit surtout à l'aube et au crépuscule, au-dessus du territoire de reproduction. (Voir *La cour, Le territoire.)*

2. Élévation des ailes

Mâle *P*

Tandis que le mâle s'approche de la femelle d'une démarche majestueuse ou en plusieurs petites étapes au pas de course, il élève les ailes au-dessus du dos.

Cri: Aucun.

Contexte: Le mâle se livre à cette parade lorsqu'il s'approche d'une femelle avec laquelle il s'efforcera ensuite de copuler. (Voir *La cour.*)

3. Manœuvre de diversion

Femelle *É*

La femelle s'envole et parcourt une courte distance en battant laborieusement des ailes, les pattes pendantes. Elle réitère parfois cette manœuvre à plusieurs reprises.

Cri: Aucun ou cri bref.

Contexte: On observe ce mouvement lorsqu'un prédateur s'approche du nid. Il sert probablement à détourner son attention des oisillons. (Voir *Éducation des oisillons.*)

4. Queue en éventail

Mâle ou femelle *P, É, A, H*

L'oiseau élève la queue à la verticale avant de la déployer en éventail, exhibant les plumes blanches du dessous.

Cri: Aucun.

Contexte: Il s'agit d'une manifestation d'inquiétude.

5. Mouvement de piston

Mâle ou femelle *P, É, A, H*

L'oiseau élève à plusieurs reprises le croupion et le reste du corps à l'exception de la tête et du bec, qui restent immobiles. On observe souvent ce mouvement pendant que l'oiseau marche.

Cri: Aucun.

Contexte: La femelle se livre à cette parade lorsqu'elle retourne vers le nid après l'avoir quitté dans le but d'attirer un prédateur loin du nid. On l'observe également chez les oiseaux qui se nourrissent seuls, à découvert, pendant la journée. Peut-être s'agit-il d'une manifestation complexe qui, lorsque l'oiseau sait qu'un prédateur est à proximité mais est incapable de le voir, lui indique qu'il ne peut compter sur l'effet de surprise.

Communication auditive

1. Chant de vol

Mâle *P, É, A, H*

Ce chant consiste en une série de «tchip» lancés pendant quelques secondes tandis que l'oiseau redescend à la suite d'un «vol de parade». Il cesse brusquement peu avant l'atterrissage.

Contexte: On pense qu'il s'agit d'une revendication territoriale. Peut-être ce chant sert-il aussi à attirer une femelle. (Voir *Le territoire, La cour.)*

2. Sifflement des ailes

Mâle *P, É, A, H*

Ce bruit très doux est causé par le mouvement des trois rémiges primaires. Il dure quelques secondes pendant la partie ascendante du «vol de parade».

Contexte: Comme le «chant de vol», il sert peut-être à revendiquer le territoire ou à attirer des femelles. (Voir *Le territoire, La cour.*)

3. Pîînt

Mâle ou femelle *P, É, A, H*

Il s'agit d'une version nasillarde de la

graphie «pîînt». Elle est précédée par le doux «tchuca». On l'entend à intervalles de dix à vingt secondes.
Contexte: L'oiseau lance ce cri lorsqu'il se trouve au sol. On l'entend à proximité des territoires des mâles. En général, le mâle le lance avant ou après le «vol de parade». Chez la femelle, il ponctue une rencontre avec un mâle. (Voir *Le territoire, La cour.*)

4. Caquet

Mâle ou femelle *P, É, A, H*

Il s'agit d'une série de notes sèches, formant souvent un son continu.
Contexte: On l'entend pendant les rencontres hostiles, par exemple les poursuites en vol, généralement sur le territoire de subsistance. (Voir *Le territoire.*)

5. Tchuca

Mâle ou femelle *P, É, A, H*

Ce cri est en réalité une sorte de gargouillis sur deux notes, que l'on n'entend qu'à proximité de l'oiseau. Il peut être répété à plusieurs reprises ou précéder le «pîînt».
Contexte: On l'entend sur le territoire de reproduction, probablement entre membres d'un couple et seulement pour communiquer de très près, car il est difficilement audible. (Voir *La cour.*)

Les bécasses d'Amérique peuvent émettre plusieurs autres cris d'alarme ou de détresse, mais on ne les entend que très rarement.

DESCRIPTION DU COMPORTEMENT

Territoire

Fonction: Accouplement.
Dimensions: De quelques dizaines à quelques centaines de mètres carrés.
Comportements habituels: «Vol de parade», poursuites; «pîînt».
Durée de sa défense: De l'arrivée des mâles sur le territoire de reproduction jusqu'à la ponte.

Peu après leur arrivée, les mâles commencent à exécuter des vols de parade tôt en soirée et tôt le matin. On pense que ces manifestations leur permettent de révéler leur présence, non seulement aux autres mâles mais encore aux femelles. Ils indiquent ainsi aux mâles que le territoire est déjà occupé et qu'ils n'ont qu'à se tenir à distance. En effet, lorsque d'autres mâles se risquent dans les parages, ils sont immédiatement pris en chasse. Il est rare que de véritables combats se déroulent entre mâles qui revendiquent le même territoire. Pendant ces manifestations, on entend fréquemment le «caquet».

Le vol de parade qui est exécuté le soir peut durer trente ou quarante minutes. Celui du matin, plus long, se prolonge parfois pendant une heure. Par les nuits de pleine lune, les oiseaux continuent souvent leurs parades pendant plusieurs heures. En revanche, si le vent est fort, s'il pleut ou si la température chute sous zéro, ils se tiennent tranquilles.

Il peut arriver qu'un seul mâle défende plusieurs endroits situés dans le même champ. Parfois, il défend un site qu'il abandonne ensuite pour un autre. Certains mâles changent carrément d'endroit. Mais dès que l'oiseau a quitté son territoire, il est rapidement remplacé par un autre mâle. Par conséquent, on pense qu'il existe toujours une population flottante de mâles dépourvus de territoire, prêts à s'emparer du premier qui se libère.

On ne sait pas exactement quelle surface le mâle défend. Il atterrit habituellement près de l'endroit d'où il s'est envolé. On pense que ses points d'atterrissage délimitent le territoire dont la superficie varie alors de quelques dizaines à quelques centaines de mètres carrés. Il est évident que plusieurs mâles peuvent occuper le même champ, s'il est assez vaste.

Pour réaliser le «vol de parade», l'oiseau doit trouver un endroit découvert. En général, il s'agit d'un champ parsemé de buissons dispersés. Pendant la journée, les mâles s'abritent à proximité de leur point d'atterrissage.

Les vols se poursuivent une bonne partie de l'été, longtemps après la période de la cour, et même pendant l'éducation des oisillons. On pense que ce sont plutôt des juvéniles qui, à ce moment-là, se livrent à cette parade aérienne. On a remarqué que les vols commençaient parfois très tôt dans l'année et se poursuivaient même pendant les migrations des mâles au printemps. Certains se déroulent également en automne.

La cour

Comportement habituel: «Vol de parade».
Durée: De l'arrivée de la femelle à la ponte.

On connaît encore mal les mécanismes de la cour chez les bécasses. On sait toutefois que les mâles se livrent aux vols de parade sur leur territoire et, qu'après s'être posés au sol, ils rencontrent les femelles. On pense que la copulation se déroule également sur cette portion du territoire. En outre, les mâles continuent d'exécuter leur parade aérienne après l'accouplement et semblent accorder leurs faveurs à diverses femelles. Mais on ignore comment les femelles choisissent les mâles et si elles sont polyandres.

Il ne semble pas y avoir de lien durable entre le mâle et la femelle, car immédiatement après l'accouplement, la femelle s'éloigne, bâtit son nid et élève seule sa couvée.

Les rencontres entre un mâle et une femelle se déroulent lorsque cette dernière pénètre sur le territoire du mâle. À ce moment-là, les deux oiseaux lancent le «tchuca» ou le «pîînt». Le mâle exécute l'«élévation des ailes» tout en avançant d'une démarche solennelle vers la femelle. Celle-ci se recroqueville, et il monte sur son dos pour accomplir la copulation. Ensuite, l'un ou l'autre lance le cri «pîînt» et la femelle s'éloigne. Le mâle recommence parfois ses parades aériennes.

La nidification

Emplacement du nid: Sur le sol; dans les champs; les bois ou les taillis.
Dimensions: Entre 10 et 12 cm de diamètre.
Matériaux: Quelques brindilles ou brins d'herbe.

Après l'accouplement, la femelle s'éloigne de cent ou deux cents mètres pour y bâtir un nid d'une extrême simplicité. Elle se contente de gratter un peu la terre puis de tapisser cette petite dépression de quelques brindilles. En général, le nid est à découvert, mais la couleur des œufs et celle de la femelle en train d'incuber le rendent très difficile à repérer.

L'éducation des oisillons

Œufs: Au nombre de 4; ils sont beige moucheté de brun.
Incubation: De 20 à 21 jours; seule la femelle incube.
Première phase de croissance: Dure 1 jour.
Seconde phase de croissance: De 6 à 8 semaines.
Couvée: 1.

Ponte et incubation

La femelle pond un œuf par jour. C'est elle qui se charge entièrement de l'incubation, qui commence dès la ponte du dernier œuf. Elle fait fond surtout sur sa couleur pour se protéger des prédateurs. C'est pourquoi elle ne s'envolera du nid que si un intrus se trouve à peine à quelques centimètres d'elle.

On a remarqué qu'elle quittait parfois le nid au crépuscule pour se nourrir. Il est d'ailleurs possible qu'elle s'en éloigne à d'autres moments de la journée. Si vous la dérangez, elle exécutera la «manœuvre de diversion» en s'envolant. Elle retourne ensuite au nid par étapes, très lentement, parfois en se livrant au «mouvement de piston».

Si on la dérange au début de la période d'incubation, elle peut abandonner définitivement le nid et les œufs; plus tard, elle y reviendra vraisemblablement.

Première phase de croissance

L'éclosion s'étale sur vingt-quatre heures environ. Les petites bécasses restent à l'abri dans le nid, sous l'aile de la femelle, jusqu'à ce que leur plumage soit bien sec. Peu après, elles le quittent en compagnie de leur mère.

Seconde phase de croissance

Un jour ou deux après leur naissance, les oisillons sont capables de se nourrir à la manière des adultes, c'est-à-dire en fouillant le sol à l'aide de leur long bec. Auparavant, ils subsistent à l'aide des réserves accumulées à la naissance. La famille fréquente surtout des endroits humides, car il est plus facile de fouiller un sol boueux à la recherche de vers de terre ou d'insectes.

Pendant la première semaine, la femelle couve souvent les petits, surtout par temps froid et pluvieux. Au bout d'une semaine, les rémiges primaires des oisillons commencent à pousser. À l'âge de trois semaines, ils sont capables de voler sur de courtes distances.

À quatre semaines, ils savent voler correctement et ont atteint la taille adulte. Ils restent toutefois avec leur mère pendant deux à quatre autres semaines, mais vagabondent davantage.

Lorsque la famille est dérangée par un prédateur, la mère s'envole en exécutant la «manœuvre de diversion». Si le prédateur la suit, elle continue à se livrer au même manège sur une centaine de mètres, avant de revenir très discrètement vers les oisillons.

Le plumage

Comment différencier le mâle de la femelle

Il est impossible de deviner à quel sexe appartient un spécimen uniquement par le plumage. La femelle est beaucoup plus grosse que le mâle, mais lorsqu'ils ne sont pas ensemble, il est bien difficile de savoir à quel sexe appartient l'oiseau que l'on observe. Toutefois, le comportement de ces oiseaux offre quelques indices. Seuls les mâles se livrent au «vol de parade» tandis que les femelles se chargent d'incuber les œufs et d'élever les petits.

Comment distinguer les jeunes des adultes

Cette tâche est pratiquement impossible, à moins d'examiner les oiseaux de près.

Mue

Les adultes muent complètement une fois par an, en été, de juin au début de septembre. Curieusement, les dernières plumes qu'ils perdent sont les trois rémiges primaires avec lesquelles ils émettent le «sifflement» pendant le «vol de parade».

Les déplacements saisonniers

Les bécasses voyagent habituellement de nuit, en vols au nombre variable, allant de quelques oiseaux à plus de cinquante. En général, elles se déplacent à faible altitude, en formation serrée ou relativement lâche.

La migration d'automne semble largement dépendre de la température. Les premières gelées incitent les oiseaux à prendre le chemin du Sud, peut-être parce que le sol durcit, ce qui les empêche de trouver leur nourriture dans les régions septentrionales. En outre, ils se déplacent parfois à l'avant d'un front froid. C'est en octobre qu'ils entament leur voyage pour arriver dans le Sud entre les mois d'octobre et de décembre. En chemin, ils font souvent des escales de un jour ou deux, là où ils savent qu'ils trouveront à manger.

Les bécasses d'Amérique hivernent dans le golfe du Mexique et les États maritimes du sud-est. C'est au centre de la Louisiane que l'on aperçoit, en hiver, la plus forte concentration de cette espèce. On sait qu'elles reviennent chaque année sur le même territoire de subsistance.

Elles migrent vers le nord dès février, surtout si le temps est doux, et font étape dans les régions où le dégel a fait son œuvre, ce qui leur permet de fouiller le sol à la recherche de nourriture. Elles prennent donc de quatre à six semaines pour atteindre leur territoire de reproduction. Vers la fin de mars, elles apparaissent dans les régions nordiques des États-Unis et, dès avril, dans le sud du Canada. Parfois, le sol est encore recouvert çà et là de plaques de neige. Mâles et femelles semblent arriver au même moment sur les territoires de reproduction.

Le comportement en société

En été, après s'être émancipés de la tutelle maternelle, les bécasseaux se rassemblent le soir dans certains champs, souvent ceux qu'utilisent les mâles pour y parader au printemps. Les juvéniles s'installent dans ces champs dès le crépuscule et y demeurent au moins une demi-heure par temps clair, plusieurs heures si le ciel est couvert ou s'il n'y a pas de lune. On peut apercevoir entre quarante et cinquante oiseaux dans le même champ.

Des vols comptant plusieurs centaines de bécasses se rassemblent en hiver dans les régions méridionales, dans des endroits où abonde la nourriture. On sait que les oiseaux parcourent parfois plusieurs kilomètres pour trouver des sites qui leur conviennent, humides et abrités à souhait. Contrairement à ce que l'on observe en été, les groupes qui se forment en hiver peuvent passer toute la nuit sur leur territoire de subsistance.

Bob Hines

Sterne commune

(aussi appelée «sterne pierregarin»)

Sterna hirundo (Linné) / Common Tern

Dans plusieurs secteurs de leur aire de reproduction, les populations de sternes communes ont considérablement décliné au cours des soixante dernières années. Par exemple, au Massachusetts, le nombre de couples nidificateurs, qui se montait approximativement à trente mille ou quarante mille dans les années vingt, n'étaient plus que sept mille environ au cours des années soixante-dix.

Beaucoup d'études ont été consacrées à ce phénomène. Mais il semble qu'une seule réponse soit insuffisante pour expliquer la disparition progressive des sternes communes. En réalité, c'est la conjonction de plusieurs facteurs qui en est responsable.

Tout d'abord, on a remarqué une augmentation des populations de goélands argentés et de goélands à bec cerclé, deux espèces qui recherchent, pour y bâtir leur nid, le même type de sites que les sternes. Au cours du XIXe siècle, les populations de goélands ont enregistré une progression régulière, peut-être parce que ces oiseaux sont capables de trouver leur nourriture dans les dépotoirs, dont le nombre et la taille ne font qu'augmenter. En outre, étant plus gros, les goélands dominent les sternes lorsque les deux espèces rivalisent pour nicher. Enfin, leur cycle de reproduction commence plus tôt que celui des sternes. Par conséquent, ils sont déjà installés lorsque ces dernières se présentent sur les territoires de nidification.

On sait que les sternes aiment nicher sur des îlots abrités le long des côtes ou sur de grands lacs. Malheureusement, ces endroits, naguère sauvages, sont de plus en plus fréquentés par des vacanciers ou menacés par les constructeurs. Les activités de ceux-ci, qui effraient les oiseaux, inhibent probablement leur reproduction. C'est pourquoi vous devriez toujours vous contenter d'observer de loin les colonies de sternes, en prenant les précautions suivantes: Ne pénétrez jamais dans la sterneraie; ne vous approchez jamais des oiseaux au point de déclencher une attaque; et ne vous approchez jamais d'une sterneraie de jour ou de nuit, au point d'inciter les oiseaux à s'envoler. De toute façon, vos observations seront beaucoup plus enrichissantes si vous parvenez à observer le comportement normal des oiseaux et pas uniquement leurs manifestations d'inquiétude.

CALENDRIER DU COMPORTEMENT

	TERRITOIRE	COUR	NIDIFICATION	ÉDUCATION DES OISILLONS	PLUMAGE	DÉPLACEMENTS SAISONNIERS	COMPORTEMENT EN SOCIÉTÉ
JANVIER							
FÉVRIER							
MARS							
AVRIL							
MAI							
JUIN							
JUILLET							
AOÛT							
SEPTEMBRE							
OCTOBRE							
NOVEMBRE							
DÉCEMBRE							

Un dernier facteur, qui trouve également en partie son origine partielle dans l'accroissement des populations de goélands, est la destruction, par des prédateurs aviens de grande taille, des couvées de sternes. Car après avoir effarouché les adultes, les goélands se précipitent dans le nid des sternes pour y dévorer les œufs. On a également remarqué que les grands-ducs d'Amérique rôdaient sur les îlots pour y chasser les sternes adultes qui, pour les éviter, s'éloignaient de la colonie, laissant les couvées sans protection pendant la nuit.

On s'efforce aujourd'hui de protéger les sterneraies en empêchant les humains de s'en approcher et en prévenant l'ingérence des goélands.

C'est uniquement en nous renseignant davantage sur les besoins et le comportement des sternes que nous serons en mesure de cerner les conditions de survie de l'espèce. La sterne est un oiseau si gracieux, si fascinant à observer que nous devrions tout faire pour la protéger.

GUIDE DE LA COMMUNICATION

Communication visuelle

1. Tête baissée

Mâle ou femelle *P, É*

L'oiseau baisse la tête et pointe le bec vers le sol. Dans certaines situations, il élève aussi la queue.

Cri: Aucun.

Contexte: On observe ce mouvement surtout chez les mâles. Au cours des querelles territoriales, l'oiseau fait face à son adversaire, mais s'il s'agit d'une parade nuptiale, il se tient aux côtés de sa compagne. (Voir *Le territoire, La cour.*)

2. Tête levée

Mâle ou femelle *P, É*

L'oiseau lève la tête en pointant le bec vers le haut et fait légèrement pivoter son cou, dissimulant ainsi sa calotte noire à l'adversaire. S'il est très énervé, il lève aussi la queue.

Cri: Aucun.

Contexte: Il s'agit d'une parade d'apaisement entre partenaires, souvent lorsqu'ils se rencontrent sur le territoire. On l'observe aussi durant les querelles territoriales. (Voir *Le territoire, La cour.*)

3. Parade précopulatoire

Mâle ou femelle *P*

Le mâle, souvent en exécutant la parade «tête baissée», se dirige vers la femelle en dessinant un demi-cercle. Parfois, il incline la tête dans la direction opposée à celle de la femelle. Il lui arrive aussi de pencher tout le corps dans cette même direction en marchant.

Cri: Aucun.

Contexte: On observe cette parade entre les deux partenaires d'un couple. Elle révèle que le mâle est prêt à copuler. Toutefois, bien qu'elle précède toujours la copulation, elle n'y mène pas obligatoirement. (Voir *La cour.*)

4. Tête baissée en vol

Mâle *P, É*

En plein vol, les ailes élevées au-dessus du dos, l'oiseau pointe le bec vers le bas; il transporte parfois un poisson. Ses battements d'ailes sont rapides, superfi-

ciels et très espacés. Cette parade peut être exécutée par un seul oiseau mais, habituellement, ils sont deux à s'y livrer de concert.
Cri: Aucun ou «kîîarr».
Contexte: Cette parade caractérise les vols nuptiaux. (Voir *La cour.*)

5. Tête levée en vol

Femelle (ou mâle) *P, É*

En plein vol, l'oiseau abaisse les ailes au-dessous du corps, tout en pointant le bec droit devant lui. On observe cette parade chez un oiseau qui dépasse un autre oiseau occupé à exécuter la manœuvre précédente (4).

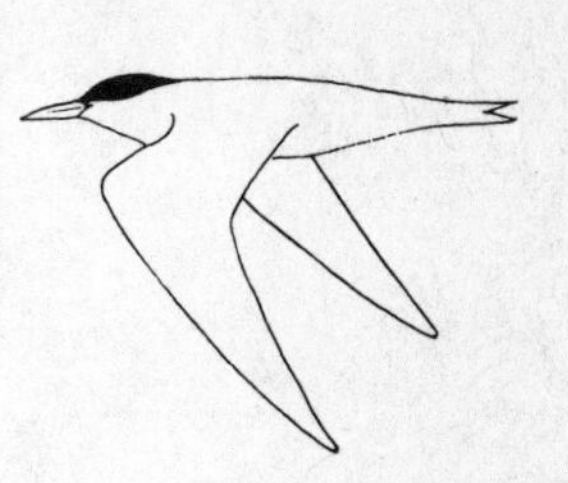

Cri: Aucun ou «ki-ki».
Contexte: Les femelles (ou un intrus mâle au début de la saison) se livrent à cette parade pendant les vols nuptiaux. (Voir *La cour.*)

Communication auditive

1. Kiip

Mâle ou femelle *P, É, A, H*

Il s'agit d'une seule note très aiguë et très brève.
Contexte: C'est le cri que l'on entend le plus souvent lorsqu'on dérange une sterneraie. Les oiseaux l'émettent au moment où ils quittent leur territoire et lorsqu'ils planent au-dessus de l'eau à la recherche de nourriture. Il leur sert peut-être à rester en contact les uns avec les autres.

2. Kîeur

Mâle ou femelle *P, É*

Ce cri, relativement bref et lancé sur une gamme descendante, est souvent répété. Il est moins aigre et plus bref que le cri «kîîarr». Parfois, il se transforme en «kîîrii» et se termine sur une note ascendante.

Contexte: L'oiseau lance ce cri lorsqu'il s'approche de son partenaire ou d'un oisillon pour lui offrir de la nourriture. On l'entend dès que la proie a été capturée et jusqu'à ce que l'oiseau ait rejoint soit son partenaire, soit sa couvée.

3. Kîîarr

Mâle ou femelle *P, É, A, H*

Ce cri, expiré et strident, dure près de une seconde.

Contexte: C'est un cri d'alarme, que l'on entend lorsque les oiseaux se sentent en danger. Si les oiseaux ne sont pas trop effrayés, ils le répètent lentement à intervalles relativement longs. Plus la situation est alarmante, plus les cris deviennent brefs et répétés à de courts intervalles. On l'entend souvent lorsqu'un autre oiseau pénètre sur le territoire ou lorsqu'un humain approche de la sterneraie.

4. Kik-kik

Mâle ou femelle *P, É*

Il s'agit d'une série de notes brèves et caquetantes, rapidement répétées: «kik-kik-kik-kik».

Contexte: On entend ce cri dans des situations de danger extrême ou au cours de querelles avec d'autres sternes, par exemple la prise en chasse aérienne d'un intrus sur le territoire. Généralement, ce sont plutôt les mâles qui le lancent. (Voir *Le territoire*.)

5. Kaï-kaï

Mâle ou femelle *P, É*

C'est un cri perçant, très aigu, rapidement répété: «kaï-kaï-kaï-kaï».

Contexte: La femelle (occasionnellement le mâle) lance ce cri lorsqu'elle mendie du poisson à un autre oiseau.

DESCRIPTION DU COMPORTEMENT

Le territoire

Pendant la saison des amours, les sternes défendent parfois deux types de territoires: le territoire de nidification et le territoire de subsistance.

Territoire de nidification

Fonction: Nidification.

Dimensions: En moyenne, 1,20 m de diamètre.

Comportements habituels: «Kîîarr»; «tête baissée», «tête levée».

Durée de sa défense: À partir des semaines qui suivent l'arrivée des oiseaux dans la sterneraie jusque vers le milieu de la seconde phase de croissance des oisillons.

Les sternes communes ne s'installent pas immédiatement dans la colonie lorsqu'elles arrivent sur le territoire de nidification. Elles préfèrent dormir sur les plages et les récifs environnants, là où elles se nourrissent pendant la journée.

L'arrivée des oiseaux s'étale sur près de un mois et ils s'intègrent graduellement à la colonie. Plus un oiseau arrive tard dans la saison, plus il est pressé de se reproduire et plus rapidement il rejoint le groupe. En général, ce sont les plus âgés qui arrivent les premiers et, donc, qui s'installent en premier lieu.

La semaine qui suit leur arrivée, les oiseaux survolent la sterneraie le matin et le soir. Ultérieurement, ils commencent à s'y poser. Au début, ils se posent à plusieurs endroits différents mais, peu à peu, ils choisissent un site précis qu'ils entreprennent de défendre contre les autres sternes. Lorsque le couple est déjà formé, les deux partenaires défendent le territoire, sinon, c'est le mâle qui se charge de cette tâche avant d'avoir été choisi par une femelle. Après la prise de possession du territoire, les oiseaux passent beaucoup de temps à le défendre.

Les sternes ont fortement tendance à revenir au même endroit, année après année. Les jeunes mâles, qui arrivent les derniers, se trouvent contraints d'occuper les sites les moins avantageux. Si le groupe n'est pas trop nombreux, les territoires sont vastes, d'un diamètre de 1,80 m ou plus. Mais si la densité de population est élevée, les territoires dépassent rarement 50 cm de diamètre. Bien entendu, plus les territoires sont exigus, plus les escarmouches sont fréquentes.

Une querelle territoriale est habituellement déclenchée lorsqu'un mâle fait intrusion sur le territoire d'un autre mâle. L'occupant commence par lancer à intervalles assez longs des cris «kîîarr» ou «kîeur». Si l'intrus persiste, les cris s'intensifient tandis que l'occupant élève les ailes au-dessus du corps. Il est possible que les deux oiseaux soient postés face à face, en position «tête baissée». L'attaque se produit lorsque l'intrus refuse de quitter les lieux. L'occupant lance le cri «kik-kik» et les deux adversaires se saisissent mutuellement à la gorge. Ces combats peuvent mal tourner, mais l'un des oiseaux ne tarde généralement pas à céder. Il prend la posture «tête levée» puis s'en va.

Les mâles sont habituellement plus agressifs que les femelles, bien que l'on ait vu des femelles se joindre aux mâles pour attaquer un intrus. Il arrive que des couples voisins s'allient pour défendre leurs territoires respectifs. À ce moment-là, les oiseaux se livrent à des parades synchronisées: «tête levée», puis «tête baissée» et peuvent lancer le «kîeur». À l'occasion, une femelle en train d'incuber peut quitter son nid pour assurer la défense d'un territoire voisin. Ensuite, elle s'installe brièvement sur les œufs de sa voisine avant de retourner incuber les siens. On ignore la signification de ce geste.

Les sternes exécutent aussi des parades aériennes pour défendre leur territoire. Elles plongent sur l'intrus en lançant le cri «kik-kik». Parfois, des mâles voisins s'envolent, se font face, la queue déployée et les ailes battant rapidement. Ces manifestations sont accompagnées du «kiip» et du «kik-kik». Les deux oiseaux volent en spirale, l'un autour de l'autre jusqu'à ce qu'ils interrompent leur ascension, puis s'en aillent chacun de leur côté, apparemment indifférents, mais en continuant à battre rapidement des ailes. Après leur retour au sol, ils recommencent la même manœuvre. Parfois, ce battement rapide des ailes n'est exécuté que par un seul adversaire, auquel cas l'on ne sait pas encore ce qu'il signifie.

En sus de son territoire de nidification, un oiseau peut revendiquer un perchoir à proximité d'une zone de pêche. À certains moments, il le défend contre les intrus en leur faisant face, en posture «tête baissée». On a observé un comportement analogue chez des goélands perchés au sommet des toits ou sur les pilotis des pontons.

Territoire de subsistance

Fonction: Subsistance.
Dimensions: Entre 100 et 300 m de rivage.
Comportements habituels: Poursuites.
Durée de sa défense: En général, seulement au début de l'été.

Outre des territoires de nidification, les sternes de certaines colonies défendent un territoire de subsistance. Habituellement, il s'agit d'une bande de rivage, mesurant de 100 à 300 m de long, qui comprend une zone aquatique et une zone terrestre. Les oiseaux y ont leurs perchoirs et leurs zones de pêche favoris, toujours les mêmes, jour après jour. C'est surtout en mai et en juin que ces territoires sont utilisés, mais leur défense peut se prolonger tout au long de la saison des amours. Parfois, ils sont situés à plusieurs kilomètres de la sterneraie.

Les oiseaux n'utilisent ce territoire qu'une partie de la journée seulement, car ils passent environ les deux tiers de leur temps à proximité du nid, à se nourrir ou à se reposer. Une semaine ou deux avant la ponte, la femelle et le mâle fréquentent davantage le territoire de subsistance. La femelle se repose sur le rivage tandis que le mâle lui offre de la nourriture.

C'est principalement le mâle qui défend ce territoire. Il vole très vite au ras de l'eau, droit sur les intrus qu'il peut poursuivre sur plus d'une centaine de mètres à l'extérieur de ses frontières.

La cour

Comportements habituels: «Tête baissée en vol», «tête levée en vol», «tête baissée», «tête levée», transfert de nourriture.
Durée: Elle commence peu après l'arrivée des oiseaux et se poursuit jusqu'à l'incubation.

Les sternes ne semblent pas se reproduire avant l'âge de trois ou quatre ans, et c'est à ce moment seulement qu'elles intègrent le territoire de reproduction. Où vivent-elles auparavant? Nous l'ignorons. Il arrive que de jeunes sternes se présentent dans la colonie, mais elles ne réussissent pas à se reproduire. Pendant la nuit, et parfois la journée, ces oiseaux se regroupent à l'extérieur de la sterneraie. Occasionnellement, des adultes célibataires ou incapables de se reproduire les rejoignent.

Les couples formés ne se défont plus, mais on ignore toutefois si les deux partenaires passent l'hiver ensemble. On sait seulement que, à l'arrivée des oiseaux dans la sterneraie, beaucoup de couples sont déjà formés. Ils sont faciles à repérer, car les deux partenaires se tiennent toujours l'un près de l'autre.

Vers la deuxième semaine qui suit l'arrivée des oiseaux, on commence à apercevoir des parades nuptiales, au sol et dans les airs. Le mâle vole, souvent en tenant un poisson dans son bec, suivi de près par la femelle qui se tient soit au-dessus de lui, soit à ses côtés. À un certain moment, elle entreprend de le dépasser. C'est alors qu'il exécute la parade «tête baissée en vol», détournant la tête, les ailes élevées au-dessus du dos. Simultanément, la femelle exécute la parade «tête levée en vol», les ailes basses et le bec pointé vers l'avant.

Après avoir dépassé le mâle, elle amorce une descente abrupte et très rapide, pendant laquelle son corps se balance d'un côté et de l'autre. Le mâle la suit, la dépasse parfois à nouveau et, à chaque fois que les deux oiseaux se trouvent côte à côte, ils répètent leurs parades respectives, «tête baissée en vol» pour le mâle et «tête levée en vol» pour la femelle. En se rapprochant du sol, ils redressent légèrement leur trajectoire, et recommencent parfois toute la manœuvre. On a remarqué qu'un troisième oiseau se joignait parfois au couple.

Au sol, le mâle exécute la «parade précopulatoire» autour de la femelle, en tenant parfois un poisson dans son bec. On pense qu'il indique ainsi son intention de se rapprocher de la femelle pour s'accoupler. Si elle n'est pas d'humeur réceptive, elle s'éloigne. Alors, le mâle recommence sa parade.

Si elle est réceptive, elle adopte la posture «tête levée». Le mâle l'imite en se rapprochant. Une fois prête, elle se recroqueville. Il lui monte sur le dos et l'accouplement a lieu. On a remarqué que le mâle restait parfois plusieurs minutes sur le dos de la femelle, accomplissant ainsi la copulation à plusieurs reprises. Pendant l'accouplement, la femelle pointe son bec vers celui du mâle. Ensuite, les deux oiseaux recommencent la parade «tête levée» avant d'entamer leur toilette.

Pendant les parades nuptiales qui s'exécutent au sol, l'un ou l'autre oiseau, parfois les deux, se livre à une sorte de trépignement. C'est de cette manière qu'ils construisent leur nid. Toutefois, on a remarqué qu'ils grattaient également le sol à d'autres moments. Par ce geste, peut-être revendiquent-ils leur territoire ou indiquent-ils leur intention de se reproduire. (Voir *La nidification*.)

Dans la semaine qui précède la copulation, il arrive qu'un oiseau monte sur le dos d'un autre et y demeure quelques instants avant de redescendre. Cette manifestation se produit principalement sur le territoire, bien que la véritable copulation puisse avoir lieu à n'importe quel endroit fréquenté par les oiseaux.

Le transfert de nourriture est un autre élément caractéristique de la cour chez les sternes. La femelle rentre la tête dans les épaules en lançant le cri «kaï-kaï». Le mâle lui offre alors de la nourriture. Au début de la cour, le mâle saisit parfois le poisson dans son bec avant de survoler la sterneraie à basse altitude, peut-être pour attirer l'attention des femelles. Le mâle offre ensuite le poisson à une femelle, voire à un autre mâle qui a imité volontairement le comportement de la femelle pour obtenir le poisson.

Après la formation des couples, les partenaires passent plus de temps ensemble sur leur territoire de subsistance (voir *Le territoire*), où les mâles nourrissent leur compagne. Parfois, ils retournent passer la nuit sur le territoire de nidification.

Cette phase dure entre cinq et dix jours. Plusieurs jours avant la ponte, la femelle retourne sur le territoire de nidification où le mâle continue de lui apporter sa nourriture jusqu'à la ponte du premier œuf. À partir de ce moment-là, les deux oiseaux se partagent l'incubation et le mâle cesse rapidement de nourrir la femelle.

La nidification

Emplacement du nid: Sur le sol, à découvert ou près de buissons.
Dimensions: Elles varient d'un couple à l'autre, mais ne dépassent guère une dizaine de centimètres de diamètre.
Matériaux: Il s'agit simplement d'une petite dépression dans le sol, parfois entourée de galets, de brins de paille, de brindilles ou de tout autre matériau recueilli à proximité.

Les sternes communes nichent habituellement en colonies — les sterneraies — dont la population se chiffre de quelques dizaines de couples seulement à près de deux mille. Une sterneraie typique compte environ deux cents couples. Les oiseaux nichent près de l'eau, sur les côtes ou au bord des lacs et des rivières. On a remarqué que les sterneraies intérieures étaient moins peuplées que les colonies côtières.

En général, pour construire leur nid, les oiseaux créent une légère dépression en grattant le sol d'avant en arrière, penchés vers l'avant. Cette activité débute dès que l'oiseau se pose dans la sterneraie. Plusieurs dépressions sont commencées par le mâle; il semble que cette activité incite la femelle à agrandir ces dépressions et à les entourer de matériaux.

La construction du nid se poursuit ainsi tranquillement jusqu'aux jours qui précèdent la ponte du premier œuf. À partir de ce moment-là, l'activité devient plus intense et les oiseaux passent plus de temps à gratter le sol. Dès que la femelle est prête à pondre, elle choisit l'une des dépressions pratiquées dans le sol. Toutefois, les nids sont si peu profonds qu'ils ne suffisent pas toujours à empêcher les œufs de rouler vers l'extérieur.

L'éducation des oisillons

Œufs: Généralement 3, parfois 2 ou 4; ils sont beiges avec des taches brunes formant une couronne au centre ou concentrées à une extrémité.
Incubation: Entre 21 et 22 jours, mais peut se poursuivre jusqu'à 31 jours; les deux parents incubent.
Première phase de croissance: Environ 1 semaine.
Seconde phase de croissance: De 3 à 4 semaines, parfois plus.
Couvée: 1.

Ponte et incubation

La couvée moyenne contient trois œufs. Au fur et à mesure que les œufs sont pondus, l'intervalle qui sépare la ponte de chacun s'allonge. Habituellement, le deuxième œuf est pondu une journée après le premier, mais le troisième n'est pondu que deux jours après le deuxième. L'incubation commence dès la ponte du premier œuf; par conséquent, ils n'éclosent pas tous le même jour. L'incubation dure de vingt et un à vingt-deux jours en moyenne, mais dans certains cas, elle se poursuit jusqu'à trente et un jours. Tout dépend des conditions climatiques et de la fréquence à laquelle les oiseaux sont dérangés.

Les deux parents se partagent l'incubation, mais la femelle passe plus de temps sur les œufs que le mâle. L'oiseau qui se trouve hors du nid mange, recueille de la nourriture pour celui qui est en train d'incuber ou se repose dans un endroit qui lui permet de surplomber le nid. Lorsque vient le moment de remplacer sa ou son partenaire, il élève simplement ses ailes, incitant ainsi l'autre à s'envoler. Parfois, il offre à l'oiseau incubateur un poisson ou vient lisser délicatement ses plumes. L'autre, avant de quitter le nid, jette quelques débris par-dessus son épaule en lançant le cri «kiip». Puis il s'envole.

La durée des périodes d'incubation varie de quelques minutes à quelques heures. Lorsqu'il fait très chaud, l'oiseau incubateur reste debout au-dessus des œufs, pour les empêcher de surchauffer.

Les sternes et les goélands présentent une différence avec les autres oiseaux. En effet, ils ont trois replis incubateurs et, en général, leur couvée compte trois œufs. Selon une étude récente, les oiseaux qui pondent trois œufs incubent de façon plus constante et se laissent moins facilement distraire que ceux dont les couvées comptent seulement un ou deux œufs. On a également remarqué que bon nombre de sternes qui avaient pondu moins de trois œufs avaient coutume de placer dans le nid des pierres de la taille approximative d'un œuf, peut-être dans le but de stimuler l'incubation.

Première phase de croissance

Les œufs éclosent à intervalles de un jour et demi, généralement pendant la journée. Ensuite, les coquilles sont emportées hors du nid par les parents. Dès leur naissance, les oisillons essaient de sortir du nid. Pendant les cinq, six ou sept jours suivants, ils se recroquevillent les uns contre les autres, sous l'aile d'un parent, généralement la femelle. Étant donné qu'ils sont précoces et déjà recouverts de duvet à leur naissance, cette phase de croissance est rapidement passée. La femelle peut les garder sous son aile à n'importe quel endroit du territoire.

À ce stade, le mâle se charge de pêcher pour nourrir toute la famille. Une semaine après l'éclosion, la femelle commence à l'imiter.

Au bout de la première semaine, les oisillons sont capables de vagabonder sur le territoire et de se cacher dans l'herbe ou parmi les pierres pour se reposer. Ils ne se montrent qu'au moment où les parents leur apportent de la nourriture. On a constaté que lorsqu'un adulte présentait un poisson à un oisillon, celui-ci l'attrapait avec son bec pour le dévorer en entier. En revanche, si le poisson est déposé au sol, le petit le dédaigne. Lorsque les oisillons ont faim, ils tapotent le bec de leurs parents avec le leur. On a remarqué que les adultes avaient tendance à nourrir les aînés d'abord, probablement parce que ce sont eux qui mendient le plus fort.

Seconde phase de croissance

Lorsque les petits ne sont pas en train de manger, ils s'amusent à donner des coups de bec sur les objets qui se trouvent autour d'eux. Parfois, ils sortent du territoire — dont ils ignorent les limites —, auquel cas les adultes voisins s'empressent de les attaquer s'ils se montrent trop actifs. En revanche, s'ils se contentent de rester là, immobiles, l'adulte ne se comportera pas avec agressivité; l'on a même remarqué qu'il pouvait les prendre sous son aile pendant quelques instants avant de s'en détourner. Les jeunes sternes creusent parfois une petite dépression dans le sol, où elles s'installent pour prendre un bain de soleil. La progéniture de plusieurs couples se réunit parfois en dehors des territoires. Mais lorsque les adultes se présentent avec de la nourriture, les oisillons se dépêchent de rentrer au nid.

Au bout d'une semaine, les oisillons commencent à revêtir leur plumage juvénile. À trois semaines, ils battent des ailes et essaient de voler. Dès quatre semaines, ils possèdent une livrée complète, mais leur vol manque encore de puissance. À ce stade, s'ils sont dérangés, ils ont tendance à s'envoler au-dessus de l'eau, mais en raison des vents contraires, ils risquent d'être incapables de revenir. Par conséquent, prenez garde de ne pas les effaroucher pendant cette période.

Même après avoir appris à voler, les juvéniles ont tendance à se laisser nourrir par les adultes, attendant sagement, assis par terre, et mendiant bruyamment à leur approche. Au bout d'une autre semaine, ils volent à la rencontre de leurs parents, mais reçoivent encore leur poisson au sol. C'est seulement une semaine plus tard que les jeunes commencent à suivre les parents à la pêche.

Les juvéniles ne volent pas beaucoup, consacrant plutôt leur énergie à grandir et à prendre du poids. Il arrive même qu'avant la migration ils pèsent davantage que les adultes, ce qui favorise certainement leur survie. Les jeunes sont fréquemment nourris par les adultes, même après avoir entamé la migration. Lorsque le couple a tardé à se reproduire, il continue parfois de nourrir les juvéniles sur le territoire d'hiver.

Lorsque la seconde phase de croissance est terminée, les jeunes sternes se réunissent en petits groupes ou restent auprès de leurs parents.

Le plumage

Comment différencier le mâle de la femelle

Il est difficile de distinguer le mâle de la femelle en se fondant uniquement sur le plumage. Quant aux indices de comportement, ils sont très peu nombreux. Le mâle revendique le premier son territoire et, généralement, c'est lui qui porte un poisson dans le bec pendant la cour.

Comment distinguer les jeunes des adultes

Les sternes communes ne possèdent pas leur plumage adulte avant l'âge de trois ans. On reconnaît les juvéniles à leur calotte noire incomplète. Les plumes blanches qui se trouvent encore sur leur front les différencient des adultes dont la calotte noire descend jusqu'au bec. En hiver, toutefois, adultes et juvéniles sont identiques.

Mue
Les adultes (oiseaux de trois ou quatre ans) muent deux fois l'an. L'une des mues est complète, tandis que l'autre est partielle. Il faut mentionner que ces deux mues se chevauchent. La mue complète commence en août et septembre pour s'interrompre pendant la migration et reprendre sur le territoire d'hiver.

Graduellement, elle se termine, probablement au début de mars. Une mue partielle des plumes du corps, de la queue et d'une partie des ailes commence dès décembre pour s'achever vers le mois d'avril.

Chez les juvéniles, les mues se produisent à des époques différentes et se déroulent différemment de celles des adultes.

Les déplacements saisonniers

Les sternes communes quittent leurs territoires hivernaux pour revenir vers le nord vers la fin d'avril ou le début de mai. Elles migrent en petits vols qui, parfois, se regroupent provisoirement à certaines étapes où abonde la nourriture. Pendant les migrations de printemps et de fin d'été, les oiseaux volent souvent à haute altitude, nuit et jour.

La migration vers le sud commence vers la mi-août et se poursuit pendant deux ou trois semaines. De nouveau, les oiseaux se rassemblent en petits vols bien que certains observateurs aient constaté la présence de vols de plus de un millier d'individus. Dans certains cas, lorsque les jeunes sont encore nourris par les parents, ils migrent en famille. Les sternes communes hivernent de la Floride à la Basse-Californie et jusqu'à l'extrémité méridionale de l'Amérique du Sud.

Des sternes communes de tous les âges hivernent ensemble, souvent en compagnie de sternes caugek, de sternes de Dougal ou de sternes noires.

Le comportement en société

L'une des caractéristiques d'une sterneraie, c'est l'activité constante qui y règne. Une bonne partie de cette activité est synchronisée, chaque individu y participant. Par exemple, lorsqu'un oiseau s'envole rapidement après avoir lancé le cri «kîîarr», les autres l'imitent silencieusement. C'est ainsi que la colonie réagit face à la présence d'un prédateur. Une fois dans les airs, ils lancent des «kîîarr» perçants en plongeant en direction de l'intrus, un prédateur éventuel, jusqu'à ce qu'il ait quitté les lieux. Le cri devient parfois plus intense et les oiseaux le remplacent par le «kik-kik» lorsqu'ils passent à l'attaque.

Dans d'autres cas, si un oiseau se met à voler silencieusement au ras de l'eau, cela stimule ceux de son entourage à le suivre. Généralement, tous réintègrent la sterneraie au bout d'une minute en caquetant. On a proposé de donner à ces désertions silencieuses le nom d'«envol». Il est probable que ce phénomène soit également une réaction à la menace d'un danger.

On a remarqué des variations encore inexpliquées de l'intensité du bruit dans une colonie. À certains moments, les oiseaux semblent bruyants et très énervés; à d'autres, ils sont relativement silencieux. En outre, l'intensité du bruit varie d'une sterneraie à l'autre. L'on suppose que les grosses colonies se sentent moins vulnérables face à un prédateur. En d'autres termes, l'union fait la force.

Les oiseaux se réunissent souvent pour dormir, se reposer, se baigner et faire leur toilette à proximité de leurs zones de pêche ou simplement en dehors du territoire. Ces terrains neutres se trouvent habituellement sur les grèves, les bancs de boue, les roches plates ou les bancs de sable. Habituellement, ils sont au niveau de la laisse de haute mer ou plus haut. Il arrive que les oiseaux utilisent ces endroits pour l'incubation et la première phase de croissance des oisillons, mais ils n'agissent ainsi que si la sterneraie est attaquée par un prédateur nocturne, par exemple un grand-duc.

En société, les sternes se livrent aux parades «tête baissée» et «tête levée» tout en gardant leurs distances. Seuls les membres d'un couple se tiennent à proximité l'un de l'autre.

Bob Hines

Aigle à tête blanche

Haliaeetus leucocephalus (Linné) / Bald Eagle

Il est ahurissant de penser qu'en 1962, aux États-Unis, on offrait encore une récompense à quiconque abattait un aigle à tête blanche. Non seulement on chassait depuis longtemps les oiseaux de proie pour le plaisir, mais encore on les rendait responsables de la destruction des animaux d'élevage. Bien avant 1962, ces massacres avaient provoqué une chute si spectaculaire des populations d'aigles à tête blanche que le gouvernement des États-Unis décida, en 1940, de protéger l'espèce, aux termes d'une loi intitulée *National Emblem Law**, qui interdisait la chasse d'aigles dans les 48 États situés au sud de la frontière canadienne.

Malheureusement, le massacre demeura autorisé, voire encouragé, en Alaska pendant les 22 années suivantes. Quiconque rapportait une paire de pattes d'aigle recevait une récompense de deux dollars. Aujourd'hui, heureusement, cette attitude semble aberrante à la majorité d'entre nous. Le public se passionne pour la survie des aigles à tête blanche et meurt d'envie de les voir de près.

Cet engouement est lui-même problématique, car les populations commencent seulement à retrouver un équilibre depuis que la chasse est interdite. Les coquilles de leurs œufs sont encore ramollies par la bioaccumulation de pesticides; leurs biotopes sont peu à peu envahis par les constructions humaines. Contrairement à l'aigle pêcheur, qui tolère dans une certaine mesure la proximité des humains, l'aigle à tête blanche a besoin d'une tranquillité absolue, loin de toute perturbation, pour se reproduire avec succès.

Ce besoin d'intimité est particulièrement notable de la ponte à la deuxième phase de croissance des aiglons. Si, pendant cette période, des humains s'approchent du nid, il

---

* «Loi sur la protection de l'emblème national», autrement dit l'aigle à tête blanche. *(N.D.T.)*

est possible que les adultes abandonnent les aiglons et n'osent plus revenir les nourrir ou les réchauffer. Par conséquent, nous devons absolument laisser aux aigles à tête blanche leur espace vital, surtout pendant la saison des amours. Ne vous en approchez pas à plus de quatre cents mètres et pensez à utiliser un télescope ou de puissantes jumelles pour vous livrer à vos observations. Il faut que nous résistions à la tentation de prendre des photos en gros plan ou d'observer de plus près les familles d'aigles afin de leur laisser la chance de prospérer en toute tranquillité.

CALENDRIER DU COMPORTEMENT

	TERRITOIRE	COUR	NIDIFICATION	ÉDUCATION DES OISILLONS	PLUMAGE	DÉPLACEMENTS SAISONNIERS	COMPORTEMENT EN SOCIÉTÉ
JANVIER							
FÉVRIER							
MARS							
AVRIL							
MAI							
JUIN							
JUILLET							
AOÛT							
SEPTEMBRE							
OCTOBRE							
NOVEMBRE							
DÉCEMBRE							

Communication visuelle

1. Abaissement des serres

Mâle ou femelle *P, É, A, H*

L'oiseau abaisse ses serres lorsqu'il s'approche en vol d'un autre aigle qui se trouve à une altitude inférieure. Juste avant le contact, l'oiseau du dessous exécute une cabriole et présente ses propres serres à l'oiseau du dessus. Il arrive que les deux oiseaux se touchent ainsi brièvement.

Cri: Aucun.

Contexte: C'est surtout en hiver et au printemps que l'on aperçoit cette parade, parmi des groupes qui planent de concert. (Voir *La cour.*)

Communication auditive

Les aigles à tête blanche sont des oiseaux plutôt silencieux, surtout à proximité du nid. Bien que l'on n'ait pas étudié en détail les sons qu'ils émettent, il semble que les cris décrits ci-dessous jouent un rôle important dans leur comportement en société.

1. Cri perçant

Mâle ou femelle *P, É, A, H*

Ce cri strident peut être répété sept ou huit fois, parfois davantage. On remarque que l'oiseau fait osciller sa tête d'avant en arrière en l'émettant.

Contexte: Il sert au couple à communiquer pendant la nidification et remplit tour à tour plusieurs rôles. Les oiseaux s'en servent comme cri d'alarme, pour rester en communication lorsqu'ils se trouvent à une bonne distance l'un de l'autre ou pour renforcer les liens du couple. Ils peuvent l'émettre lorsqu'ils sont tous deux au nid, lorsque l'un des deux monte la garde ou lorsque des intrus tels que des corbeaux ou des aigles pêcheurs survolent le nid. Ce cri est parfois accompagné de rapides battements d'ailes.

2. Pépiement

Mâle ou femelle *H, P, É*

Il s'agit d'une série rapide de «tchip». Vers la fin, les sons se font plus traînants.

Contexte: On l'entend lorsque les oiseaux survolent le nid, lorsqu'ils se relaient dans le nid, lorsqu'ils se livrent à une nouvelle activité près du nid ou lorsqu'ils ont chassé un intrus.

3. Cri des oisillons

Mâle ou femelle *H, P, É*

Pendant la première phase de croissance, les oisillons lancent des cris aigus qui ressemblent de plus en plus au cri perçant des adultes, d'un «yîp» plutôt doux à un «yîîîp» plus strident, pour finir par un hurlement suraigu.

Contexte: Les jeunes lancent leur cri lorsqu'ils voient des adultes s'approcher du nid avec de la nourriture, pendant

que les adultes les nourrissent ou lorsqu'ils se battent dans le nid pour manger.

DESCRIPTION DU COMPORTEMENT

Le territoire

Fonctions: Accouplement; nidification; subsistance.
Dimensions: Les environs du nid et une partie d'une étendue d'eau qui sert au couple de réserve de chasse et de pêche.
Comportements habituels: Poursuites aériennes et plongeons.
Durée de sa défense: Tant que les oiseaux l'occupent.

Les aigles à tête blanche défendent les environs de leur nid, ce qui comprend fréquemment une portion de rivage, de lac ou de berge où ils chassent et pêchent. Après qu'un couple s'est installé sur un territoire, il répugne à le quitter. On a remarqué que, même lorsque tous les arbres adéquats avaient été abattus par les bûcherons ou par les orages, certains couples préféraient demeurer une saison ou plus sur leur territoire sans se reproduire plutôt que de se trouver un nouveau territoire.

Les oiseaux retournent donc pendant des années au même endroit et, avec le temps, y construisent plusieurs nids. Dans la mesure du possible, ils passent toute l'année sur leur territoire, qu'ils n'abandonnent provisoirement que lorsque la nourriture se fait rare ou que les conditions climatiques se détériorent.

Un territoire doit posséder des arbres assez solides pour supporter un nid et nombre de bons perchoirs d'où les oiseaux peuvent observer les environs. Certains doivent être situés en bordure de leur territoire pour permettre aux aigles de surveiller leurs frontières. Enfin, la présence d'une bonne réserve de chasse et de pêche est capitale.

C'est le nid qui devient le centre des activités du couple tout au long de l'année, car les oiseaux s'y perchent ensemble et y prennent leurs repas.

Les aigles à tête blanche ont un comportement territorial. L'oiseau, mâle ou femelle, plonge sur l'intrus du haut des airs. Ce dernier roule sur lui-même à la dernière minute pour présenter ses serres à l'attaquant. Parfois, les deux membres du couple plongent sur l'intrus. On a remarqué que c'étaient les jeunes aigles, encore immatures, qui avaient tendance à faire intrusion sur le territoire d'un couple.

Le territoire s'étend parfois sur près de 800 m de part et d'autre du nid. Dans les régions très peuplées, où la pêche est bonne, les nids ne sont souvent séparés que d'une centaine de mètres, mais la distance moyenne entre deux nids est de 1 500 à 3 000 m.

Lorsque beaucoup d'aigles habitent une région, les couples ne se lancent pas à la poursuite de ceux qui survolent le nid s'ils passent à une hauteur de 60 à 90 m. Ils se contentent de lancer le «cri perçant». On a même observé qu'un aigle immature avait pu se percher impunément à une quinzaine de mètres du nid pendant la saison de reproduction sans être importuné par les adultes. L'on suppose que ce jeune oiseau avait été élevé par le couple l'année précédente. En général, ces aigles immatures sont expulsés du territoire.

Dans la plupart des cas, c'est entre les oiseaux qui nichent pour la première fois que l'on observe les comportements les plus agressifs. Peut-être qu'au fil des saisons, les adultes finissent par se connaître. Peut-être respectent-ils davantage les frontières territoriales de leurs voisins.

Les autres oiseaux qui s'approchent du nid sont soit chassés, soit attaqués par les aigles, notamment pendant la ponte, l'incubation et la première phase de croissance des aiglons. L'aigle s'envole alors à la poursuite de la corneille, du goéland ou de tout autre oiseau de proie, jusqu'à ce que l'intrus ait quitté le territoire. Parfois, il l'attaque. Pendant les autres phases de la reproduction et le reste de l'année, ses adversaires plus petits ont beau le harceler et le provoquer, ils en sont quittes pour leurs frais: l'aigle réagit parfois en s'éloignant pour les éviter, sans plus.

La cour

Comportements habituels: Les oiseaux planent ensemble; poursuites, plongeons.
Durée: Hiver et printemps.

La cour est relativement discrète. Les couples semblent être déjà formés lorsqu'ils apparaissent sur le territoire, et ils restent unis jusqu'à la mort de l'un des partenaires. Le survivant finit généralement par se joindre à un autre aigle solitaire. Toutefois, on ignore comment les couples se forment. Une histoire relate qu'une femelle, qui avait perdu son compagnon, est revenue trois mois plus tard sur son territoire avec un autre mâle. Elle aurait eu, au cours de sa vie, plusieurs partenaires consécutifs.

On ignore également à quel moment les aigles acquièrent leur maturité sexuelle. Selon certains chercheurs, cela pourrait se produire dès leur premier printemps. On sait néanmoins qu'un oiseau adulte peut s'accoupler fructueusement avec un aigle dont le plumage porte encore des traces d'immaturité.

Vers la fin de l'hiver et au début du printemps, tandis que les aigles sont rassemblés sur leurs territoires de subsistance ou se trouvent en pleine migration, vous en verrez quelques-uns en train de planer ensemble, leurs évolutions couvrant fréquemment une vaste zone, allant jusqu'à plusieurs kilomètres carrés. Cette activité se déroule surtout en fin de matinée pour se poursuivre en après-midi, sans doute parce que les courants chauds sont assez puissants pour soulever les aigles à ce moment de la journée. Vous pourrez apercevoir des poursuites entre plusieurs couples, des plongeons d'un aigle en direction d'un autre, ce dernier exécutant in extremis une roulade et présentant ses serres à l'attaquant. Il est rare que les oiseaux entrent véritablement en contact. Ces manœuvres acrobatiques se poursuivent toute l'année, mais sont particulièrement fréquentes au printemps et à la fin de l'hiver. C'est pourquoi de nombreux chercheurs les ont associées à la cour. On a remarqué qu'elles se déroulaient surtout entre adultes et juvéniles ou entre oiseaux immatures, mais rarement entre deux adultes.

Les poursuites se déroulent habituellement pendant que les oiseaux planent. Celui qui est poursuivi doit souvent exécuter des plongeons suivis d'ascensions pour éviter son adversaire. Ces poursuites peuvent durer jusqu'à huit minutes, le poursuivant devenant le poursuivi, parfois à la suite d'un plongeon. On observe alors l'«abaissement des serres». Parfois, les serres entrent en contact, s'imbriquent les unes dans les autres et les deux oiseaux tombent en tournoyant dans les airs. Il arrive également que, sur les territoires d'hiver ou d'été, les oiseaux se passent des brindilles en plein vol. On a remarqué que deux oiseaux qui venaient de se poursuivre pouvaient ensuite redescendre se percher à quelques mètres l'un de l'autre.

Près du nid ou sur les perchoirs avoisinants, vous pourrez voir le couple communiquer. Tout d'abord, les deux oiseaux se perchent côte à côte. S'ils sont très proches, ils se becquettent légèrement. L'un des deux lisse les plumes de l'autre, sur la tête, le cou, le dos ou la poitrine. Parfois, les deux adultes s'installent côte à côte dans le nid où ils se becquettent et se font mutuellement leur toilette. Toutes ces activités se déroulent principalement tôt le matin ou en fin d'après-midi.

La copulation a lieu dans le nid ou à proximité. Le mâle monte sur le dos de la femelle, les serres refermées. Parfois, il bat des ailes, peut-être pour garder son équilibre. À certains moments, il lance son «cri perçant». La femelle lève la queue pendant qu'il abaisse la sienne pour accomplir la copulation. L'accouplement ne dure que quelques secondes, après quoi le mâle s'empresse de s'envoler. Ensuite, les deux oiseaux se perchent ensemble pendant près d'une demi-heure. Ils font leur toilette ou déplacent les matériaux du nid.

On a remarqué à plusieurs reprises que trois aigles pouvaient rester à proximité d'un nid. Dans certains cas, on a vu quatre œufs dans le même nid, alors que la moyenne se situe à deux. Les aigles sont parfois polygames, deux femelles pondant dans le même nid. On pense que ce phénomène se produit dans les régions où abonde la nourriture.

Les couples semblent rester ensemble toute l'année.

La nidification

Emplacement du nid: Dans les fourches de grands arbres ou sur des falaises.
Dimensions: Près de 2 m de diamètre; profondeur de 1,20 m à 3 m.
Matériaux: L'assiette est formée de branches et de brindilles tapissées de tourbe, d'herbes, d'algues et d'autres végétaux.

Bien que les nids se trouvent parfois à plus de 1 km de l'eau, ils sont généralement bâtis au bord d'un lac, d'une large rivière ou du rivage, car les aigles à tête blanche se nourrissent avant tout de poisson. Ils nichent dans les fourches des grands arbres ou, en l'absence de végétation suffisamment haute, dans les creux des falaises. Les nids sont si grands qu'ils doivent être particulièrement bien arrimés. C'est pourquoi les arbres ont en général plus de 30 cm de diamètre et sont dotés de grosses fourches solides à leur sommet. Les aigles jettent habituellement leur dévolu sur les arbres les plus élevés de la région, dont la cime est souvent à plus de trente mètres du sol. Ainsi, ils peuvent surveiller les alentours à leur guise.

La nidification commence en septembre ou en octobre dans le Sud. En revanche, dans les régions plus septentrionales, elle ne débute guère avant janvier et se poursuit jusqu'en mars, selon la distance que le couple doit parcourir pour réintégrer le territoire qu'il a quitté lorsque la nourriture s'est raréfiée. Chaque couple revient chaque année sur le même territoire, utilisant parfois le même nid, convenablement restauré, pendant plus de vingt ans (s'il vit aussi longtemps, évidemment) ou deux ou trois nids situés sur le territoire et qu'il occupe tour à tour.

Les deux adultes participent à la construction du nid. La première année, il est constitué d'une masse de grosses branches, dont certaines mesurent plus de 5 cm de diamètre et 2 m de long, quoique la plupart du temps elles soient deux fois moins longues. Bien que les oiseaux les ramassent habituellement au sol, certains observateurs ont vu des aigles casser des branches mortes encore fixées aux arbres à l'aide de leurs serres.

Les oiseaux disposent les branchages avec leur bec pour former une masse circulaire, souvent ovoïde, d'environ 2 m de diamètre et de plus de 1 m de profondeur. Le centre du nid est alors rempli de tourbe, d'herbes, d'algues, de mousse, etc. Dans le Sud, les aigles ajoutent parfois au nid des objets particulièrement hétéroclites tels que des ampoules électriques, des déchets ménagers et des morceaux de ficelle.

Au centre du nid se trouve une petite dépression, d'une trentaine de centimètres de diamètre et d'une dizaine de centimètres de profondeur, dans laquelle la femelle pond ses œufs. Le nid peut être construit en quatre jours.

Les couples qui reviennent l'année suivante continuent de bâtir leur nid au-dessus du nid de l'année précédente, y ajoutant parfois jusqu'à 60 cm de matériaux. Avec les années, les nids deviennent énormes et leur poids est considérable. Comme record du genre, on a trouvé un nid d'un diamètre de près de 3 m et d'une profondeur de 6 m. Un autre, qui était tombé d'un arbre, pesait, a-t-on estimé, 2 000 kg. Il est évident que la plupart des nids finissent un jour ou l'autre par s'effondrer sous leur propre poids, généralement à cause de vents violents.

Les aigles continuent d'améliorer leur nid pendant l'incubation et la première phase de croissance des aiglons. À l'instar de beaucoup d'autres oiseaux de proie, ils ont coutume d'apporter des brindilles ou des feuilles vertes d'arbres décidus ou semper virens. On ignore quelle fonction remplissent ces végétaux, mais certains observateurs ont vu les aigles en manger. Il est de fait que les boulettes de résidus régurgités par ces oiseaux contiennent parfois des matières végétales en quantité. On pense donc que celles-ci remplissent une fonction nutritive ou digestive bien précise.

L'éducation des oisillons

Œufs: Au nombre de 2; d'un blanc terne.
Incubation: De 34 à 36 jours; les deux parents incubent.
Première phase de croissance: De 10 à 12 semaines.
Seconde phase de croissance: De 3 à 4 mois.
Couvée: 1.

Ponte et incubation

Il arrive que le mâle ou la femelle fasse mine d'incuber les œufs avant la ponte. Ce phénomène porte le nom de pseudo-incubation et peut se produire plusieurs jours avant que le premier œuf soit pondu, mystifiant tout observateur.

En général, une couvée contient deux œufs. La femelle les pond à intervalles de deux ou quatre jours, parfois d'une semaine. Étant donné que l'on a déjà trouvé trois ou quatre œufs dans un nid, certains chercheurs parlent de polygamie occasionnelle chez les aigles.

L'incubation commence dès la ponte du premier œuf et dure de trente-quatre à trente-six jours. Les deux adultes incubent, et le jour et la nuit. En général, la femelle consacre un peu plus de temps que le mâle à cette activité. Au moment du relais, l'un des oiseaux, souvent perché près du nid, s'en approche. Parfois, l'un ou l'autre (ou les deux) émet une sorte de pépiement. À proximité des œufs, les oiseaux se déplacent avec précaution, peut-être pour ne pas endommager les coquilles avec leurs serres. L'oiseau incubateur les tapote généralement du bout du bec avant de s'installer et, une fois couché, s'entoure de matériaux qu'il déplace avec le bec. En général, chaque séance d'incubation dure de une à trois heures.

Pendant l'incubation, il est difficile d'apercevoir l'oiseau dans le nid, car il se tient recroquevillé sur les œufs. Parfois, il s'approche du rebord pour regarder aux alentours. Pendant cette période, il se tient coi, même si vous vous en approchez. Le partenaire en profite pour chasser ou pour monter la garde, perché à proximité. Lorsque le couple doit s'absenter du nid, il recouvre complètement les œufs avec des branchages arrachés tout autour, de manière à les rendre totalement invisibles.

Première phase de croissance

Les œufs éclosent à plusieurs jours d'intervalle. Pendant les deux premières semaines, les petits se tiennent fréquemment sous l'aile des parents. Ensuite, ils sont un peu plus indépendants. C'est généralement après les repas que l'un des parents les couve tout en s'entourant, comme pendant l'incubation, de matériaux doux provenant du nid. Lorsque les adultes se relaient au nid, ils émettent parfois le «pépiement». L'arrivant se déplace précautionneusement dans le nid pour l'inspecter ou arranger les brindilles qu'il vient d'apporter. Ensuite, il s'installe sur les oisillons.

La nichée fait l'objet d'une surveillance quasi constante, l'un des adultes demeurant presque toujours au nid ou à proximité, se nourrissant des restes du dernier repas, donnant à manger aux petits, les abritant du soleil, de la pluie ou du froid. Parfois, il se perche à côté du nid pour monter la garde, surveillant les environs. On a remarqué qu'à ce stade certains couples gardaient un silence total même lorsqu'on s'approchait d'eux.

Un adulte peut demeurer perché près du nid pendant deux ou trois heures d'affilée. S'il fait trop chaud, il choisit plutôt un perchoir à l'ombre. Jeunes et adultes, en période de chaleur excessive, laissent tomber leurs ailes qu'ils écartent ensuite du corps, probablement pour favoriser la circulation de l'air. Parfois, ils gardent la gueule ouverte.

Le comportement typique d'un parent nourricier consiste à quitter son perchoir et à survoler rapidement le nid avant de partir à la recherche de nourriture. Il revient, en l'espace d'une demi-heure, parfois plus tôt, atterrit près du nid, mange, nourrit sa progéniture, puis retourne sur son perchoir. Les adultes lancent parfois le «cri perçant» lorsqu'ils sont dans le nid, mais cela ne coïncide pas nécessairement avec leur départ ou leur arrivée.

Les deux parents nourrissent les petits. Parfois, l'un remet la nourriture à l'autre qui la donne aux aiglons. C'est tôt le matin et du milieu de l'après-midi à la fin de l'après-midi que les adultes partent en quête de nourriture. Ils font la navette quatre à huit fois par jour.

Lorsque l'adulte arrive au nid avec la nourriture, il piétine sa proie pour la déchiqueter avant d'en arracher des morceaux qu'il tend aux aiglons, bec à bec. Cette méthode est utilisée jusqu'à ce que les oisillons soient à la veille de quitter le nid, parfois après leur départ. Il arrive même que les parents cessent de donner la becquée à leurs aiglons jusqu'à deux semaines avant leur seconde phase de croissance.

Pendant les derniers jours de la première phase, les parents se contentent parfois de lancer la proie dans le nid. L'un des aiglons la revendique en se recroquevillant dessus, les ailes déployées et la tête basse, en jetant des hurlements, pendant que l'autre dirige son attention vers une brindille ou tout autre objet qu'il recueille dans son bec et lance autour de lui. Parfois, les adultes apportent des mottes d'herbes ou des feuilles à la place de la nourriture. Les aiglons s'amusent avec ces matériaux ou y donnent des coups de bec.

Il est fréquent que l'aîné des aiglons domine son cadet lorsqu'ils rivalisent pour s'emparer de la nourriture. Par conséquent, il grandit plus vite. Parfois, cet écart entraîne la mort du cadet par inanition. S'il s'agit d'un phénomène relativement fréquent chez les aigles à tête blanche, il est presque inévitable chez d'autres espèces d'aigles. On pense que c'est ainsi que les oiseaux adaptent la taille de la couvée aux ressources disponibles. Si elles sont suffisantes, les deux oiseaux vivent; sinon, un seul survit.

La croissance des aiglons se divise en deux phases principales. La première dure de cinq à six semaines, pendant lesquelles les jeunes oiseaux sont couverts d'un duvet grisâtre.

Au cours de la seconde phase, d'une durée analogue, les plumes de la livrée adulte commencent à apparaître. Au début, les aiglons font fréquemment leur toilette, ce qui a tendance à faire tomber le duvet. On remarque d'ailleurs qu'à ce stade les rebords du nid sont recouverts de plumes duveteuses qui, parfois, sont emportées par le vent dans les arbres environnants, fournissant à l'observateur une idée assez précise de l'âge des aiglons.

Pendant les premières semaines, il est difficile d'apercevoir les jeunes dans le nid, car ils s'y tapissent à la moindre alerte. Ils ont également coutume de ramper sur les rebords du nid en se servant de leurs ailes pour se déplacer.

Plus tard, ils commencent à se percher au bord du nid et deviennent plus actifs. Par exemple, ils battent des ailes, lissent leur plumage, sautillent dans le nid, se perchent ou se reposent, jouent avec les matériaux du nid, surveillent soigneusement les environs et piétinent tout ce qui se trouve dans le nid, nourriture ou végétation. Il est fréquent que, lorsqu'un aiglon se livre à une activité, il soit aussitôt imité par l'autre. Les jeunes défèquent en dehors du nid. C'est pourquoi vous pourrez apercevoir une traînée blanche, circulaire, juste en dessous.

Lorsque cette phase tire à sa fin, les aiglons commencent à s'entraîner au vol. Ils se laissent flotter au vent, à quelques dizaines de centimètres du nid, exécutant parfois des cercles concentriques avant de revenir au nid. La longueur de leur premier vol véritable varie d'une simple traversée d'un arbre à l'autre à un trajet de plus de 1 km.

Cette première phase dure de dix à douze semaines.

Seconde phase de croissance

Cette phase comporte en gros trois étapes. Pendant les quatre ou six premières semaines, les aiglons restent à proximité du nid et l'on trouve les parents dans un rayon d'environ 800 m. Les jeunes utilisent le nid comme perchoir, comme «salle à manger» ou comme abri pour la nuit. Bien que les adultes continuent de leur apporter à manger, ils commencent à rôder seuls et ne tardent guère à les accompagner à la pêche.

Au cours du deuxième stade, qui dure plusieurs autres semaines, les aiglons sont moins enclins à retourner au nid et vagabondent volontiers, demeurant souvent le long du rivage, là où la pêche est facile. En général, ils suivent l'orientation des vents dominants.

Pendant le dernier stade, sept à huit semaines après leur premier vol, l'instinct qui les pousse à se déplacer devient plus puissant. S'ils se trouvent dans une région où les aigles migrent, ils entament parfois la migration. En revanche, si les aigles de la région sont sédentaires, les aiglons se contentent de se déplacer vers des endroits où la nourriture est plus abondante ou d'accès plus facile. Il arrive qu'à ce stade les adultes les chassent.

Le plumage

Comment différencier le mâle de la femelle
Le mâle et la femelle ont un plumage identique. La femelle est habituellement plus grosse que le mâle, mais il faut évidemment apercevoir les deux oiseaux ensemble pour s'en rendre compte. Leur comportement ne fournit aucun véritable indice à cet égard, car les oiseaux des deux sexes se partagent de manière relativement égale la responsabilité de l'éducation des aiglons.

Comment distinguer les jeunes des adultes
Les aigles à tête blanche n'acquièrent leur plumage d'adulte qu'au bout de trois ou quatre ans, peut-être davantage. Pendant ce temps, on les qualifie d'immatures. Au cours des deux premières années, ils sont brun foncé, avec des taches blanches sur les sous-alaires et les couvertures sous-caudales. L'année suivante, la tête blanchit, mais la queue demeure brune, tachetée de blanc. Au cours de la troisième année, la tête et la queue sont d'un blanc mat. C'est seulement la quatrième année que la tête et la queue acquièrent un blanc éclatant, tandis que le corps devient entièrement brun foncé.

Mue
Les aigles à tête blanche semblent muer une fois par an, peut-être à partir du début de la saison des amours jusqu'à l'automne.

Les déplacements saisonniers

Ce que nous savons des migrations de cette espèce permet de penser que ce ne sont pas tous les aigles à tête blanche qui migrent. En réalité, tout dépend de l'endroit où ils passent l'été. En général, les adultes demeurent aussi près que possible de leur territoire de reproduction, dans la mesure où le climat le permet et où la nourriture est suffisante. Certains couples sont donc entièrement sédentaires tandis que beaucoup d'autres ne quittent leur territoire qu'un mois ou deux en hiver pour des régions où la nourriture est plus facile à trouver. On pense que les immatures qui n'ont pas encore revendiqué de territoire vagabondent davantage. N'étant pas des chasseurs aussi expérimentés que les adultes, ils sont contraints de rechercher une nourriture d'accès facile, tout au long de l'année. Par conséquent, il leur arrive de vagabonder en été et en hiver. (Voir *Le comportement en société*.)

Le long des rivages du Pacifique, les oiseaux remontent souvent les rivières après la saison de reproduction pour tirer parti de la migration des saumons qui vont frayer en amont. Pour beaucoup d'oiseaux, cela signifie un voyage en direction du nord. Les immatures semblent demeurer plus longtemps que les adultes au bord des rivières à saumons. Les adultes ne tardent pas à regagner leurs territoires pour pêcher le long des côtes et défendre leur réserve de nourriture. Les immatures s'éloignent davantage et se nourrissent souvent de charogne. On peut donc en conclure que, parmi les aigles à tête blanche, l'âge est le principal critère déterminant la durée et la distance des déplacements.

Dans les régions centrales d'Amérique du Nord, les aigles nichent le long des lacs et des fleuves. Ceux qui se reproduisent dans le nord des Prairies migrent vers le sud en hiver, lorsque les étendues d'eau gèlent, leur interdisant la pêche. Ils suivent les vallées des grandes rivières, s'arrêtant lorsque des étendues d'eau leur permettent de se nourrir. Souvent, ils se rassemblent en grands vols qui dorment et se nourrissent ensemble à ces endroits. La migration d'automne se déroule à un rythme plus lent que la migration de printemps, car les oiseaux effectuent des escales prolongées jusqu'à ce que la nourriture se fasse rare. Parfois, ils passent une semaine à un endroit, puis une semaine à un autre. En revanche, au printemps, ils se dirigent sans flâner vers leur territoire de reproduction.

Le long de la côte Atlantique, la migration revêt le même caractère que dans les autres régions. Les adultes restent à proximité de leurs territoires de reproduction tant qu'ils peuvent y manger. Les immatures ont tendance à s'éloigner pour rechercher une nourriture plus abondante. Les mouvements sont irréguliers et les oiseaux peuvent prendre n'importe quelle direction, vers l'est, vers l'ouest ou vers le sud.

En Floride et le long du golfe du Mexique, les aigles se reproduisent en novembre et en décembre. Ils migrent alors, selon un schéma inverse, au printemps et au début de l'été vers le nord, le long de la côte Atlantique ou de la vallée du Mississipi. En septembre, ils redescendent vers le sud pour se reproduire. Ce sont eux que l'on aperçoit le plus fréquemment à l'automne depuis les observatoires installés à cet effet dans les États de l'Est, car les aigles qui se reproduisent dans le nord ne migrent pas avant novembre, voire décembre.

Comment les reconnaître pendant la migration

Vous apercevrez de grands oiseaux bruns, aux ailes immenses. Ils planent presque continuellement, ne se livrant que rarement à un puissant battement d'ailes. Les adultes sont faciles à distinguer grâce à leur tête et à leur queue blanches. Les immatures sont brun foncé, la partie des ailes et de la queue la plus proche du corps étant mouchetée de blanc. Dans le langage vernaculaire, on les désigne parfois comme des «planches volantes» en raison de leur allure rigide pendant qu'ils planent.

Le comportement pendant la migration
Vous pourrez voir des aigles solitaires ou en groupes. Tout dépend de l'effectif de la région. Dans l'est, on voit fréquemment un aigle seul, au milieu d'un groupe de petites buses. L'aigle, plus lourd, monte plus lentement le long des courants ascendants.

Le comportement en société

En fonction de l'endroit, on peut apercevoir de grands rassemblements d'aigles à n'importe quel moment de l'année. En automne et en hiver, de grands vols d'adultes et d'immatures s'installent dans les régions où la nourriture abonde, près des étendues d'eau, là où la sauvagine hiverne, où les saumons frayent et où l'on trouve facilement de la charogne (par exemple dans les réserves gouvernementales de chasse et de pêche). Parfois, ces groupes comptent près d'une centaine d'individus.

La nuit, les aigles dorment en colonie, à moins de 2 km de leur aire de subsistance. Bien qu'ils se séparent généralement le matin, ils reviennent parfois dès deux heures de l'après-midi vers leur abri nocturne. Lorsqu'il fait mauvais, ils préfèrent souvent ne pas le quitter du tout. L'emplacement des aires de subsistance et des abris change, en fonction de l'abondance de nourriture.

En été, on peut aussi observer de grands rassemblements d'aigles à proximité des aires de subsistance, des étendues d'eau où ils se baignent et des abris nocturnes. On suppose qu'il s'agit d'oiseaux qui ne se reproduisent pas, mais on ignore encore pour quelle raison ils restent ensemble.

BobHines

Épervier brun

Accipiter striatus (Vieillot) / Sharp-Shinned Hawk

L'épervier brun, fort répandu dans toute l'Amérique du Nord, est le plus petit membre de la famille des *Accipiter,* groupe d'oiseaux de proie qui se nourrissent essentiellement d'autres oiseaux. Il est de fait que ses habitudes alimentaires suscitent chez les ornithologues amateurs des sentiments mitigés. Bien qu'il soit fascinant à étudier, il n'en pourchasse pas moins des espèces d'oiseaux que nous nous efforçons d'attirer pour mieux les observer.

De tous les oiseaux de proie de ce guide, l'épervier brun est sans conteste le moins bien connu. Plusieurs facteurs sont à l'origine du mystère qui entoure encore son comportement. Tout d'abord, c'est un oiseau de petite taille, qui mène une existence fort discrète sous le couvert végétal. En outre, l'épervier, facilement effarouché par les humains, se tient à l'écart des zones urbaines.

Pourtant l'épervier brun est également l'un de ceux que vous aurez le plus de chances d'apercevoir pendant la migration d'automne. Les vols de cette espèce suivent les côtes et, à l'intérieur des terres, les crêtes montagneuses. On sait que les éperviers bruns ont un comportement particulièrement agressif pendant la migration. On les voit si fréquemment attaquer un de leurs congénères ou d'autres oiseaux de proie, que cette parade est considérée, par les observateurs avertis, comme un indice d'identification relativement fiable. Pourquoi ces oiseaux dépensent-ils tant d'énergie à s'affronter ainsi pendant la migration? Nous l'ignorons, tout comme nous ignorons tant d'aspects de leur comportement pendant la saison des amours. Espérons qu'au cours des prochaines années, les éthologues s'intéresseront suffisamment aux énigmes de l'existence de cet oiseau si fascinant pour tenter de les élucider.

CALENDRIER DU COMPORTEMENT

	TERRITOIRE	COUR	NIDIFICATION	ÉDUCATION DES OISILLONS	PLUMAGE	DÉPLACEMENTS SAISONNIERS	COMPORTEMENT EN SOCIÉTÉ
JANVIER							
FÉVRIER							
MARS							
AVRIL							
MAI							
JUIN							
JUILLET							
AOÛT							
SEPTEMBRE							
OCTOBRE							
NOVEMBRE							
DÉCEMBRE							

Communication visuelle

Les écrits scientifiques ne font état que de rares manifestations visuelles. Nous avons vu, quant à nous, les éperviers bruns se livrer à toutes les parades attribuées aux alentours, parmi lesquelles le «lent battement des ailes», le «vol ondulant», l'«exhibition des sous-caudales» et le «plongeon en vol». Mais nous hésitons à les inclure dans cette rubrique étant donné que les autres observateurs n'ont rien mentionné de semblable. Il est évident que d'autres études s'imposent.

Communication auditive

1. Kîk-kîk

Mâle ou femelle *P, É, A*

Il s'agit d'une série assez rapide de notes brèves, sèches et suraiguës, rappelant le «kîkîkî» du pic. La version du mâle est un peu plus aiguë que celle de la femelle.

Contexte: Les oiseaux lancent ce cri lorsque quelque chose les dérange pendant qu'ils se trouvent au nid ou à proximité des juvéniles. (Voir *L'éducation des oisillons.*)

2. Pîîîp

Mâle ou femelle *P, É, A*

Ce cri est expiré, très ténu et extrêmement aigu.

Contexte: On l'entend pendant le transfert de nourriture entre partenaires ou chez les oisillons pendant la seconde phase de croissance, et parfois aussi pendant la cour. (Voir *La cour, L'éducation des oisillons.*)

Certains observateurs ont entendu deux autres cris, moins fréquents. Tout d'abord un cri bas, très doux, lancé par le mâle lorsqu'il s'approche de la femelle pour lui offrir de la nourriture et une sorte de geignement très aigu, également émis par le mâle avant l'accouplement.

DESCRIPTION DU COMPORTEMENT

Le territoire

Nul ne semble avoir remarqué de comportement territorial chez les éperviers bruns. En général, les oiseaux nichent à 3 ou 4 km les uns des autres, se réservant donc un espace plutôt étendu.

Dans cet espace, les éperviers occupent une zone d'une superficie de quelques hectares au centre de laquelle se trouve le nid. Elle est généralement riche en souches, en troncs abattus ou en roches sur lesquels les oiseaux s'installent pour plumer et manger leurs proies. En outre, les arbres comportent des abris nocturnes. Un peu plus tard dans la saison, ces endroits sont facilement repérables, car l'on y trouve des excréments et du plumage perdu pendant la mue. Enfin, les nids sont dissimulés dans des conifères au feuillage très touffu.

Les éperviers bruns reviennent plusieurs années consécutives sur la même aire de nidification.

La cour

Comportements habituels: Parades aériennes; transfert de nourriture.
Durée: De l'arrivée des oiseaux dans la région de reproduction jusqu'au milieu de la première phase de croissance.

On a rarement eu l'occasion d'observer les parades nuptiales des éperviers bruns. D'après l'un des récits rapportés, les deux membres du couple se sont d'abord pourchassés rapidement, en zigzaguant. Ensuite, ils se sont perchés sur le même arbre d'où ils ont lancé le cri «pîîîp». Peu à peu, le mâle s'est rapproché de la femelle. Il a ensuite émis une sorte de geignement, est monté sur le dos de sa compagne et la copulation a duré de trente à quarante secondes. Les deux oiseaux ont battu des ailes pendant l'accouplement, qui a eu lieu à deux autres reprises dans l'heure qui a suivi.

Le mâle et la femelle retournent à leur nid au printemps, environ deux semaines avant la ponte. On ignore s'ils arrivent ensemble et si le couple est déjà formé à ce moment-là. Peu après, le mâle commence à nourrir sa compagne, lui apportant presque toute sa nourriture. Au moment de s'approcher d'elle, il lance un cri très bas. Elle le rejoint, ils se perchent à proximité et le transfert de nourriture a alors lieu. La femelle lance le cri «pîîîp» lorsqu'elle accepte la proie. On peut observer ce comportement jusqu'au milieu de la première phase de croissance des oisillons.

Les éperviers bruns ne commencent à se reproduire qu'au bout de deux ans, une fois parés de leur plumage d'adulte. Toutefois, selon certains témoignages, des mâles et des femelles ont réussi à se reproduire au cours de leur première année, alors qu'ils avaient encore leur plumage de juvénile. (Voir *La mue.*)

La nidification

Emplacement du nid: Généralement dans les conifères épais, près du tronc, à une hauteur de 4 à 18 m.
Dimensions: Diamètre extérieur de 50 à 60 cm; hauteur de 12 à 15 cm.
Matériaux: Nid tapissé de fines brindilles et de copeaux de bois.

Bien que les éperviers bruns retournent dans la même région chaque année, ils ne réutilisent pas le même nid que celui de la saison précédente, préférant en bâtir un nouveau. Par conséquent, plusieurs nids sont parfois situés à quelques dizaines de mètres les uns des autres. Les éperviers bruns ont une prédilection pour les taillis composés de conifères épais, à proximité des clairières. Ils construisent généralement le nid à la lisière de ces taillis. Lorsque les arbres sont hauts, le nid se situe plutôt vers le bas de l'étage végétal. En revanche, si les conifères sont de petite taille, les oiseaux installeront leur nid près de la cime. Quoi qu'il en soit, il est presque toujours adjacent au tronc.

Peu après l'arrivée des oiseaux, les travaux commencent. On ne sait pas quel membre du couple se charge de la plus grosse part de la construction. Les oiseaux brisent les fines brindilles qui formeront le socle du nid. Ils les tressent en une trame lâche, sur laquelle ils étendent une mince couche de brindilles et de copeaux d'écorce arrachés aux pins, aux épinettes, aux chênes et à d'autres essences. En une semaine, le nid est achevé. Toutefois, on a remarqué que les éperviers bruns n'hésitaient pas à abandonner un nid à moitié construit s'ils étaient dérangés pendant les travaux.

L'accumulation de plumes à des endroits précis peut vous renseigner sur l'emplacement d'un nid, car il s'agit du plumage arraché par les éperviers bruns à leurs proies. En général, ils possèdent, dans un rayon d'un hectare ou un hectare et demi autour du nid, des perchoirs sur lesquels ils s'installent pour plumer leurs victimes avant de les manger. (Voir *Le territoire.*)

L'éducation des oisillons

Œufs: Habituellement 4 ou 5; blanc tirant sur le bleuâtre, avec des traînées plus sombres.
Incubation: De 30 à 32 jours; seule la femelle incube.
Première phase de croissance: De 21 à 28 jours.
Seconde phase de croissance: De 30 à 40 jours.
Couvée: 1.

Ponte et incubation

La ponte commence peu après l'achèvement du nid. La femelle pond un œuf tous les deux jours pendant sept à neuf jours. On pense que l'incubation commence dès la ponte du dernier œuf, ce qui provoque l'éclosion de toute la couvée en moins de deux jours. C'est la femelle qui se charge d'incuber. Pendant cette période, elle est entièrement nourrie par le mâle.

Celui-ci se trouve donc rarement au nid, passant le plus clair de son temps à la chasse. À son retour, il vole discrètement sous le couvert végétal et lance un cri très bas en s'approchant du nid. La femelle le retrouve sur un perchoir situé à proximité et c'est là qu'il lui présente la nourriture. Il arrive également qu'on entende les deux oiseaux lancer le cri «pîîîp».

Chaque oiseau réagit différemment aux perturbations autour du nid. La femelle s'envole parfois silencieusement avant que l'intrus soit parvenu à proximité du nid et attend, dissimulée dans la forêt, que le danger soit passé. En revanche, on a remarqué que d'autres femelles restaient dans le nid jusqu'à ce que l'intrus n'en soit plus qu'à quelques centimètres. Toutefois, ces observations ont été émises il y a longtemps, à une époque où certaines personnes avaient coutume de dérober les œufs. Aujourd'hui, il est interdit de toucher aux œufs d'épervier. Quoi qu'il en soit, nous vous recommandons d'éviter de perturber la femelle pendant l'incubation. On a remarqué que d'autres femelles s'envolaient, se perchaient à proximité ou exécutaient des cercles au-dessus de l'intrus en lançant le «kîk-kîk».

Première phase de croissance

En 36 heures, tous les œufs sont éclos. Bien que la femelle en ponde habituellement quatre ou cinq, il est fréquent que seuls trois ou quatre parviennent à maturité. Les autres restent clairs et finissent par être brisés par les mouvements des oiseaux dans le nid.

Les oisillons naissent couverts de duvet d'un blanc immaculé. Au bout d'une semaine, leur taille a doublé. À deux semaines, ils possèdent déjà des ailes impressionnantes et aiment regarder au-dessus du nid. Au cours de la dernière semaine de cette phase, ils défèquent à l'extérieur, marquant ainsi les arbres environnants de coulées blanches. À cette époque, ils ont perdu leur premier duvet et s'agrippent aux brindilles qui forment le nid.

Pendant la première moitié de cette phase, le mâle continue de nourrir toute la famille. Il apporte la nourriture à la femelle qui l'emporte au nid pour la déchiqueter avant de la donner aux oisillons. Pendant la seconde moitié de cette phase, la femelle recommence à chasser à son tour. On a constaté qu'à ce stade sa participation dépendait surtout du succès du mâle. Si celui-ci est incapable d'apporter suffisamment de nourriture à sa famille, elle se remet à chasser.

À trois semaines, les oisillons peuvent se tenir sur le rebord du nid et sont prêts à s'envoler pour la première fois. Cette phase dure de trois à quatre semaines. En général, les mâles, plus petits, sont plus précoces et peuvent quitter le nid au bout de 24 jours. Les femelles, plus grosses, ne s'envolent qu'après 27 jours.

Seconde phase de croissance

Lorsque les oisillons quittent le nid, ils se perchent presque aussitôt à proximité et commencent à lancer un cri semblable au «pîîîp». Généralement, ils restent ensemble, à proximité du nid, pendant environ un mois. Ensuite, la famille s'éloigne, mais reste unie pendant à peu près une autre semaine.

Durant toute cette période, les jeunes éperviers sont nourris par leurs parents mais, vers la fin, les parents réduisent de beaucoup leur ration quotidienne, ce qui les force à chasser. Bien qu'ils apprennent vite à attraper des insectes et parviennent occasionnellement à s'emparer d'un oiseau, ils ne sont guère efficaces. Les jeunes éperviers deviennent autonomes à l'époque où les passereaux commencent à migrer et l'on pense que c'est grâce à la présence de ces petits oiseaux chanteurs qu'ils survivent à leurs premières semaines d'émancipation.

Les jeunes se dispersent peu à peu, quittant leurs frères et sœurs et, finalement, leurs parents.

Le plumage

Comment différencier le mâle de la femelle

Le mâle et la femelle ont exactement le même plumage. Toutefois, la femelle est beaucoup plus grosse que le mâle.

C'est elle que l'on voit le plus à proximité du nid, tandis que le mâle passe beaucoup de temps à chasser pendant la saison de reproduction.

Comment distinguer les jeunes des adultes
Les immatures ont le dos, la tête, la queue et les ailes brunes. En dessous, ils sont blanchâtres avec des traînées brunes. Ils conservent ce plumage jusqu'à leur premier printemps. Ensuite, ils commencent à muer pour revêtir leur plumage définitif. Celui-ci est gris sur le dos, la tête, la queue et les ailes. Le dessous est blanc rayé de roux.

Mue
Les éperviers bruns muent une fois par année, du début de l'été jusqu'au début de l'automne.

Les déplacements saisonniers

Les éperviers bruns migrent jusqu'au Canada, voire jusqu'en Alaska. Toutefois, ils passent l'hiver au sud des États-Unis et en Amérique centrale. Généralement, ils migrent par petits groupes, parfois seuls, souvent en compagnie d'acapétridés et d'autres éperviers. Leur migration s'étale sur une plus longue période que chez la majorité des autres oiseaux de proie, commençant très tôt et se poursuivant jusqu'à la fin de l'automne.

En général, les juvéniles migrent les premiers, suivis des adultes. On croit également qu'ils vont plus au sud que les adultes et que les mâles migrent plus au sud que les femelles. Ce phénomène confirmerait la théorie selon laquelle les oiseaux dominants d'une espèce, en l'occurrence les femelles adultes, chez les éperviers bruns, parcourent les distances les plus courtes pendant les migrations.

La migration de printemps commence en mars et se poursuit jusqu'en avril. Elle est moins concentrée et n'a pas fait l'objet d'études aussi poussées.

Comment les reconnaître pendant la migration

Vous pourrez voir un oiseau de proie de petite taille, muni d'ailes à bouts ronds et d'une longue queue. Le principal indice pour l'identifier est le vol au cours duquel il fait alterner plusieurs battements d'ailes et une glissade. Étant de petite taille, il est fréquemment bousculé par les vents et s'élève rapidement le long des courants ascendants, en décrivant de petits cercles.

Comportements pendant la migration

Vous verrez des oiseaux solitaires ou réunis en petits groupes le long des crêtes ou des rivages, par des journées venteuses. On peut également les apercevoir à l'intérieur des terres, tandis qu'ils retrouvent les courants ascendants utilisés par d'autres éperviers. En général, ils sont seuls ou en groupes de deux ou trois oiseaux. Ils sont portés à attaquer leurs congénères ou d'autres espèces d'oiseaux de proie pendant la migration en plongeant sur eux. Parfois, ils attrapent des insectes en plein vol ou se lancent brièvement à la poursuite d'un oiseau plus petit qui évolue à faible altitude. Peut-être ont-ils, à ce moment, envie d'une collation.

BobHines

Autour des palombes

Accipiter gentilis (*Linné*) / *Northern Goshawk*

L'autour des palombes est un oiseau puissant dont l'observation présente un intérêt particulier. La femelle est beaucoup plus grosse que le mâle et c'est elle qui domine le couple. Non seulement elle semble prendre l'initiative des revendications territoriales et de la cour, mais elle assume de plus toutes les tâches directement liées à l'éducation des oisillons et à la défense du nid. Le mâle, plus petit, passe le plus clair de la saison des amours à chasser, rapportant ses proies à la femelle, qui, après avoir mangé, nourrit les oisillons.

En raison de cette division étanche du travail, il est rare que nous puissions apercevoir le couple réuni, même aux alentours du nid. Le mâle n'apporte la nourriture que trois ou quatre fois par jour et le transfert ne prend que quelques minutes. En dehors de la saison de reproduction, les autours mènent une existence solitaire.

Il est intéressant de comparer le comportement de l'autour avec celui de son cousin de plus petite taille, l'épervier brun, auquel est consacré le chapitre précédent. On observe chez les deux espèces la même division du travail pendant la saison des amours. En outre, toutes deux possèdent un registre vocal analogue, consistant surtout en un cri d'alarme — qui fait également office de cri de revendication territoriale — doublé d'un caquet que l'on entend au moment du transfert de nourriture. En revanche, leurs parades semblent différentes. Les autours se livrent, au début de la saison, à plusieurs parades aériennes que des observateurs avertis surprennent fréquemment. Cependant, on a relevé très peu de manifestations de ce genre chez les éperviers bruns. On est en droit de se demander s'il existe une véritable différence de comportement entre les deux espèces ou si l'épervier brun, plus petit, est aussi plus discret et, donc, plus difficile à observer.

CALENDRIER DU COMPORTEMENT

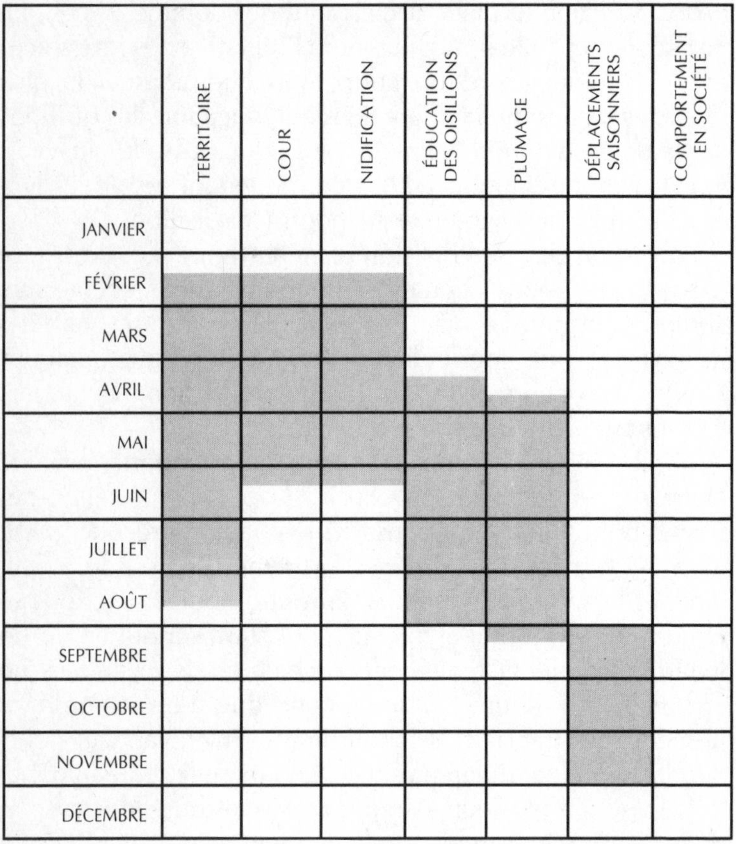

	TERRITOIRE	COUR	NIDIFICATION	ÉDUCATION DES OISILLONS	PLUMAGE	DÉPLACEMENTS SAISONNIERS	COMPORTEMENT EN SOCIÉTÉ
JANVIER							
FÉVRIER							
MARS							
AVRIL							
MAI							
JUIN							
JUILLET							
AOÛT							
SEPTEMBRE							
OCTOBRE							
NOVEMBRE							
DÉCEMBRE							

Communication visuelle

Les autours se livrent à plusieurs parades aériennes, notamment vers la fin de l'hiver et au printemps, après leur retour sur leur territoire de reproduction. C'est la femelle qui prend l'initiative des parades et, parfois, le mâle se joint à elle. Celles-ci peuvent être simples ou combinées. Les oiseaux les accompagnent quelquefois du cri «kîîk-kîîk». En général, elles se déroulent le matin, par beau temps. Elles servent à revendiquer le territoire ou à renforcer le lien entre partenaires.

1. Lent battement des ailes

Mâle ou femelle *H, P*

Cette parade ressemble à un vol normal, pendant lequel s'intercalent, entre les glissades, des battements d'ailes d'une lenteur et d'une puissance exagérées. Au cours de chaque battement, les ailes montent très haut au-dessus du corps pour redescendre ensuite très bas. Pendant les glissades, l'oiseau forme un dièdre avec ses ailes, plutôt que de les aligner avec son corps, comme dans un vol normal.

Cri: Aucun.

Contexte: On observe cette parade au-dessus du territoire de reproduction au début de la saison, le matin. (Voir *La cour.*)

2. Vol ondulant

Mâle ou femelle *H, P*

L'oiseau se déplace en suivant une trajectoire ondulante. Il s'élève puis redescend à plusieurs reprises.

Cri: Aucun ou «kîîk-kîîk».

Contexte: Cette parade a lieu au-dessus du territoire de reproduction, tôt dans la saison, généralement le matin. Souvent, on l'observe juste au-dessus de la cime des arbres. (Voir *Le territoire, La cour.*)

3. Exhibition des sous-caudales

Mâle ou femelle *P, É, A, H*

L'oiseau déploie ses plumes blanches situées au niveau du croupion.

Cri: Aucun ou «kîîk-kîîk».

Contexte: L'oiseau peut exécuter cette parade en vol ou sur son perchoir, souvent lorsqu'il plane très haut dans le ciel. Il est parfois seul, parfois accompagné de son partenaire. (Voir *La cour.*)

4. Plongeon en vol

Mâle ou femelle *H, P*

Tout en planant au-dessus de son territoire, l'oiseau plonge abruptement vers l'endroit où se trouve son nid, pour remonter aussitôt.

Cri: Aucun ou «kîîk-kîîk».

Contexte: En conjonction avec d'autres parades aériennes. (Voir *La cour.*)

Communication auditive

1. Kîîk-kîîk

Mâle ou femelle *P, É, A, H*

Il s'agit d'un cri bref et aigre, répété à un rythme de trois ou quatre à la seconde. On l'a parfois décrit comme un caquet perçant. Le cri du mâle est plus sourd et plus lent que celui de la femelle.

Contexte: Ce cri remplit divers offices. Pendant la saison des amours, il sert au couple à demeurer en contact auditif tôt le matin; pendant les parades aériennes, il constitue un appel; les oiseaux l'utilisent aussi comme cri d'alarme lorsqu'un intrus s'approche ou qu'un danger quelconque menace le nid. (Voir *Le territoire, La cour, L'éducation des oisillons.*)

2. Kîîeur

Mâle ou femelle *H, P, É*

On entend un cri traînant, expiré, plus grave vers la fin, long de une ou de deux secondes et répété à intervalles de une seconde. Il commence par monter avant de redescendre. On l'a parfois qualifié de hurlement. La femelle lance de temps à autre une variation plus brève.

Contexte: C'est principalement la femelle qui pousse ce cri, juste avant et juste après le transfert de nourriture. On l'entend parfois chez le mâle, lorsqu'il s'approche, muni de sa proie. Les oisillons, pendant l'une ou l'autre phase de croissance, peuvent également lancer un cri comparable lorsqu'ils ont faim. (Voir *La cour, L'éducation des oisillons.*)

3. Caquet

Mâle *H, P, É*

Ce caquet, bref et sec, ressemble à un claquement de langue contre le palais.

Contexte: Le mâle caquette parfois en pénétrant sur son territoire, muni de la nourriture qu'il destine à la femelle, ou simplement lorsqu'il se trouve à proximité de sa compagne. (Voir *La cour.*)

DESCRIPTION DU COMPORTEMENT

Le territoire

Fonctions: Accouplement; nidification; subsistance.
Dimensions: Entre 1,5 et 3 km^2.
Comportements habituels: «Plongeons en vol».
Durée de sa défense: Pendant toute la saison de reproduction.

Les autours aiment les bois touffus, entrecoupés de clairières, de champs et de marécages. En dehors de la saison des amours, ils vagabondent un peu partout, se déplaçant dans un périmètre de 35 à 60 km^2. Ce sont des oiseaux solitaires, qui entrent rarement en contact avec leurs congénères. Même les couples déjà formés vivent séparément en hiver. Ils ne semblent pas défendre de territoire hivernal.

Les couples reviennent chaque année sur le même territoire de reproduction. Certains arrivent près de cinq mois avant la ponte, mais la majorité ne se présentent sur leur territoire qu'un mois ou deux avant. À partir de ce moment-là, leurs vagabondages ne les entraînent plus aussi loin et ils se contentent d'explorer une superficie de 1,5 à 3 km^2.

On pense que la femelle arrive la première et que c'est elle qui amorce la défense du territoire de reproduction. Vous pourrez la voir se livrer de bon matin à l'une des parades aériennes, à la hauteur des cimes, lançant le cri «kîîk-kîîk».

Pendant la saison de reproduction, les couples d'autours sont très dispersés. Par conséquent, il est rare de pouvoir observer des querelles territoriales. Si une autre femelle s'approche d'un territoire, l'occupante volera au-dessus d'elle avant de l'attaquer en un vol plongé.

Il est plus fréquent de surprendre des parades territoriales lorsque les humains s'approchent du nid. On a vu des femelles harceler sans répit les intrus. Elles lancent le cri «kîîk-kîîk», exécutent plusieurs plongeons spectaculaires, frappant parfois l'intrus avec leurs pattes, voire l'égratignant avec leurs serres ouvertes. Il est donc recommandé de les prendre au sérieux et de ne pas s'approcher outre mesure du nid. Les oiseaux semblent toutefois moins agressifs lorsque les humains sont en groupe. Ce ne sont pas toutes les femelles qui attaquent. Certaines se contentent de lancer des cris et de voler en cercle au-dessus des intrus.

Le mâle ne participe pas souvent à la défense territoriale. En général, il s'envole silencieusement à l'approche des humains. Peut-être se contentera-t-il de crier tout en vous surveillant de loin.

Le territoire et, généralement, les environs immédiats du nid, comportent plusieurs perchoirs sur lesquels les oiseaux s'installent pour plumer leurs proies (des oiseaux) avant de les déchiqueter. Il s'agit d'arbres penchés, de souches, ou de branches tombées à terre. C'est surtout au début de la saison que ces perchoirs sont utilisés. Lorsque les œufs commencent à éclore, le mâle rapporte à la femelle surtout des oisillons d'autres espèces, principalement des oiseaux chanteurs, qui n'ont pas besoin d'être plumés.

La cour

Comportements habituels: Parades aériennes, transfert de nourriture; «kîîk-kîîk».
Durée: De l'arrivée du mâle jusqu'au milieu de la première phase de croissance.

Les autours sont capables de se reproduire dès leur première année, mais la plupart semblent attendre l'âge de deux ou trois ans. Une fois la saison terminée, ils retrouvent leur solitude hivernale et, lorsque le printemps arrive, ils doivent sans doute retrouver un partenaire en prévision de la nouvelle saison de reproduction.

La femelle arrive habituellement la première sur le territoire et entame les parades aériennes pour annoncer sa présence à ses voisins et à son partenaire. Elle se livre à n'importe laquelle des parades décrites dans *Le guide de la communication*, généralement le matin.

On peut également la voir assez souvent sur des perchoirs bien visibles, lançant sans répit son cri «kîîk-kîîk». Parfois, elle l'accompagne de l'«exhibition des sous-caudales».

Lorsque le mâle arrive, il se joint à elle pour les parades aériennes et il arrive qu'ils se livrent à des chasses et à des plongeons. La nuit, ils dorment à une distance de 50 à 100 m l'un de l'autre, mais toujours dans les limites de leur territoire. Ils entament la nouvelle journée en se livrant à un duo de cris «kîîk-kîîk».

Lorsque la ponte approche, le mâle commence à nourrir sa compagne, qui ne chasse plus du tout. Elle demeure près du nid tandis que le mâle s'envole, parfois assez loin. En rentrant sur le territoire, muni de sa proie, il lance le cri «kîeur». La femelle lui répond avant de gagner un perchoir pour manger. Ensuite, le mâle repart à la chasse. Le transfert de nourriture se poursuit jusqu'aux derniers jours de la première phase de croissance des oisillons.

Aux dernières étapes de la nidification, parfois pendant la construction même du nid, la femelle donne le signal de l'accouplement en se perchant sur une branche proche du nid. Elle abaisse les ailes et élève la queue. Le mâle imite ses mouvements et, en un vol tournoyant, vient atterrir sur le dos de sa compagne. Il accomplit ensuite la copulation, qui dure environ dix secondes, sans cesser de battre des ailes, de concert avec sa compagne. L'accouplement se produit plusieurs fois par jour pendant une ou deux semaines précédant la ponte.

Dans toutes les interactions entre le mâle et la femelle pendant la cour, la femelle domine sans équivoque.

La nidification

Emplacement du nid: Là où le tronc d'un arbre se divise au moins en trois, de manière à supporter le poids du nid; à une hauteur de 9 à 18 m.
Dimensions: Le nid est volumineux; son diamètre extérieur mesure près de 80 cm tandis que sa hauteur peut atteindre 25 cm, parfois plus, s'il sert plusieurs années de suite.
Matériaux: Grosses branches; brindilles; le fond est tapissé de petites branches, de copeaux d'écorce et de brindilles vertes ajoutées pendant l'incubation et la première phase de croissance.

Les autours semblent réutiliser le même nid année après année, mais ils en possèdent parfois deux sur le même territoire, qu'ils occupent en alternance.

Ils n'ont pas à se presser pour bâtir leur nid, car ils arrivent sur le territoire longtemps avant la ponte et commencent les travaux environ deux mois avant que la femelle ait pondu son premier œuf. C'est d'ailleurs elle qui se charge de la construction du nid, en recueillant des brindilles au sol ou en les arrachant aux arbres. On a remarqué qu'elle prend son temps pour disposer chaque petite branche dans le nid. Même s'il s'agit d'un nid déjà utilisé, elle y ajoute quand même des matériaux, et c'est pourquoi les nids d'autours acquièrent parfois des dimensions si considérables qu'ils risquent de tomber, poussés par des vents violents, auquel cas la femelle bâtit un nouveau nid au même endroit ou à proximité.

La construction du nid se déroule habituellement le matin, après que les oiseaux se sont interpellés à plusieurs reprises. Pendant sa construction et surtout au cours des deux semaines qui précèdent la ponte, la femelle donne le signal de l'accouplement, qui se déroule à proximité. Lorsque le nid est terminé, les oiseaux se livrent à des parades aériennes au-dessus du territoire.

Comme beaucoup d'autres oiseaux de proie, l'autour femelle recueille des brindilles vertes et des aiguilles de conifère qu'elle laisse choir dans le nid, notamment pendant l'incubation et les deux premiers tiers de la première phase de croissance des oisillons. Ensuite, elle se livre moins souvent à cette activité. Elle ne semble pas vouloir intégrer ces matériaux à la structure du nid, ce qui suggère que leur fonction n'est pas de renforcer le nid. À cet égard, on a avancé plusieurs hypothèses: peut-être cette végétation sert-elle à humidifier l'air ambiant, éloigne-t-elle les parasites ou sert-elle tout simplement de nourriture aux oisillons.

L'éducation des oisillons

Œufs: De 2 à 5; moyenne de 3 ou 4; blanchâtres tirant sur le bleu pâle, généralement unis.
Incubation: De 35 à 38 jours; seule la femelle incube.
Première phase de croissance: Environ 5 semaines.
Seconde phase de croissance: De 5 à 6 semaines.
Couvée: 1.

Ponte et incubation

La femelle pond un œuf tous les deux ou trois jours. La couvée moyenne en contient trois ou quatre. Pendant cette période, la mère demeure sur les œufs pour les empêcher de se refroidir, mais la véritable incubation ne débute sans doute pas avant la ponte des deux derniers.

C'est la femelle qui domine aux alentours du nid et qui prend soin des œufs. La tâche principale du mâle consiste à la nourrir. Après lui avoir offert de la nourriture à quelque distance du nid, il s'approche parfois des œufs au-dessus desquels il peut rester pendant deux ou trois minutes. Mais la femelle revient presque immédiatement, souvent en exécutant l'«exhibition des sous-caudales» et en lançant le cri «kîîeur», incitant le mâle à s'éloigner pour reprendre la chasse. Parfois, elle quitte le nid pour recueillir des brindilles vertes qu'elle laisse ensuite tomber dedans. Les deux oiseaux finissent par créer, pour s'approcher et s'éloigner du nid, leurs propres itinéraires qu'ils utilisent ensuite constamment.

La femelle reste sur les œufs toute la nuit. Le mâle dort généralement à plusieurs centaines de mètres du nid, mais toujours sur le territoire.

L'incubation se poursuit pendant 35 à 38 jours.

Première phase de croissance

Les œufs sont tous éclos en deux ou trois jours, parfois moins. Seule, la femelle couve et nourrit les oisillons. Le mâle parcourt le territoire en lançant le cri «kîîeur» et la femelle le rejoint en poussant le même cri.

Elle prend la nourriture qu'il lui offre et, en criant de nouveau, regagne le nid. Le mâle repart à la chasse. La femelle déchiquette des lambeaux de nourriture qu'elle tend aux oisillons avec son bec. Lorsque sa nichée est repue, s'il reste de la nourriture, la mère la dissimule à la fourche d'une branche. Ces restes seront consommés par les oisillons, s'ils ont faim avant le retour du mâle. C'est seulement au cours des premières semaines que la femelle accumule ainsi des réserves de nourriture. Au fur et à mesure que les oisillons grandissent, ils en absorbent de plus grandes quantités, ce qui lui donne peu d'occasions de le faire.

Les petits autours sont couvés presque sans interruption pendant la première semaine. Ensuite, c'est surtout la nuit que la femelle les garde sous son aile. Dès la troisième semaine, elle cesse de les couver, mais continue de les protéger pendant les orages violents. Le reste du temps, elle se perche sur le rebord du nid ou sur les branches voisines.

Au début de la quatrième semaine, les oisillons commencent à pousser une variante du cri «kîîeur» lorsque les parents leur apportent de la nourriture. Ils sont également capables de manger seuls et les adultes se contentent souvent de laisser tomber la proie entière dans le nid. En général, l'un des petits arrache un morceau qu'il défend contre les autres. On a remarqué que les oisillons pouvaient se montrer fort agressifs les uns envers les autres, surtout en l'absence de la femelle. Si la nourriture n'est guère abondante, il arrive que l'un des petits meure, après avoir été brutalisé par les autres qui, s'ils sont vraiment affamés, peuvent alors le dévorer.

Pendant la dernière moitié de cette phase, la femelle passe plus de temps à l'extérieur du nid, perchée à plusieurs dizaines de mètres de distance. Elle commence également à chasser pour nourrir sa couvée. Sa participation à la chasse dépend pour une large part du succès du mâle. S'il se montre incapable de récolter suffisamment de nourriture, elle se met alors à chasser, généralement dans les environs du nid; elle s'éloigne beaucoup moins que le mâle. Lorsque celui-ci arrive avec une proie et que sa compagne est absente, il vole jusqu'au nid dans lequel il laisse choir la proie. Mais dès que la femelle se montre, il repart, peut-être stimulé par le cri «kîîeur».

Les oisillons, au cours des dernières semaines de cette phase, défèquent à l'extérieur du nid et il est facile d'apercevoir l'accumulation d'excréments sur le sol, au pied de l'arbre.

Seconde phase de croissance

Vers la fin de la première phase de croissance, les jeunes autours sortent du nid pour aller se percher sur les branches voisines. Peu à peu, ils s'enhardissent jusqu'à voler d'un arbre à l'autre. En général, ils restent à moins de 200 m les uns des autres en poussant d'énergiques «kîîeur» lorsqu'ils ont faim. Les deux parents se chargent encore de les nourrir. La proie est soit apportée directement à chaque jeune, soit déposée dans le nid, soit offerte à l'un d'entre eux en plein vol.

La famille reste unie pendant quatre ou cinq semaines, parfois jusqu'en septembre. Elle se déplace chaque jour et finit par se retrouver à bonne distance du nid. Il est probable que les parents cessent peu à peu de nourrir les jeunes, les obligeant à se débrouiller seuls. Dès le milieu de l'automne, la famille s'est dispersée.

Le plumage

Comment différencier le mâle de la femelle

Le plumage est identique chez les spécimens des deux sexes, mais la femelle est nettement plus grosse que le mâle. C'est elle qui défend principalement le nid et qui s'occupe de la couvée. Vous verrez plutôt le mâle chasser et offrir de la nourriture à sa compagne. Enfin, les cris de la femelle sont habituellement plus énergiques que ceux du mâle.

Comment distinguer les jeunes des adultes
Les adultes ont le dos gris et de fines rayures grises sur la poitrine et sous les ailes. Le plumage immature est brun sur le dos tandis que les sous-alaires sont couvertes d'épaisses rayures brunes. L'oiseau le conserve jusqu'à son premier printemps. À ce moment-là, il entame sa première mue et acquiert son plumage adulte.

Mue
Les autours muent complètement une fois par an, de la fin du printemps au début de l'automne. Chez les mâles, la mue commence habituellement plus tard que chez les femelles.

Les déplacements saisonniers

En général, les autours ne sont pas des oiseaux migrateurs. Ils préfèrent passer l'hiver à proximité de leur territoire de reproduction, mais en vagabondant, ils couvrent une superficie beaucoup plus vaste. Toutefois, quelques juvéniles partent vers le sud avant l'hiver et ce sont eux que l'on aperçoit depuis les postes d'observation des oiseaux de proie, de septembre à décembre. Ils reprennent le chemin du nord en février et en mars.

Il semble y avoir un cycle d'invasions d'autours qui se répète en gros tous les dix ans. C'est ainsi que de grands vols de juvéniles et d'adultes se déplacent parfois en direction du sud à l'automne. On ignore la cause de cette migration massive, mais on pense qu'elle est liée aux cycles démographiques des autours, eux-mêmes inféodés aux cycles que connaissent les populations des espèces qu'ils chassent.

Les conditions climatiques ne semblent pas avoir autant d'influence sur la migration des autours que sur celle d'autres oiseaux de proie. C'est pourquoi vous les verrez migrer dans diverses circonstances et sur une longue période. En outre, ils se déplacent seuls et non en groupe.

Comment les reconnaître pendant la migration

Vous verrez un oiseau de proie assez volumineux, plutôt trapu, aux ailes compactes et à la longue queue. Par ses proportions et ses habitudes de vol, il rappelle son cousin, l'épervier brun. Toutefois, l'autour est beaucoup plus gros et beaucoup plus puissant que l'épervier. Ses ailes sont plus longues. (Imaginez un épervier brun qui se serait adonné à l'haltérophilie!) Il plane beaucoup plus qu'il ne bat des ailes et fait donc plutôt penser à une petite buse ou à une buse à queue rousse.

Le comportement pendant la migration

Les autours migrent en solitaire, rarement en compagnie d'autres oiseaux de proie. La puissance de leur battement d'ailes les rend moins tributaires des conditions climatiques qui prévalent pendant leur voyage.

BobHines

Petite buse

Buteo platypterus (Vieillot) / Broad-Winged Hawk

Par les plus claires journées d'automne, tandis qu'un front venu du nord-ouest soulage de la chaleur tout en présageant la froidure de l'hiver, les petites buses entament leur migration. Cet événement est souvent spectaculaire, car du haut de certaines crêtes on peut voir planer des milliers d'oiseaux.

Les migrations automnales des petites buses ont fait l'objet d'études approfondies dans le nord du continent. Toutefois, on ignore encore presque tout de leur comportement en hiver et seuls les observateurs curieux, désireux de passer des heures à scruter le ciel d'automne pour prendre note des mouvements des buses, finiront par percer ce mystère. On sait que, arrivées au Texas, les petites buses se rassemblent en larges groupes comptant jusqu'à des dizaines de milliers de spécimens. Mais la plus forte concentration se trouve dans l'isthme de Panama, que les oiseaux traversent pour se rendre en Amérique du Sud, où ils hivernent.

Leur migration suscitant un tel intérêt, on a tendance à oublier que les petites buses vivent tout l'été en Amérique du Nord et qu'elles s'y reproduisent. De tous les oiseaux de proie, c'est l'un de ceux dont on connaît le moins bien le comportement en période de reproduction. Mais bien que cette espèce soit généralement discrète, surtout aux alentours du nid et par conséquent difficile à apercevoir, elle n'est guère effarouchée par la proximité d'habitations humaines. Voilà qui devrait en faciliter l'observation, mais il n'en est rien. Les couples de petites buses restent totalement invisibles. Seuls les observateurs avertis pourront combler les nombreuses lacunes de nos connaissances du comportement de cet oiseau, pourtant très répandu, pendant la saison des amours. Dans le présent chapitre, nous faisons état des connaissances actuelles sur le comportement de la petite buse. Pour en savoir davantage, vous devrez faire vos propres observations.

CALENDRIER DU COMPORTEMENT

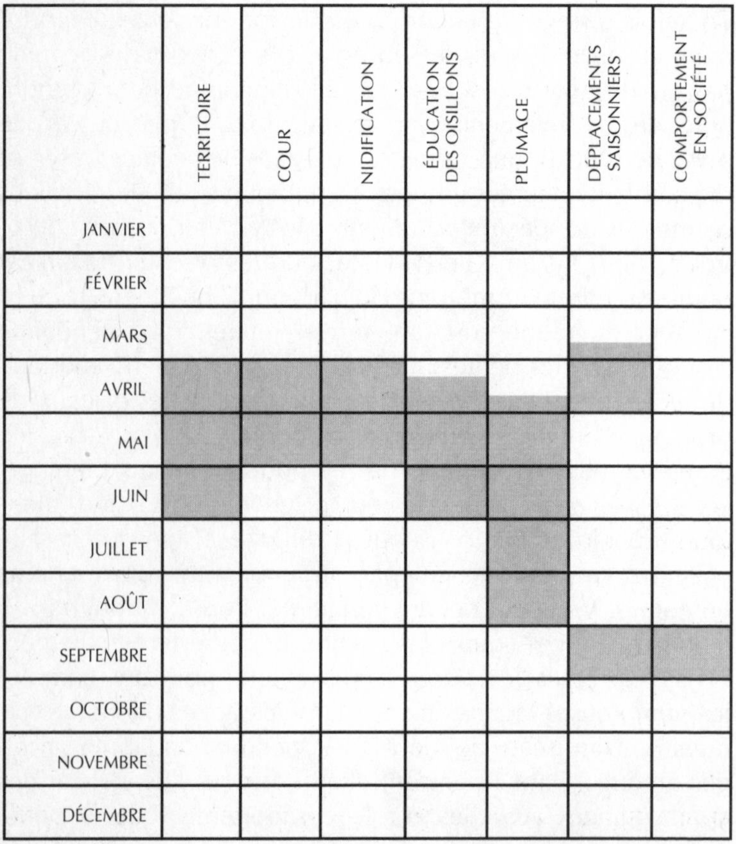

	TERRITOIRE	COUR	NIDIFICATION	ÉDUCATION DES OISILLONS	PLUMAGE	DÉPLACEMENTS SAISONNIERS	COMPORTEMENT EN SOCIÉTÉ
JANVIER							
FÉVRIER							
MARS							
AVRIL							
MAI							
JUIN							
JUILLET							
AOÛT							
SEPTEMBRE							
OCTOBRE							
NOVEMBRE							
DÉCEMBRE							

GUIDE DE LA COMMUNICATION

Communication visuelle

Aucun écrit scientifique ne semble mentionner de manifestations visuelles chez les petites buses. Toutefois, des observateurs expérimentés ont à plusieurs reprises vu ces oiseaux se livrer à trois mouvements qui sont probablement de véritables parades. Vous en trouverez la description ici, mais souvenez-vous que rien de tout cela n'a encore été confirmé.

1. Vol ondulant

Mâle ou femelle *P*

L'oiseau vole au-dessus du couvert végétal en suivant une trajectoire ondulante. S'il bat des ailes, son allure se raidit. On ignore si cette parade est propre à un seul sexe ou si les deux s'y livrent.

Cri: Aucun.

Contexte: C'est surtout au printemps, pendant la migration et au début de la saison de reproduction, qu'on observe ces activités, probablement en réaction au passage d'autres buses. Peut-être jouent-elles un rôle dans la défense du territoire ou pendant la cour ou dans les deux à la fois. (Voir *Le territoire.*)

2. Vol du pigeon

Mâle ou femelle *P*

Ce vol ressemble à celui du pigeon biset. Plusieurs profonds battements

d'ailes sont suivis d'une glissade pendant laquelle l'oiseau élève les ailes au-dessus du dos pour former un V serré. Chez les buses, les ailes n'entrent pas en contact. On ignore si cette parade est propre à un sexe ou si les deux l'utilisent.
Cri: Aucun.
Contexte: Les deux membres du couple communiquent ainsi juste au-dessus de la cime des arbres et à proximité du nid. Peut-être s'agit-il d'une parade nuptiale. (Voir *La cour.*)

3. Mouvement de piston

Mâle ou femelle *P, É*

L'oiseau élève la tête à plusieurs reprises, comme mû par un ressort. Parfois, il déploie également la queue.
Cri: Aucun ou pépiement.
Contexte: On associe cette parade au transfert de nourriture entre partenaires ou entre parents et oisillons. (Voir *La cour.*)

Communication auditive

1. Sifflement aigu

Mâle ou femelle *P, É, A*

Il s'agit d'un sifflement très ténu, suraigu, précédé d'une courte syllabe. Le ton est soit constant, soit légèrement ascendant vers la fin et il dure une seconde.
Contexte: Le sifflement aigu est le principal cri de la petite buse. Vous l'entendrez si vous vous approchez du nid,

pendant les querelles avec d'autres buses et dans maintes circonstances. L'oiseau l'émet souvent en plein vol, auquel cas on ignore sa fonction précise. Les jeunes buses parviennent à émettre ce cri dès l'âge de un mois pour quémander leur nourriture. La femelle lance parfois une variante de ce cri lorsqu'elle retourne au nid après avoir été nourrie par le mâle. (Voir *L'éducation des oisillons.*)

2. Geignement

Mâle ou femelle *P, É*

On entend une série de notes brèves, aigres, plus plaintives et moins claires que le «sifflement aigu».

Contexte: Ce cri accompagne le transfert de nourriture entre les deux adultes. En outre, on l'entend dans le nid, sous une forme plus aiguë, lorsque les parents s'approchent avec de la nourriture. (Voir *L'éducation des oisillons.*)

DESCRIPTION DU COMPORTEMENT

Le territoire

Fonctions: Accouplement; nidification; subsistance.
Dimensions: De 1,5 à 3 km^2.
Comportements habituels: «Sifflement aigu», plongeons; vols planés.
Durée de sa défense: De l'arrivée des oiseaux jusqu'à la fin de la seconde phase de croissance.

Au printemps, les petites buses regagnent habituellement le même territoire que celui qu'elles occupaient l'année précédente pour y bâtir un nouveau nid, se nourrir et se reproduire. Elles le défendent contre les autres petites buses et les espèces plus grosses telles la buse à queue rousse. La défense se poursuit jusqu'à ce que parents et oisillons aient quitté les environs du nid.

En général, les petites buses se comportent avec une grande discrétion sur leur territoire. Les couples plus âgés arrivent, bâtissent leur nid, et la femelle commence à pondre moins d'une semaine plus tard. Par conséquent, les oiseaux n'ont guère le temps de se livrer à des parades territoriales très élaborées et inutiles de toute façon, car les petites buses ont coutume de nicher très loin les unes des autres. En outre, elles finissent par connaître leurs voisins et par s'y habituer.

Il est possible que le «vol ondulant», que l'on observe au-dessus du territoire au printemps, juste après l'arrivée des oiseaux, soit une parade territoriale. Les petites buses semblent l'utiliser surtout lorsque d'autres rapaces survolent les environs.

Il leur arrive souvent de nicher dans la même région que les buses à queue rousse. Bien que les relations soient souvent paisibles entre les deux espèces, on peut observer des affrontements hostiles. Les oiseaux s'élèvent alors dans le ciel en poussant le «sifflement aigu» avant de plonger l'un sur l'autre.

La densité de population des petites buses dans une région dépend évidemment de l'abondance de nourriture. Lorsque le biotope leur est favorable — un mélange de forêts, de champs et de milieux humides —, les nids se trouvent à une distance de 1,5 à 3 km les uns des autres.

Vers l'âge de deux ans, les juvéniles migrent vers le nord un mois environ après les adultes. Ils ne se reproduisent pas encore, mais on les voit flâner un peu partout. Comme ils ne retournent pas sur le territoire qui les a vus naître, ils doivent en revendiquer un lorsqu'ils sont prêts à se reproduire.

La cour

Comportements habituels: Vols planés, «vol du pigeon», transfert de nourriture.
Durée: De l'arrivée des oiseaux à la première phase de croissance.

On ne sait pas grand-chose de la cour chez les petites buses qui vivent dans les régions sauvages. Peu après l'arrivée du couple, le mâle commence à nourrir sa compagne. Parfois, elle vole à sa rencontre et l'un des oiseaux émet le «geignement» au moment du transfert. On associe également le «mouvement de piston» au transfert de nourriture.

Parfois, un couple de petites buses semble se livrer à un vol synchronisé au-dessus de son territoire. On peut également observer le «vol du pigeon» au début de la cour, chez certains couples. Il est toutefois évident que la cour, chez les petites buses, est particulièrement brève, car les oiseaux migrent tard dans la saison et commencent à pondre dans les cinq à sept jours qui suivent leur arrivée.

La nidification

Emplacement du nid: Généralement à la rencontre de trois ou quatre branches principales d'un feuillu, à l'étage inférieur du couvert végétal.
Dimensions: Diamètre extérieur de 30 à 50 cm; hauteur de 15 à 30 cm.
Matériaux: L'assiette est constituée de brindilles; le nid est tapissé d'écorce, de mousse et de végétation fraîche provenant de conifères ou de feuillus.

Les petites buses nichent habituellement dans les forêts de feuillus situées à une certaine altitude, et qui comportent à la fois des clairières et des marécages boisés. Cet amalgame de milieux différents leur permet de chasser les petits mammifères, les oiseaux, les amphibiens et les reptiles qui constituent leur nourriture ordinaire. Les nids se trouvent souvent à proximité d'une clairière, d'un sentier, d'une piste cavalière ou d'une route, rendant plus facile la traversée des bois en direction de l'arbre choisi. Pendant cette période, les petites buses passent souvent inaperçues, car elles se tiennent généralement coites et préfèrent se diriger vers le nid en traversant la forêt plutôt qu'en la survolant, contrairement aux buses à queue rousse.

Les couples reviennent sur les territoires qu'ils occupaient l'année précédente, mais ne réutilisent pas le même nid, préférant en bâtir un nouveau dans un autre arbre. On a toutefois constaté que les nouveaux nids étaient parfois situés à moins de 50 m des anciens.

Les buses utilisent souvent des structures existantes pour y asseoir leur construction, telles qu'un vieux nid d'écureuil, de corneille ou de rapace. Toutefois, les nids entièrement neufs sont souvent plus gros que ceux qui ont été bâtis à partir de ces structures. Étant plutôt construits à la sauvette, en quelques jours, ils ne résistent pas aux intempéries de l'hiver suivant. Habituellement, les oiseaux occupent la première fourche assez solide de la partie supérieure d'un tronc de feuillu, à une hauteur variant de 3 à 20 m du sol.

Les travaux commencent en avril, peu après l'arrivée du couple. Tous deux participent à la collecte des matériaux, mais on a constaté que le mâle se consacrait volontiers à la construction de l'assiette du nid, formée de brindilles et de petites branches mortes, et que la femelle mettait plus de soin à en tapisser l'intérieur d'écorce, de mousse, de feuilles vertes et de fleurs. Les buses préfèrent arracher les plus gros morceaux de bois directement aux arbres plutôt que de les recueillir à terre. Ils les transportent ensuite dans leurs serres tandis que les matériaux qui servent à rembourrer le nid sont portés dans le bec. Le nid est achevé en quelques jours.

Ainsi que plusieurs autres espèces d'oiseaux de proie, les petites buses ont coutume d'apporter de la végétation fraîche dans leur nid, par exemple des rameaux encore verts. Elles commencent à le faire avant la ponte et continuent jusqu'à la dernière semaine de la première phase de croissance. Après l'éclosion des œufs, la femelle rapporte jusqu'à trois ou quatre branches vertes par jour, qu'elle arrache avec son bec aux arbres situés près du nid. C'est également du bec qu'elle se sert pour les transporter avant de les poser sur le rebord du nid, à l'intérieur ou, parfois, sur les oisillons mêmes. Selon une théorie récemment avancée, cette verdure libérerait des produits chimiques susceptibles d'enrayer la prolifération d'ectoparasites dans le nid.

L'éducation des oisillons

Œufs: Moyenne de 2 ou 3; diverses nuances de blanc; mouchetés de brun.
Incubation: De 30 à 38 jours; seule la femelle incube.
Première phase de croissance: Environ 5 semaines.
Seconde phase de croissance: De 3 à 4 semaines.
Couvée: 1.

Ponte et incubation

La petite buse compte parmi les rapaces qui se reproduisent le plus tard dans la saison. Les feuilles verdissent déjà lorsque la ponte commence. Une couvée moyenne compte deux ou trois œufs, mais on a vu des couvées qui n'étaient composées que d'un seul œuf ou, au contraire, qui n'en contenaient pas moins de quatre. En général, la femelle en pond un tous les deux jours, mais il arrive que cet intervalle s'allonge jusqu'à quatre jours. C'est vers cette époque que les plumes qui recouvrent son repli incubateur commencent à tomber. Elles s'accrochent parfois au rebord du nid, permettant ainsi à l'observateur de constater que la ponte a commencé. En outre, si vous apercevez des feuilles fraîches dans le nid, vous pouvez être pratiquement certain qu'il s'agit bien d'un nid utilisé.

La femelle commence à incuber dès la ponte du premier œuf et elle est la seule à acquérir un repli incubateur. Elle reste constamment sur les œufs, ne se relevant que pour déféquer, recueillir des branches vertes ou manger ce que le mâle lui apporte. Celui-ci se charge entièrement de la nourrir pendant cette période. Lorsqu'elle l'aperçoit à proximité du nid, elle vole à sa rencontre en émettant le «geignement». Il lui offre la nourriture soit à côté du nid, soit un peu plus loin et elle va s'installer pour manger sur l'un de ses perchoirs tout proches. Pendant ce temps, le mâle reste à côté du nid, se tenant parfois debout au-dessus des œufs. La femelle ne tarde pas à revenir, lançant sa propre version du «sifflement aigu», jusqu'à ce que le mâle se soit éloigné. Ensuite, elle recommence à incuber. On a remarqué qu'avant de s'installer de nouveau sur les œufs, elle tendait parfois à plusieurs reprises la tête dans leur direction. Il lui arrive également de les retourner, sans doute pour que l'incubation soit plus uniforme.

Cette période dure de 30 à 38 jours. Si les œufs sont détruits, pour quelque raison que ce soit, la femelle pond, dans les deux semaines suivantes, une nouvelle couvée qui contient généralement moins d'œufs que la première.

Les adultes se comportent, nous l'avons vu, avec beaucoup de discrétion autour du nid. Cette phase est donc plutôt difficile à observer. Toutefois, les habitudes varient d'un couple à l'autre. Certains oiseaux émettent le «sifflement aigu» en voletant autour d'un observateur qui s'approcherait trop du nid, alors que d'autres se contentent de s'envoler en silence pour aller se dissimuler dans les fourrés.

Première phase de croissance
Les œufs étant pondus à au moins un jour d'intervalle et la femelle commençant à incuber dès qu'elle a pondu le premier, les oisillons naissent en quelques jours. Ensuite, elle les garde constamment sous son ventre, au moins pendant la première semaine. Pendant ce temps, le mâle se charge d'apporter de la nourriture à toute la famille. Il ne couve pas les petits et ses visites au nid sont très brèves, ne durant que le temps du transfert de nourriture. La femelle reçoit les proies à quelque distance du nid. Ensuite, elle les emporte au nid pour les déchiqueter avant de les offrir aux oisillons. Chaque repas dure une dizaine de minutes. Lorsque les petits sont repus, la femelle emporte les restes pour les manger sur son perchoir. Au cours de la première semaine, les oisillons ne se font entendre qu'à l'heure des repas, pendant que leur mère leur offre de la nourriture.

À partir de la deuxième semaine, la femelle ne les couve que lorsqu'il pleut ou qu'il fait froid. Elle recommence à chasser. Les petits s'activent dans le nid et vous pourrez les voir se tenir debout en s'étirant. Jusqu'à la fin de la troisième semaine, ils ont encore besoin que leur mère déchiquette leur nourriture, mais, dès la quatrième, ils sont capables de manger seuls et les parents se contentent de laisser tomber les proies dans le nid. Les adultes apportent en moyenne deux proies par jour au nid.

À ce stade, les oisillons commencent parfois à se battre au moment des repas. Le premier-né est également le plus robuste et c'est lui qui se taille la part du lion.

Pour déféquer, les petits reculent jusqu'au bord du nid avant d'expulser leurs excréments sur le sol. C'est cette accumulation qui, au cours des dernières semaines de cette phase, trahit le mieux l'emplacement du nid. Quant aux adultes, ils défèquent à bonne distance de ce dernier.

Pendant leur première semaine, les oisillons sont couverts de duvet. Ensuite, des plumes commencent à émerger et, dès la troisième semaine, ils revêtent presque tout leur plumage. Cette première phase de croissance dure environ cinq semaines.

Seconde phase de croissance
La cinquième semaine, les jeunes buses commencent à sortir du nid pour se percher sur les branches voisines. Toutefois, elles retournent au nid pour manger, car c'est là que les parents leur apportent la nourriture. Elles sont capables d'émettre le «sifflement aigu», comme les adultes, et ne s'en privent pas.

Dès la sixième semaine, leur plumage est complet et ils peuvent voler. Les parents leur apportent toujours des proies qu'ils commencent à laisser à quelque distance du nid. Les jeunes buses poussent parfois le «geignement» avant de recevoir leur nourriture.

Après la sixième semaine, on ne voit plus la famille au nid. Les jeunes apprennent à chasser, bien que les parents n'aient pas entièrement cessé de les nourrir. Peu à peu, toutefois, les juvéniles commencent à se débrouiller seuls. La famille reste unie jusqu'aux derniers jours de la saison, un peu avant la migration.

Le plumage

Comment différencier le mâle de la femelle
Le plumage des deux sexes est parfaitement identique. La femelle est cependant plus grosse que le mâle, son poids étant supérieur d'environ 20 p. 100.

Comment distinguer les jeunes des adultes
Ce sont les plumes de la queue et de la poitrine qui fournissent les indices les plus fiables à cet égard. En effet, la queue des adultes est traversée de larges bandes blanches et noires

(en général, il y en a deux blanches et deux noires). En outre, leur poitrine est barrée de roux. Quant aux immatures, leur queue est également rayée, mais les bandes sont beaucoup plus étroites et, donc, plus nombreuses. Leur poitrine est striée de brun dans le sens de la longueur. Ils conservent ce plumage jusqu'à leur premier printemps. Ensuite, leur première mue leur permet d'acquérir leur plumage définitif.

Mue
Les petites buses muent complètement une fois par an, de la fin d'avril ou du début de mai, jusqu'à la fin d'août.

Les déplacements saisonniers

Les petites buses migrent chaque automne en Amérique centrale et en Amérique du Sud. Au printemps, elles remontent vers le nord. Leur migration d'automne est spectaculaire, car elles se regroupent par milliers en suivant une trajectoire rectiligne. Parfois, le vol redescend légèrement jusqu'à ce qu'il trouve un courant ascendant. Alors, le groupe vole en cercle quelques minutes avant de remonter, soulevé par l'air chaud.

Ce sont surtout de petites buses que l'on peut voir passer du haut des postes d'observation des oiseaux de proie. En une journée, des milliers d'entre elles peuvent survoler le même sommet.

Comment les reconnaître pendant la migration
Les petites buses sont des rapaces de taille moyenne, trapus, aux ailes larges, à la queue courte et large. Deux indices vous permettront de les reconnaître facilement: d'abord leur habitude de monter en groupes le long des courants ascendants et ensuite la présence de larges bandes transversales blanches et noires sur la queue des adultes.

Le comportement pendant la migration

Vous les verrez presque toujours en groupes, s'élevant avec des courants ascendants et se laissant planer jusqu'au prochain corridor d'air tiède. Pendant leur migration, les petites buses sont plus tributaires des conditions climatiques que les autres rapaces. En général, de bons courants ascendants, accompagnés d'un vent arrière ou d'un vent de travers, leur conviennent parfaitement.

BobHines

Buse à queue rousse

Buteo jamaicensis (Gmelin) / Red-Tailed Hawk

La buse à queue rousse compte parmi nos plus grosses espèces de buses. Par les belles journées ensoleillées, vous la verrez s'élever dans le ciel. Elle est très répandue dans toute l'Amérique du Nord et s'adapte à une large variété d'habitats.

Bien qu'il s'agisse d'un hôte commun de nos forêts, nous avons encore beaucoup à apprendre sur son comportement, notamment pendant la saison des amours. Elle préfère nicher dans des régions rurales ou sauvages et un rien la dérange. Elle n'hésite pas à abandonner le nid en plein milieu de sa construction ou pendant l'incubation si des humains s'en approchent de trop près. Par conséquent, prenez toutes les précautions nécessaires si vous voulez observer des buses à queue rousse. Tenez-vous aussi loin que possible et utilisez un télescope ou de puissantes jumelles. Plus vous en saurez sur le comportement de cet oiseau, plus il vous sera facile d'éviter de le perturber.

On a toutefois constaté que certains couples n'hésitaient pas à nicher dans des banlieues, souvent le long des routes qu'empruntent principalement les véhicules automobiles, mais très peu de piétons. Comme beaucoup d'autres espèces, la buse à queue rousse ne s'effarouchera pas si vous stationnez votre voiture à proximité et restez à l'intérieur pour vous livrer à vos observations. Les oiseaux ne semblent guère dérangés par les véhicules.

C'est vers la fin de l'hiver et au début du printemps qu'il est le plus intéressant d'observer les buses à queue rousse, car à cette époque les revendications territoriales et la cour donnent lieu à des parades fascinantes. Par une belle matinée claire, installez-vous de manière à surplomber une vaste superficie de campagne. Vous finirez par voir une première buse, puis une deuxième, s'élever dans le ciel en suivant les courants ascendants d'air tiède. Si vous persistez pendant quelques minutes, vous surprendrez certainement des parades telles que l'«abaissement des serres», le «vol ondulant» ou le «plongeon en vol». Vous aurez ainsi passé une matinée des plus enrichissantes.

CALENDRIER DU COMPORTEMENT

	TERRITOIRE	COUR	NIDIFICATION	ÉDUCATION DES OISILLONS	PLUMAGE	DÉPLACEMENTS SAISONNIERS	COMPORTEMENT EN SOCIÉTÉ
JANVIER							
FÉVRIER							
MARS							
AVRIL							
MAI							
JUIN							
JUILLET							
AOÛT							
SEPTEMBRE							
OCTOBRE							
NOVEMBRE							
DÉCEMBRE							

Communication visuelle

1. Abaissement des serres

Mâle ou femelle *P, É, A, H*

L'oiseau tend les pattes en s'élevant dans les airs. Parfois, il tente d'effleurer ou de frapper un autre oiseau avec ses serres.

Cris: «Hurlement aigu» ou «tchip».

Contexte: On observe cette parade pendant les revendications territoriales ou la cour. C'est surtout le mâle qui s'y livre, tandis qu'il s'élève dans les airs au-dessus de la femelle, mais on l'a déjà observé chez les femelles. (Voir *Le territoire, La cour.*)

2. Vol ondulant

Mâle ou femelle *P, É, A, H*

Le vol suit une trajectoire ondulante qui dure plusieurs secondes. L'oiseau commence par plonger, les ailes serrées le long du corps, puis les déploie au moment de remonter. Parfois, la parade se termine par le «plongeon en vol» dans les bois.

Cris: «Hurlement aigu» ou «tchip».

Contexte: Cette parade aérienne se déroule au-dessus du territoire. On pense qu'elle sert à sa revendication et qu'elle ponctue la cour. (Voir *Le territoire, La cour.*)

3. Plongeon en vol

Mâle ou femelle *P, É*

Ce plongeon abrupt est parfois précédé d'une ascension ou d'un «vol ondulant». En général, il mène au nid. L'oiseau redresse sa trajectoire juste avant d'atteindre le sol ou le couvert végétal. Ce plongeon ne vise pas la capture d'une proie.

Cri: Aucun.

Contexte: Cette parade se produit dans le territoire, souvent au-dessus du nid. Il s'agit peut-être d'une revendication territoriale ou d'une parade nuptiale.

Communication auditive

1. Hurlement aigu

Mâle ou femelle *P, É, A, H*

Ce cri descendant, suraigu, dure une ou deux secondes. Il est assez proche de la graphie «kîîîîîî-eurrr».

Contexte: L'oiseau le lance en plein vol en diverses circonstances. En général, il s'adresse ainsi aux intrus, aux autres buses notamment. On l'entend aussi lorsque l'oiseau est harcelé par un vol de corneilles ou lorsqu'un humain s'approche du nid. Les buses à queue rousse ont également coutume de pousser ce cri pendant la chasse et il préside également à la cour.

2. Tchip

Mâle ou femelle *P, É, A, H*

Il s'agit d'un cri perçant mais bref que les oiseaux répètent à intervalles d'une seconde environ.

Contexte: On l'entend lorsque mâle et femelle s'élèvent ensemble dans les airs, soit pendant la cour, soit après des querelles territoriales.

3. Clou-îîc

Mâle ou femelle *P, É, A, H*

C'est un cri aigre comprenant deux notes, lancé sur un ton ascendant, que l'oiseau répète à plusieurs reprises.

Contexte: Les adultes poussent ce cri surtout pendant la saison de reproduction et à proximité du nid. On peut également entendre les juvéniles crier ainsi vers la fin de l'été, entre le moment où ils quittent le nid et leur émancipation définitive. En général, lorsqu'ils voient leurs parents arriver près d'eux, avec de la nourriture, ils poussent le «clou-îîc» en battant mollement des ailes. (Voir *L'éducation des oisillons*.)

DESCRIPTION DU COMPORTEMENT

Le territoire

Fonctions: Accouplement; nidification; subsistance.
Dimensions: Superficie moyenne de 2,5 km^2, parfois plus.
Comportements habituels: Ascensions, poursuites, cris.
Durée de sa défense: Toute l'année si les occupants ne migrent pas.

Les buses à queue rousse adoptent un comportement territorial dès qu'elles arrivent sur leur territoire de reproduction. S'il s'agit d'individus sédentaires, ils en assurent la défense toute l'année. En revanche, chez les oiseaux migrateurs, elle ne s'étend guère au-delà de la saison des nids.

La superficie d'un territoire est d'environ 2,5 km^2, mais elle peut aller jusqu'à plus de 3 km^2 dans certaines régions. Tout dépend de l'abondance de la nourriture, du nombre de bons perchoirs et d'emplacements propices à la construction d'un nid. En général, les couples voisins s'évitent et, lorsque la rencontre est inéluctable, elle se déroule sous le signe de l'agressivité. On observe également des querelles territoriales entre des couples et un oiseau solitaire ainsi qu'entre deux oiseaux solitaires dont l'un revendique un territoire. Les buses se livrent à plusieurs parades territoriales qui, bien que relativement fréquentes toute l'année, sont plus courantes vers la fin de l'hiver et au printemps.

L'une de ces manifestations consiste à s'élever au-dessus du territoire. Une étude sur le rôle de cette activité chez les buses à queue rousse a permis de déterminer que, malgré sa fonction importante pendant la chasse, elle servait principalement à la défense du territoire. En s'élevant dans les airs, les buses surveillent ainsi plus facilement leur fief et repèrent aussitôt les intrus. Vous les verrez par de belles journées claires, tandis que le soleil réchauffe la terre en donnant ainsi naissance à des courants d'air ascendants qu'elles utilisent pour s'élever dans les airs. Étant donné que ces corridors d'air chauds n'apparaissent que vers le milieu de la matinée, c'est à ce moment-là que vous aurez le plus de chances de surprendre les ascensions des buses.

Beaucoup de manifestations territoriales ont lieu pendant que les oiseaux s'élèvent dans les airs. Si l'intrus est une autre buse, vous verrez monter les deux individus dans les airs comme si chacun essayait de dépasser l'autre. Arrivé à haute altitude, le plus haut des deux effectue l'«abaissement des serres» et plonge en direction de l'autre. S'il s'approche trop, le poursuivi roule sur lui-même au dernier moment en présentant ses serres. En général, les deux oiseaux se séparent à ce moment-là. Parfois, ils remontent dans le ciel avant de recommencer le même manège. Dans certains cas, le «hurlement aigu» accompagne ces activités qui ressemblent beaucoup à certaines parades nuptiales, à une exception près, cependant: en effet, à la fin d'une rencontre territoriale, l'un des oiseaux s'éloigne rapidement.

On pense que le «vol ondulant» sert également à la défense du territoire. Il est fascinant de voir un oiseau monter et descendre dans les airs, en suivant une longue trajectoire ondulante et accompagnant parfois son vol du «hurlement aigu» ou du «tchip». La parade se termine souvent par un plongeon spectaculaire. L'oiseau place les ailes le long du corps avant de se laisser choir comme une pierre, souvent en direction de son nid.

Il arrive que l'occupant d'un territoire attaque un intrus perché. Après un plongeon accompagné d'un «hurlement aigu», il s'efforce de déloger l'autre oiseau de son perchoir. L'intrus s'envole, parfois pourchassé bien au-delà des frontières territoriales. L'occupant s'efforce de voler plus haut que l'intrus de manière à pouvoir plonger sur lui.

On a également vu des buses à queue rousse pourchasser d'autres espèces de buses, telles les petites buses, et même certains autres rapaces tels les énormes aigles royaux ou les aigles à tête blanche. Il est toutefois rare qu'elles s'attaquent aux urubus à tête rouge.

L'automne sert également de décor à quelques activités territoriales lorsque les buses entreprennent de revendiquer ou de défendre des territoires d'hiver contre d'autres oiseaux de proie migrateurs qui traversent la région en cherchant des endroits propices pour y passer l'hiver.

La cour

Comportements habituels: Le couple vole de concert; «vol ondulant», «abaissement des serres»; «tchip», «hurlement aigu».
Durée: La cour a surtout lieu au printemps, mais on peut surprendre quelques parades nuptiales à n'importe quelle époque de l'année.

Les couples occupent parfois le même territoire pendant plusieurs années. Si l'un des deux partenaires meurt, une autre buse viendra s'installer sur le territoire du survivant et un nouveau couple se formera. Les manifestations de la cour se déroulent toute l'année, mais sont plus fréquentes au printemps, juste avant la saison des nids.

Le lien entre les partenaires n'est pas aussi étroit en automne et en hiver que pendant la période de reproduction. C'est pourquoi vous pourrez soupçonner que la saison des amours a commencé lorsque vous verrez les deux oiseaux perchés plus près l'un de l'autre qu'à l'accoutumée, quelquefois sur le même arbre, pendant la chasse. En général, des rapports aussi étroits entre deux buses prouvent qu'il s'agit d'un couple, car ces oiseaux ne tolèrent la présence de leurs congénères dans leur espace vital que dans des circonstances bien particulières, en période de disette, par exemple.

Toutefois, il n'est pas toujours facile de distinguer les parades nuptiales des querelles territoriales. Pendant la cour, les oiseaux s'élèvent l'un à côté de l'autre en décrivant de grands cercles. Souvent, on constate que les cercles se rétrécissent jusqu'à ce que les oiseaux soient sur le point de se toucher ou d'entrer en collision. En général, l'un d'eux, notamment le mâle, monte un peu plus haut que l'autre, demeure légèrement en arrière et, soudain, exécute l'«abaissement des serres». Parfois, les deux partenaires se livrent simultanément à cette parade. Si les oiseaux ne sont pas trop loin, vous entendrez peut-être le «hurlement aigu» ou le «tchip».

Ces parades durent près de dix minutes, parfois plus. L'un des oiseaux peut se laisser tomber sur l'autre, à la manière d'un parachute, les ailes déployées au-dessus de la tête et les pattes en direction du sol, jusqu'à ce qu'il soit sur le point de toucher son congénère. Cette parade ressemble aux manifestations territoriales à une exception près. En effet, les oiseaux ne se séparent pas par la suite. Au contraire, tous deux restent sur le territoire.

Pendant ces manœuvres, l'une des buses peut se livrer au «vol ondulant» ou exécuter un «plongeon en vol».

L'accouplement a lieu généralement après quelques parades acrobatiques dans les airs. Les oiseaux se perchent côte à côte puis se lissent mutuellement les plumes de la tête et du cou. La femelle se penche en avant, les ailes pendant mollement sur les côtés. Le mâle monte sur son dos, en battant parfois lentement des ailes pour garder son équilibre, et accomplit la copulation. Celle-ci dure entre cinq et dix secondes.

La plupart des couples sont composés d'adultes, mais certains observateurs ont vu des oiseaux de un an s'accoupler avec des adultes.

La nidification

Emplacement du nid: Entre 4,5 et 30 m au-dessus du sol; dans un feuillu ou un conifère, près de la cime, à la rencontre de deux ou plusieurs grosses branches ou à l'endroit où la branche rencontre le tronc.
Dimensions: Diamètre extérieur de 70 cm à 1 m. Les vieux nids, qui sont utilisés depuis des années, ont parfois une hauteur de près de 1 m ou plus.
Matériaux: Brindilles de 1 à 2 cm d'épaisseur; le nid est tapissé d'écorce de cèdre, de vigne sauvage, de mousse et de quelques petites branches vertes de pin, de cèdre ou de pruche.

Les buses à queue rousse bâtissent leur nid dans le plus grand secret et n'hésitent pas à l'abandonner si on les dérange pendant cette période. Par conséquent, tenez-vous aussi loin que possible des oiseaux à l'époque de la nidification. Trouvez un bon poste d'observation et utilisez un télescope.

Les buses rénovent de vieux nids ou en construisent de nouveaux, utilisant comme assiette un ancien nid d'écureuil ou d'un rapace d'une autre espèce. Les deux adultes participent à sa construction. Ils arrachent de petites branches sèches aux arbres avant de les emporter dans leurs serres. Si vous trouvez un nid, assurez-vous que l'extrémité des brindilles présente encore une cicatrice fraîche. Ainsi, vous saurez qu'il s'agit d'un nid récemment bâti. L'intérieur est tapissé d'écorce de cèdre déchiquetée, d'aiguilles de pins, d'écorce de maïs ou de tout autre matériau que les oiseaux ont à leur disposition. Ils achèvent leur nid en une semaine, parfois moins.

Du début de la construction du nid à la fin de la seconde phase de croissance, les adultes viennent y déposer des feuilles vertes ou des aiguilles de pin fraîches. On a même remarqué qu'avant que la construction ne commence pour de bon, le couple plaçait des brindilles vertes dans plusieurs vieux nids. On ignore la raison précise de ces activités, mais plusieurs théories ont été avancées. On pense notamment que la végétation fraîche permet aux oisillons de s'étendre sur une litière propre, le nid se remplissant rapidement de boulettes de résidus régurgités et de restes de nourriture après l'éclosion des œufs. Dans les chapitres consacrés aux autres espèces d'oiseaux de proie, nous mentionnons d'autres théories.

Les buses à queue rousse et les grands ducs d'Amérique nichent et chassent fréquemment dans les mêmes milieux. Les grands ducs, qui ne se construisent pas de nids, ont tendance à s'accaparer ceux des buses. Se reproduisant plus tôt dans la saison, ils n'ont aucune difficulté à s'installer dans les nids construits l'année précédente. Lorsque les buses arrivent, elles se contentent de bâtir un nouveau nid si le leur est déjà occupé par une famille de grands ducs. Il peut arriver que le même nid soit utilisé une année par les grands ducs et l'année suivante par les buses.

En automne, les oiseaux entreprennent parfois de restaurer un nid qui se trouve sur leur territoire.

L'éducation des oisillons

Œufs: De 1 à 5; habituellement 2 dans l'est, de 3 à 5 dans le centre ou l'ouest du continent; blancs bleuâtres mouchetés de brun.
Incubation: De 28 à 35 jours; les deux parents incubent.
Première phase de croissance: De 44 à 46 jours.
Seconde phase de croissance: De 4 à 6 semaines.
Couvée: 1.

Ponte et incubation

Près de quatre semaines peuvent s'écouler entre l'achèvement du nid et la ponte du premier œuf. Toutefois, plus on monte vers le nord, plus cet écart est réduit, car les oiseaux arrivent plus tard sur le territoire de reproduction, qu'ils doivent ultérieurement quitter avant le froid. Ils disposent donc de moins de temps pour élever leur nichée. On ne sait pas grand-chose de l'intervalle qui sépare la ponte de chaque œuf mais, si l'on procède par analogie avec le comportement d'autres gros rapaces, on peut supposer que les œufs sont pondus tous les deux jours ou plus. On ignore également si l'incubation commence dès la ponte du premier œuf, mais c'est fort probable, car les oiseaux commencent à se reproduire très tôt dans la saison, à une époque où les températures sont encore basses.

Les deux parents incubent pendant quatre à cinq semaines. Bien que le mâle apporte de temps à autre des proies à la femelle, le transfert de nourriture n'est pas aussi fréquent que chez les autres espèces d'oiseaux de proie, les aigles pêcheurs, par exemple. Chez les buses à queue rousse, le mâle et la femelle accomplissent à peu près les mêmes tâches au moment de la reproduction.

Pendant la ponte et l'incubation, les oiseaux sont facilement effarouchés. Parfois, ils semblent abandonner définitivement le nid s'ils sont dérangés. C'est pourquoi nous vous recommandons de rester à distance pendant les premières phases de la reproduction. Servez-vous plutôt d'un télescope. Si vous vous approchez du nid, il est probable que les oiseaux s'envoleront en poussant le «hurlement aigu» et viendront décrire des cercles au-dessus de votre tête.

Première phase de croissance

Les œufs font éclosion à intervalles de un ou deux jours. Les petits naissent couverts d'un beau duvet blanc. Pendant quelques jours, ils se déplacent dans le nid en sautillant. Les adultes déchiquettent les proies avant de les leur offrir. À ce stade, tous les restes sont emportés par les parents. Plus tard, ils restent dans le nid où ils finissent par s'accumuler. Lorsqu'un oisillon meurt, pour une raison quelconque, son corps est habituellement retiré du nid par les adultes.

À six ou sept jours, les jeunes buses donnent des coups de bec dans les proies apportées par les adultes et s'efforcent de se nourrir seules. Au bout de 10 jours, elles sont capables de pousser un sifflement aigu, très bref, lorsqu'un adulte survole le nid. Dès la deuxième semaine, les plumes apparaissent.

Lorsque les petits sont âgés de quatre semaines, les parents se contentent de laisser tomber leur récolte dans le nid. La proie est alors déchiquetée par les oisillons et les os, nettoyés, restent dans le nid. Les jeunes buses sont plus actives, s'approchant du rebord, battant des ailes et criant à l'approche de leurs parents. Elles reculent jusqu'au bord du nid pour déféquer. C'est pourquoi, si vous apercevez un cerne blanchâtre sur les branches et le sol à proximité du nid, vous pouvez être sûr que la première phase de croissance des oisillons est bien avancée.

Pendant les dernières semaines de cette phase, les jeunes se plaisent à marcher sur les branches adjacentes au nid. Six ou sept semaines après leur naissance, ils sont capables de voler et ils quittent le nid.

Tout au long de cette phase, les adultes continuent d'apporter de la végétation fraîche au nid.

Parmi les principaux facteurs responsables de la mort d'une couvée, on compte les vents violents, qui détruisent parfois le nid ou blessent les petits, et les ratons laveurs, qui sont friands des œufs de buse.

À plusieurs reprises, des observateurs ont constaté que trois adultes prenaient soin d'une couvée. Dans l'un de ces cas, il s'agissait d'un mâle et de deux femelles qui s'occupaient d'un oisillon. Seules les femelles le nourrissaient et le couvaient. On ignore si le mâle s'était accouplé avec les deux femelles ou si l'une d'elle, n'ayant pas réussi à se reproduire, était simplement là pour aider le couple.

Seconde phase de croissance

Dès leur premier envol, les jeunes buses sont assez robustes pour s'éloigner à une centaine de mètres du nid. Elles commencent à lancer le cri «clou-îîc», cri strident qui constitue en fait l'indice le plus évident que la saison de reproduction est en cours. Si des buses à queue rousse ont niché à proximité de votre maison, vous ne tarderez guère à être excédé par le cri perçant de la nouvelle génération, cri qui s'intensifie lorsque les parents apportent de la nourriture.

Pendant deux semaines, les jeunes buses ne s'éloignent guère, demeurant parfois plusieurs jours dans le même arbre. Parfois, elles utilisent le nid comme «salle à manger».

Au bout de trois semaines, elles s'enhardissent et s'éloignent davantage du nid. À quatre semaines, elles doivent se débrouiller seules pour trouver leur nourriture, car les parents leur en apportent de moins en moins.

Bien qu'elles soient capables de se nourrir seules, elles lancent toujours le cri «clou-îîc», mais à une fréquence beaucoup plus modérée. Les immatures restent sur le territoire de leurs parents, ou à proximité, jusqu'à la fin de l'été et au début de l'automne, car s'ils s'aventurent sur un autre territoire, ils risquent d'être attaqués. Par conséquent, à ce stade, les jeunes buses se tiennent coites. Parfois, on peut les voir aux frontières des territoires, là où elles passent inaperçues des autres oiseaux, se contentant de modestes vols planés. Enfin, le moment arrive où elles doivent partir en quête de leur propre territoire.

Pendant l'hiver, les immatures sont parfois expulsés par les adultes des bonnes réserves de chasse et contraints de s'installer dans des endroits moins propices. Quelquefois, ils doivent coloniser des régions plus urbaines ou descendre plus au sud. On a remarqué que certains essayaient de défendre un territoire en automne et en hiver contre d'autres buses à queue rousse.

Le plumage

Comment différencier le mâle de la femelle

Il n'existe pas d'indice fiable pour distinguer le mâle de la femelle. Même leur taille est comparable, ce qui n'est pas le cas pour la majorité des rapaces. Leur comportement est également analogue. En général, la femelle est légèrement plus grosse, elle passe plus de temps au nid pendant l'incubation et la première phase de croissance et fait preuve de plus d'agressivité lorsqu'un intrus s'approche du nid. Le mâle, en revanche, prend plutôt l'initiative de défendre l'ensemble du territoire.

Comment distinguer les jeunes des adultes
La couleur de la queue est le meilleur indice. L'immature possède une queue gris-brun, rayée de plusieurs bandes horizontales très foncées.

Polymorphisme
La couleur du plumage de cette espèce change selon la région dans laquelle elle vit. On distingue des couleurs claires et plus sombres, qui présentent plusieurs nuances d'un oiseau à l'autre. En outre, il existe plusieurs sous-espèces de buses à queue rousse.

Mue
Les buses à queue rousse muent complètement une fois par an, du début de l'été jusqu'à la fin de l'automne.

Les déplacements saisonniers

On connaît deux types de déplacements saisonniers: d'une part, la migration d'automne et de printemps et, d'autre part, la dispersion des immatures à la fin de la saison de reproduction.

Les immatures s'émancipent vers le milieu ou à la fin de l'été, et se dispersent alors dans toutes les directions, même vers le nord. Le choix de leur destination dépend peut-être tout simplement des vents dominants au moment de leur départ. Ces vagabondages se poursuivent jusqu'au début de l'automne.

La migration commence en automne, mais seules les familles qui se reproduisent au Canada et au nord des États-Unis migrent. Les autres se déplacent parfois légèrement vers le sud, en fonction de la température et de l'abondance de nourriture. Quant à ceux qui résident dans les États du sud, ils sont habituellement sédentaires.

Les immatures des régions septentrionales sont les premiers à migrer. Peut-être faut-il inclure dans ce groupe les juvéniles qui sont montés vers le nord pendant l'été. Ils sont suivis des adultes. Parmi les spécimens qui migrent à l'automne, on a remarqué que les immatures s'installaient plus au sud que les adultes. La migration printanière commence très tôt.

Comment reconnaître les buses à queue rousse pendant la migration

Ce sont de gros oiseaux qui aiment planer très haut. Ils tiennent leurs ailes en un V écarté ou de manière à former un dièdre avec leur corps. S'ils passent au-dessus de vous, peut-être apercevrez-vous la queue rousse des adultes. De plus, les ailes des adultes et des immatures sont ourlées de noir à l'intérieur.

Le comportement pendant la migration

Les buses à queue rousse se déplacent seules, parfois en compagnie de petites buses, mais elles s'élèvent plus lentement et décrivent de plus grands cercles, car elles sont plus grosses et plus lourdes.

Bob Hines

Aigle pêcheur

(aussi appelé «balbuzard»)

Pandion haliaetus (Linné) / Osprey

De tous nos rapaces, l'aigle pêcheur est l'un de ceux qui tolèrent le mieux la proximité des humains. Il lui faut avant toute chose une étendue d'eau courante où il peut pêcher et une plate-forme ou un arbre robuste pour y bâtir son nid. On a vu des aigles pêcheurs nicher tout près des maisons ou des terrains de stationnement, ainsi que dans des jardins publics. Bien qu'ils préfèrent la tranquillité, ils n'en tolèrent pas moins la présence humaine, ce qui constitue un atout appréciable pour la survie de n'importe quelle espèce.

Malgré tout, au cours des années cinquante et soixante, les populations d'aigles pêcheurs commencèrent à décliner dans le nord-est. Peu de couvées parvenaient à terme et des colonies qui, naguère, comptaient plus de cent nids, avaient pratiquement disparu. À l'époque, les spécialistes pensèrent que cette quasi-extinction était provoquée par l'accumulation des dérivés de D.D.T. dans l'organisme des poissons que mangeaient les aigles. Il est donc possible que les mesures prises ultérieurement pour réglementer l'utilisation des pesticides aient contribué à faire reparaître l'aigle-pêcheur dans le nord-est. En outre, les plates-formes de fabrication humaine, installées dans des milieux favorables, ont indubitablement aidé les oiseaux à mener leurs couvées à terme. L'importance de ces nichoirs est considérable, car nombre des arbres que les oiseaux utilisaient autrefois ont été abattus pour faire place aux constructions urbaines.

L'aigle pêcheur est un merveilleux sujet d'observation. Ses cris particuliers nous permettent de surprendre d'intéressantes parades aux alentours du nid. Toutefois, comme c'est le cas des autres espèces, nous devons prendre garde de ne pas l'effaroucher au point de le faire s'envoler. Si vous observez des aigles pêcheurs, gardez vos distances afin de mieux apprécier les allées et venues du mâle muni de nourriture, la vigilance de la femelle, les améliorations constamment apportées au nid et la croissance des aiglons.

CALENDRIER DU COMPORTEMENT

	TERRITOIRE	COUR	NIDIFICATION	ÉDUCATION DES OISILLONS	PLUMAGE	DÉPLACEMENTS SAISONNIERS	COMPORTEMENT EN SOCIÉTÉ
JANVIER							
FÉVRIER							
MARS							
AVRIL							
MAI							
JUIN							
JUILLET							
AOÛT							
SEPTEMBRE							
OCTOBRE							
NOVEMBRE							
DÉCEMBRE							

Communication visuelle

1. Ballet aérien

Mâle *P, É*

L'oiseau s'élève à la verticale, en battant très rapidement des ailes, parfois en tenant un poisson ou une brindille dans ses serres. Après avoir atteint une hauteur de plusieurs dizaines de mètres, il plane quelques secondes, queue déployée, serres pendantes. Ensuite, il exécute un plongeon de profondeur variable avant de remonter, et ainsi de suite. Cette parade peut se répéter à plusieurs reprises et durer quelques minutes.

Cri: «Hîîî».

Contexte: On observe cette parade au-dessus du territoire ou au-dessus du nid même. Les mâles s'y livrent dès leur arrivée, surtout par temps clair. Après l'incubation, elle se fait plus rare. On peut toutefois la surprendre vers la fin de la saison au-dessus de la réserve de pêche. (Voir *Le territoire*.)

2. Vol plané

Mâle ou femelle *P, É*

L'oiseau plane en laissant pendre ses serres. Le mâle tient parfois un poisson. Ce type de vol ne comporte ni l'ascension abrupte ni les plongeons profonds du «ballet aérien».

Cris: «Tchip» ou «chuintement aigu».

Contexte: L'un des oiseaux exécute

cette parade lorsqu'un danger menace le nid. (Voir *Le territoire.*)

Communication auditive

1. Tchip

Mâle ou femelle *P, É*

Il s'agit d'une note unique, brève, un peu brouillée. L'oiseau la répète un minimum de 4 fois et un maximum de 10 fois. Les notes du milieu de la série sont parfois plus aiguës que les autres. Chaque note dure environ une demi-seconde.

Contexte: C'est généralement la femelle qui pousse ce cri à proximité du nid, lorsque des aigles pêcheurs ou d'autres oiseaux de grande taille volent alentour. Les mâles émettent ce cri plutôt pendant la chasse.

2. Chuintement aigu

Mâle ou femelle *P, É*

On entend une note chuintante extrêmement aiguë, répétée de quatre à huit fois, plus rapidement que le «tchip».

Contexte: L'un des oiseaux lance ce cri lorsqu'il est dérangé à proximité du nid. Au fur et à mesure que son énervement croît, le cri devient plus aigu. Lorsque le mâle arrive muni de nourriture, la femelle l'accueille avec ce cri.

3. Crécelle

Mâle ou femelle *P, É*

Il s'agit d'un son rêche, accompagné de résonances. Il ne ressemble en rien aux

bruits habituellement émis par les oiseaux et laisse une impression bizarre. Son rythme est comparable à celui du «chuintement aigu», mais il est totalement dépourvu de timbre. On pourrait essayer de le rendre par: «krrkrrkrrkrr».
Contexte: Il s'agit peut-être d'une variante du «chuintement aigu» qui traduirait une plus grande frayeur.

4. Hîîî

Mâle ou femelle *P, É*

Cette note unique, sifflée sur un ton ascendant, peut être répétée à de nombreuses reprises.
Contexte: L'oiseau lance ce cri en cas de danger ou pendant le «ballet aérien», à l'intention de prédateurs terrestres ou aériens.

DESCRIPTION DU COMPORTEMENT

Le territoire

Fonctions: Accouplement; nidification.
Dimensions: Alentours immédiats du nid; parfois une surface un peu plus grande.
Comportements habituels: «Ballet aérien», «vol plané»; cris.
Durée de sa défense: Tout au long de la saison des nids.

À l'âge de deux ans, les aigles pêcheurs reviennent dans la région où ils sont nés, après avoir passé leur première année sur le territoire d'hiver. Mais, bien qu'ils aillent parfois jusqu'à se lier avec un autre oiseau, voire commencer à bâtir un nid, ils ne pourront se reproduire que l'année suivante. À partir de ce moment-là, ils retrouveront chaque année le même nid.

Il est possible que le «ballet aérien», parade à laquelle le mâle se livre dès son arrivée, soit une forme de revendication territoriale, car il se déroule habituellement au-dessus du nid.

On a remarqué que la distance qui séparait chaque nid variait en fonction du nombre d'arbres et de souches suffisamment robustes. Bien que les oiseaux des deux sexes défendent les abords immédiats de leur nid, la femelle se montre plus féroce que le mâle, qui est souvent occupé à chasser pour nourrir la famille. On a vu, par exemple, des femelles déployer leurs ailes au-dessus du nid, crier, décrire des cercles au-dessus du nid, se livrer au «vol plané» en tenant parfois une brindille.

Lorsqu'un intrus s'approche, le mâle le poursuit dans les airs ou se livre au «ballet aérien», en agrippant parfois une brindille ou un poisson. La défense du nid se poursuit jusqu'à la fin d'août, ne cessant que vers la fin de la saison de reproduction.

Dans les régions où les couples sont nombreux, ils survolent fréquemment le nid de leurs voisins, suscitant quelques réactions d'alarme. Mais c'est surtout lorsqu'un mâle essaie de s'accoupler avec une autre partenaire que la sienne ou de s'approprier un nid que la situation se gâte véritablement.

Les aigles pêcheurs réagissent aussi lorsque d'autres espèces font intrusion dans le voisinage du nid, notamment les aigles à tête blanche que les occupants des lieux peuvent poursuivre très loin, en plongeant sur eux à plusieurs reprises.

La cour

Comportements habituels: «Ballet aérien», transfert de nourriture.
Durée: De l'arrivée des oiseaux jusqu'à la fin de l'incubation.

On suppose que le mâle et la femelle hivernent chacun de leur côté avant de se retrouver dans la région où ils se reproduisent, mus par ce qu'on appelle la fidélité territoriale.

C'est généralement le mâle qui arrive le premier, suivi quelques jours plus tard par la femelle. Les oiseaux passent leurs journées à décrire des cercles dans les airs ou à plonger à la poursuite l'un de l'autre.

Il est possible que la principale parade nuptiale soit le «ballet aérien», exécuté par le mâle au-dessus de l'emplacement du nid dès son arrivée. La fréquence des parades croît jusqu'à ce que la femelle apparaisse. Ensuite, elle décroît jusqu'à l'incubation. On pense donc que ces vols remplissent une double fonction. Non seulement ils permettent à l'oiseau de revendiquer son territoire, mais encore ils sont un moyen d'attirer une femelle.

Avant l'incubation, les oiseaux passent environ le quart de leur temps ensemble, près du nid. C'est à cette époque que vous pourrez surprendre deux autres aspects de la cour: le transfert de nourriture et la copulation.

C'est juste avant l'incubation que la copulation est la plus fréquente, se produisant entre quinze et vingt fois par jour pendant trois semaines, souvent après que l'oiseau est revenu au nid, avec de la nourriture ou une brindille. La femelle abaisse légèrement les ailes, le corps à l'horizontale et la queue haute. Parfois, le mâle lui tourne le dos, déploie et abaisse les ailes et la queue. C'est à ce moment que la copulation peut se produire: la femelle se penche vers l'avant en élevant la queue sur un côté; le mâle lui monte sur le dos, les serres refermées. L'accouplement dure de dix à vingt secondes. On note quelques variantes d'un couple à l'autre, le mâle se livrant parfois à des parades tout en marchant autour de la femelle.

Le transfert de nourriture est très fréquent. Peu après l'arrivée du couple sur le territoire de reproduction, le mâle commence à se charger entièrement de nourrir sa compagne qui, elle, ne quitte plus les alentours du nid. En général, il revient aussi manger au nid. Lorsque la femelle le voit, elle lance le «chuintement aigu».

Le mâle s'installe parfois sur un perchoir de son territoire pour manger la tête et la partie antérieure du poisson avant d'apporter le reste à la femelle qui va déguster son repas, perchée à proximité. Avant l'incubation, le mâle apporte au nid deux à trois poissons par jour.

La nidification

Emplacement du nid: Au sommet des arbres; à la base des grosses fourches, sur des corniches, à proximité de l'eau.
Dimensions: Diamètre de 1,5 m; hauteur de 60 cm à 2 m.
Matériaux: Grosses branches; nid tapissé de mousse, d'écorce, de brindilles.

Les oiseaux bâtissent leur nid à un endroit qui leur permet de regarder dans toutes les directions, souvent au niveau de la couronne d'un arbre ou sur des branches robustes. On a également vu des nids construits sur des roches, des édifices, des bouées, des pylones et des plates-formes artificielles. Il est très rare que les aigles pêcheurs nichent au sol.

Les nids peuvent être soit éloignés les uns des autres, soit au contraire assez proches pour former une colonie. Souvent, la présence d'un nid semble inciter les autres aigles pêcheurs à s'installer à proximité. Naturellement, le nombre de nids d'une région est directement inféodé à l'abondance de la nourriture.

Les oiseaux de deux ans font parfois mine de construire un nid, mais ils ne pondent pas. Si un couple ne réussit pas à se reproduire à un endroit, peut-être construira-t-il un nouveau nid ailleurs. Il est possible que, l'année suivante, il réintègre le deuxième nid. Les vieux couples, habitués à se reproduire chaque année, reviennent toujours au même nid.

Les oiseaux commencent à construire leur nid peu après leur arrivée sur le territoire. C'est surtout le mâle qui se charge de la structure du nid, tandis que la femelle recueille les matériaux qui serviront à en tapisser l'intérieur. Il leur suffit de sept à dix jours pour l'achever, car ils se contentent habituellement de rénover un ancien nid. Les branches utilisées pour la plate-forme mesurent généralement 50 cm et ne sont pas recueillies au sol, mais plutôt arrachées aux arbres morts. L'oiseau se pose près de l'extrémité de la branche et son poids suffit généralement à la rompre. Il l'emporte alors dans ses serres. Parfois, il arrache simplement la branche au passage. Les oiseaux réutilisent également les brindilles et autres matériaux qui se sont détachés du nid pendant l'hiver. La femelle apporte de la mousse, de l'écorce et de petites brindilles pour en tapisser l'intérieur.

La construction du nid commence jusqu'à trois semaines avant la ponte. Du début de l'incubation jusqu'à la fin de la première phase de croissance, la femelle continue à y apporter des améliorations.

Le diamètre d'un nid moyen est d'environ 1,5 m tandis que sa profondeur se situe entre 60 et 90 cm. Toutefois, au bout de plusieurs saisons d'utilisation, un nid peut mesurer plus de 2 m de haut. Le diamètre intérieur est d'environ 75 cm.

L'éducation des oisillons

Œufs: Environ 2 ou 3; blanchâtres, mouchetés de roux.
Incubation: De 34 à 40 jours; les deux parents incubent.
Première phase de croissance: De 7 à 8 semaines.
Seconde phase de croissance: De 4 à 8 semaines.
Couvée: 1.

Ponte et incubation

La femelle ne commence à pondre qu'à l'âge de trois ans. Sa première couvée ne contient généralement que deux œufs, mais les années suivantes, elle en pond habituellement trois. Un intervalle de un à trois jours sépare la ponte de chaque œuf.

L'incubation commence dès que le premier œuf a été pondu et les oiseaux cessent presque totalement de s'accoupler. L'oiseau incubateur se couche sur les œufs. La nuit, c'est la femelle qui demeure au nid. Pendant la journée, elle se charge presque entièrement de couver sa nichée qu'elle ne quitte que lorsque le mâle lui apporte à manger. Alors, elle s'envole, munie de son poisson, vers un perchoir tout proche, pendant que le mâle la remplace sur les œufs. Dès la fin de son repas, elle reprend sa place. Le mâle repart à la pêche ou s'installe à proximité. Pendant cette période, la femelle dépend entièrement du mâle pour sa subsistance. Elle s'éloigne parfois quelques instants pour déféquer.

Il arrive que le mâle se présente au nid muni de brindilles. Alors, la femelle s'envole. Elle revient en portant des matériaux de rembourrage et reprend sa place.

Avant la ponte, les deux oiseaux dorment sur des perchoirs proches du nid. Après la ponte, la femelle reste au nid tandis que le mâle passe la nuit à proximité. L'incubation dure de 34 à 40 jours.

Première phase de croissance

Les œufs prennent plusieurs jours à éclore. Par conséquent, le premier-né des aiglons est plus développé que le dernier. Si la nourriture se fait rare, la concurrence est forte entre les oisillons. Généralement, l'aîné s'accapare la majeure partie de la nourriture et a donc plus de chance de survivre que ses cadets.

Pendant les dix premiers jours, la femelle couve constamment les petits sous son ventre. Le mâle lui apporte du poisson qu'elle déchiquette avant d'en offrir des lambeaux aux aiglons. La couvée est ainsi nourrie par les adultes durant six semaines.

La femelle ne quitte guère le nid pendant les trois ou quatre premières semaines. Parfois, elle déploie ses ailes au-dessus des aiglons pour les protéger des intrus, du froid ou de la chaleur. Plus tard, les petits commencent à battre des ailes en s'approchant du bord du nid. La femelle quitte parfois le nid pour s'installer sur un perchoir tout proche, d'où elle peut monter la garde.

Lorsque les aiglons ont six semaines, la mère les quitte pendant de brefs moments pour pêcher et rapporter de la nourriture. C'est d'ailleurs la première fois, depuis son arrivée sur le territoire de reproduction, qu'elle se livre à cette activité. Elle laisse tomber ses prises dans le nid, les aiglons étant capables de se nourrir sans aide, généralement un à la fois.

Cette phase dure de sept à huit semaines.

Seconde phase de croissance

Après leur première envolée, les aiglons retournent chaque soir au nid, pendant un mois. Ils passent la journée perchés à proximité du nid ou de l'un des perchoirs du mâle, suivant de près ses faits et gestes, l'accueillant par des cris lorsqu'il revient avec de la nourriture. Deux semaines plus tard, ils commencent même à le suivre et, pendant qu'il pêche, s'installent à proximité sans cesser de quémander bruyamment leur ration. Mais il se passe encore un mois ou deux avant qu'ils soient capables de pêcher. Toutefois, ils ne semblent guère avoir besoin de «leçons» des parents et maîtrisent instinctivement la technique de la pêche dès leur première tentative.

Le plumage

Comment différencier le mâle de la femelle
Lorsqu'on aperçoit séparément les oiseaux, il est difficile de déterminer à quel sexe ils appartiennent mais lorsqu'ils sont ensemble, on constate que la femelle est légèrement plus grosse que le mâle. En outre, son thorax porte une bande noire plus prononcée. C'est le mâle qui se charge de récolter la nourriture pour toute la famille pendant la majeure partie de la saison, jusqu'à ce que la première phase de croissance des aiglons soit largement entamée.

Comment distinguer les jeunes des adultes
De loin, les immatures ressemblent aux adultes. Toutefois, leur dos est un peu plus clair. Toutes leurs plumes foncées sont très distinctement ourlées de beige clair, contrairement aux plumes uniformément brunes des adultes. Les barres caudales sont plus accentuées. Dès l'âge de 18 mois, ils sont totalement identiques aux adultes.

Mues
La première mue commence en janvier ou février de la première année. Elle ne se termine pas avant que l'oiseau ait près de cinq ans. La mue suivante commence avant que la première ne soit achevée. Au fur et à mesure que l'oiseau devient plus âgé, la durée de chaque mue diminue. On constate que c'est en hiver et en été que la mue est la plus prononcée, car elle s'interrompt pendant les migrations d'automne et de printemps.

Les déplacements saisonniers

Les aigles pêcheurs migrent seuls, le long d'un front très étendu, contrairement à beaucoup d'autres oiseaux de proie qui voyagent en groupe, le long d'itinéraires bien précis. La migration de printemps commence au début de mars, les oiseaux atteignant leur territoire de reproduction vers la fin de mars et au début d'avril. Les immatures passent leur premier été sur le territoire hivernal, qu'ils ne quittent, pour migrer vers le nord, que l'année suivante. Il est d'ailleurs possible que les oiseaux de deux ans entament leur migration plus tard que les adultes. On sait qu'ils reviennent dans la région qui les a vus naître. Quant aux aigles plus âgés, ils retrouvent chaque année le même nid.

Les immatures entament la migration d'automne vers la fin d'août. Les adultes les suivent quelques semaines plus tard et certains ne partent qu'en octobre. Toutefois, 75 p. 100 des populations d'aigles pêcheurs commencent à migrer avant la fin septembre.

Les aigles de la côte est suivent le rivage avant de traverser l'océan en direction des Antilles. Ils passent habituellement l'hiver dans les régions septentrionales d'Amérique du Sud. Les oiseaux des Prairies et de l'Ouest les rejoignent en passant par l'Amérique centrale. Quelques individus hivernent aux Antilles ou dans le sud de l'Amérique centrale, mais la majorité semblent préférer suivre les côtes et les voies d'eau intérieures de la Colombie et du Brésil. On les a quelquefois vus se rassembler en petits groupes pour la nuit sur leurs territoires d'hiver.

Comment les reconnaître pendant la migration

Les aigles pêcheurs sont de gros rapaces dont les ailes profilées présentent une cassure caractéristique qui rappelle l'allure des ailes de goéland. Toutefois, leur petite tête et leur longue queue les distinguent facilement de ces derniers.

Le comportement pendant la migration

L'altitude à laquelle ils voyagent dépend principalement des conditions météorologiques. En général, ils volent seuls ou en compagnie d'autres oiseaux de proie, le long des courants ascendants. On peut les voir pêcher si leur itinéraire les entraîne au-dessus d'un lac ou d'un cours d'eau.

Faucon pèlerin

Falco peregrinus (Linné) / Peregrine Falcon

De tous les oiseaux présentés dans ce livre, le faucon pèlerin est incontestablement le plus rare et le plus menacé. Entre les années quarante et soixante, toutes les populations qui vivaient aux États-Unis, à l'est du Mississipi, ont été totalement décimées. Plus un seul couple ne venait se reproduire dans cette contrée. La situation était presque aussi alarmante dans les autres régions d'Amérique du Nord.

On pense que ce phénomène résulte surtout de l'utilisation accrue de D.D.T. et de ses dérivés pour lutter contre les parasites. Les petits oiseaux, qui constituaient la nourriture ordinaire du faucon pèlerin, étaient eux-mêmes bourrés de pesticides, car ils se nourrissaient de produits agricoles. Les coquilles des œufs de faucon se ramollissaient au point de se briser lorsque les oiseaux tentaient de les incuber. Dès 1969, le faucon pèlerin était devenu si rare que le gouvernement des États-Unis le plaçait sur la liste des espèces menacées d'extinction.

Depuis, on a accompli des efforts héroïques pour réintroduire cette espèce dans des régions où elle ne vient plus se reproduire et pour l'aider à survivre là où elle niche encore. Cette énorme tâche a été mise en route et coordonnée par le *Peregrine Fund.*

Grâce au dévouement des nombreux bénévoles du *Peregrine Fund,* les populations de faucons ont enregistré une timide remontée. Quelques couples vivent aujourd'hui dans des régions où ils étaient naguère très répandus. En outre, cette espèce semble s'adapter à l'environnement urbain et aux constructions humaines. C'est un gros avantage qui lui permet de se nourrir d'oiseaux des villes tels que le pigeon biset.

Le faucon pèlerin suscitant aujourd'hui un intérêt passionné, nous avons jugé qu'il avait sa place dans ce volume, d'autant plus qu'on l'aperçoit de plus en plus souvent dans les villes. Toutefois, prenez soin de demeurer à bonne distance des oiseaux, en les observant à l'aide d'un télescope ou de puissantes jumelles. Après tout, notre but n'est-il pas de les encourager à nicher où ils veulent, lorsqu'ils le veulent, sans les déranger?

CALENDRIER DU COMPORTEMENT

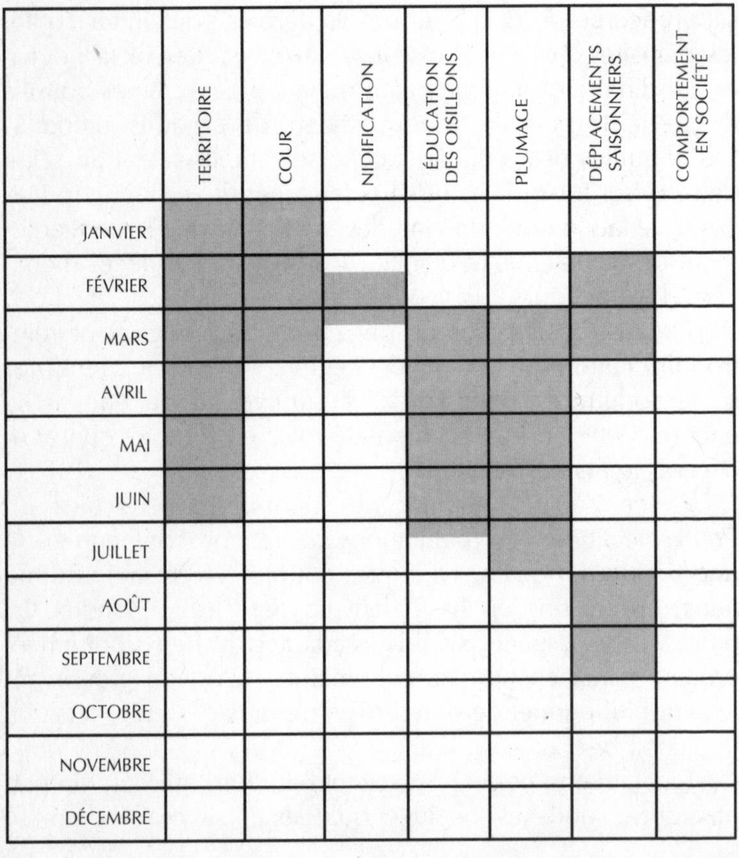

	TERRITOIRE	COUR	NIDIFICATION	ÉDUCATION DES OISILLONS	PLUMAGE	DÉPLACEMENTS SAISONNIERS	COMPORTEMENT EN SOCIÉTÉ
JANVIER							
FÉVRIER							
MARS							
AVRIL							
MAI							
JUIN							
JUILLET							
AOÛT							
SEPTEMBRE							
OCTOBRE							
NOVEMBRE							
DÉCEMBRE							

Communication visuelle

1. Vol acrobatique

Mâle ou femelle *P, É, A, H*

Ces manœuvres spectaculaires, auxquelles on assiste généralement aux alentours du nid, comportent des ascensions, des plongeons abrupts, des vols en huit, des boucles, des cabrioles, un vol ondulant et des poursuites. Lorsque deux oiseaux se livrent simultanément à un vol acrobatique presque identique, leurs serres ou leur bec entrent parfois en contact. L'oiseau peut être seul ou accompagné de son partenaire.

Cri: «Cri grinçant».

Contexte: Il s'agit d'une parade nuptiale que l'on observe surtout à la fin de l'hiver et au printemps, parfois plus tôt. Elle sert peut-être aussi à revendiquer le territoire. (Voir *Le territoire, La cour.*)

2. Vol au ralenti

Mâle *P*

L'oiseau vole lentement et puissamment. Il fait claquer l'extrémité de ses ailes qu'il tient très hautes. La queue, en revanche, est abaissée.

Cri: Aucun.

Contexte: Le mâle se livre à cette parade lorsqu'il s'approche de la femelle, souvent au moment de la copulation. À la fin du vol, il s'élève dans les airs avant d'atterrir. On a remarqué que ses ailes demeuraient au-dessus de son corps quelques secondes après l'atterrissage. (Voir *La cour.*)

3. Tête baissée

Mâle ou femelle *P, É, A, H*

La tête de l'oiseau se trouve plus basse que le reste de son corps, qui est soit à l'horizontale, soit à la verticale. Lorsque le faucon effectue une manœuvre d'apaisement, il pointe le bec vers le bas ou dans la direction opposée à l'autre oiseau. S'il s'agit, au contraire, d'une parade agressive, le bec est pointé vers l'adversaire. Ce mouvement est parfois accompagné de la «révérence».
Cris: «Cri grinçant» ou «plainte».
Contexte: Il s'agit de la parade la plus fréquente chez les partenaires d'un couple. Celle-ci se produit lorsqu'ils s'approchent l'un de l'autre ou se rejoignent sur la corniche après une séparation. Le mâle se livre souvent à la version d'apaisement lorsqu'il veut s'approcher de la femelle. (Voir *La cour.*)

4. Révérence

Mâle ou femelle *P, É, A, H*

L'oiseau abaisse la tête et le haut du corps à plusieurs reprises.
Cris: «Cri grinçant» ou «plainte».
Contexte: Chez un couple, la «révérence» accompagne parfois la parade précédente. Mais on l'observe aussi au cours d'affrontements avec d'autres faucons pèlerins ou pendant que les oiseaux guettent leurs proies. (Voir *La cour.*)

Remarque: Les faucons pèlerins se livrent à d'autres parades que nous n'avons pas décrites ici, car elles sont plus difficiles à surprendre et moins courantes. Pour en savoir davantage, consultez les articles dont vous trouverez les références dans la bibliographie.

Communication auditive

1. Caquet

Mâle ou femelle *P, É, A, H*

Il s'agit d'un «kek» bref, sec et aigu que l'oiseau répète plusieurs fois, au rythme de deux à la seconde. La version du mâle est plus aiguë et moins aigre.

Contexte: On l'entend près du nid, lorsqu'un autre faucon pèlerin ou tout autre oiseau menaçant se trouve dans les parages et, également, à l'approche d'un humain. Les oiseaux ne se taisent parfois qu'au bout de quelques minutes. (Voir *Le territoire*.)

2. Plainte

Mâle ou femelle *P, É, A, H*

L'oiseau pousse un long cri strident, sur un ton ascendant. Parfois, il le répète.

Contexte: Les adultes utilisent ce cri lors du transfert de nourriture entre partenaires lorsque les parents apportent à manger aux petits dans le nid. Les oisillons les imitent lorsqu'ils reçoivent leur nourriture. On entend également les adultes émettre la «plainte» pendant les affrontements graves avec des intrus.

(Voir *Le territoire, La cour, L'éducation des oisillons.*)

3. Cri grinçant

Mâle ou femelle *P, É, A, H*

Ce cri est composé de deux notes, la première étant plus longue que la seconde. Bien qu'il possède plusieurs variantes, les observateurs l'ont souvent comparé au grincement de gonds rouillés. L'oiseau peut le répéter à plusieurs reprises.

Contexte: On l'entend pendant la cour et lorsque le couple se tient à proximité du nid. Il est surtout fréquent pendant l'incubation et juste avant. (Voir *La cour.*)

Remarque: Les cris décrits ci-dessus sont les plus courants et, surtout, les plus audibles à une certaine distance. On sait que les deux adultes communiquent entre eux et avec les petits à l'aide de plusieurs autres cris beaucoup plus étouffés.

DESCRIPTION DU COMPORTEMENT

Le territoire

Fonctions: Accouplement; nidification.

Dimensions: Couvre un rayon de plusieurs centaines de mètres autour du nid.

Comportements habituels: Vols planés, «vol acrobatique»; «caquet», «plainte».

Durée de sa défense: Tout au long de la saison de reproduction, parfois au-delà.

On ignore à quel point les faucons pèlerins présentent un comportement territorial. Même dans les régions où ils sont nombreux, leurs nids se trouvent à une distance relativement égale les uns des autres, mais cela est peut-être dû à un besoin d'intimité qui pousse les oiseaux à s'éviter mutuellement plutôt qu'à des querelles territoriales qui servent à délimiter les frontières de leurs fiefs.

Toutefois, il est possible que les parades acrobatiques, très facilement reconnaissables, que l'on associe habituellement à la cour, servent en partie à révéler la présence d'un couple aux autres faucons pèlerins qui survolent la région, les incitant à rester à distance.

On a remarqué que les manifestations territoriales se déroulaient surtout dans un rayon de quelques centaines de mètres autour du nid. Par exemple, les partenaires émettent le «caquet» et la «plainte» tout en décrivant des cercles au-dessus de leur territoire, une falaise par exemple. Les deux «résidants» s'efforcent de monter plus haut que l'intrus, qui reste habituellement silencieux. Ensuite, ils fondent sur lui. La réaction habituelle de l'intrus consiste à rouler sur le dos pour présenter ses serres aux attaquants. Il est rare que deux oiseaux entrent ainsi en contact, mais leurs serres s'imbriquent parfois les unes dans les autres et ils dégringolent ensemble, se séparant juste avant d'arriver au sol. Ces manifestations territoriales sont identiques aux parades nuptiales, et il est donc parfois difficile de les distinguer les unes des autres.

Toutefois, un comportement aussi agressif que celui-là est exceptionnel chez les faucons pèlerins. En général, lorsqu'un troisième oiseau apparaît à proximité du couple, il se contente de décrire des cercles en hauteur avant de s'éloigner brusquement.

Les faucons pèlerins se montrent agressifs envers les autres gros oiseaux qui nichent à proximité, tels les corbeaux. Ils fondent sur eux à plusieurs reprises si les intrus ont la témérité de s'approcher du nid. On a d'ailleurs remarqué que les corbeaux se défendaient de la même manière des rapaces, roulant sur le dos pour présenter leurs griffes aux attaquants. Les deux partenaires d'un couple se lancent parfois à la poursuite d'un corbeau solitaire, tout en lançant le «caquet». Les principaux ennemis des faucons pèlerins sont les éperviers, les autres faucons, les buses, les aigles pêcheurs et les urubus à tête rouge.

On pense que les oiseaux occupent un territoire de 10 à 30 km^2. Les nids sont habituellement séparés par plusieurs kilomètres bien que, dans certains cas, cette distance ne dépasse guère 450 ou 500 m. En sus des quelques centaines de mètres carrés qui entourent le nid, les faucons défendent également les environs immédiats de perchoirs plus éloignés, qu'ils utilisent pour chasser et plumer leurs proies tout au long de l'année. Il arrive également que les réserves de chasse de deux couples voisins se chevauchent.

La cour

Comportements habituels: «Vol acrobatique», transfert de nourriture; «cri grinçant».
Durée: De la fin de l'hiver au printemps.

Les couples occupent leur plate-forme en tout temps de l'année, mais c'est surtout à la fin de l'hiver et au début du printemps que des liens plus étroits semblent se nouer au sein des couples, donnant lieu aux parades nuptiales.

Le premier occupant d'une corniche peut être un mâle ou une femelle solitaire qui a déjà niché à cet endroit ou qui ne s'est encore jamais reproduit. Dans certains cas, les couples réintègrent ensemble la même plate-forme que l'année précédente.

L'oiseau solitaire révèle sa présence aux autres faucons pèlerins en volant continuellement d'un bout à l'autre de la falaise. De temps à autre, il émet le «caquet». On peut également le voir atterrir pendant quelques secondes sur chaque saillie, comme s'il désirait vanter les avantages de «sa» falaise.

Lorsqu'un oiseau qui a déjà niché sur une falaise arrive avant son partenaire, il exécute parfois des parades nuptiales à l'intention d'autres faucons pèlerins. Toutefois, le partenaire n'a qu'à se montrer pour éloigner ses rivaux éventuels.

Au départ, la cour consiste en trois types d'activités: la chasse à deux, les parades aériennes et le transfert de nourriture. C'est le matin surtout que les oiseaux chassent. Au début, ils se contentent de chasser sans s'éloigner l'un de l'autre. Ensuite, ils prennent l'habitude de chasser la même proie. L'un s'occupe de l'isoler de ses congénères tandis que l'autre plonge pour la capturer.

Si la chasse est bonne, le couple se livre à de fascinantes parades aériennes. Celles-ci sont généralement précédées d'une ascension, les oiseaux se tenant tout près l'un de l'autre tandis qu'ils montent de plus en plus haut. Ensuite, l'un d'eux entame, à une vitesse foudroyante, le spectaculaire «vol acrobatique». Les poursuites agrémentent parfois les parades aériennes, l'un des oiseaux plongeant sur l'autre, qui roule alors sur le dos pour lui présenter ses serres juste avant le contact. Parfois, les serres ou les becs se touchent dans les airs. On entend souvent le «cri grinçant» pendant ces manifestations qui peuvent être suivies de nouvelles ascensions. À d'autres reprises, les oiseaux se contentent de se percher côte à côte sur une plate-forme. Quelques minutes plus tard, les activités reprennent. On peut surprendre ces parades jusqu'au moment de la ponte.

Le transfert de nourriture commence une semaine ou deux après le début de la cour. Les premières fois que les oiseaux chassent ensemble, la femelle arrache parfois au mâle la proie qu'elle emporte ensuite dans ses serres.

Durant cette période, elle domine son compagnon et n'hésite pas à l'expulser d'un perchoir qui lui plaît. Le mâle s'envole dès qu'elle se pose à côté de lui.

Quelques jours plus tard, il commence à déposer de la nourriture à certains endroits précis. Une forme de transfert plus ritualisé apparaît à ce moment-là. On peut l'observer pendant plusieurs mois, tout au long de la saison de reproduction. Le mâle lance la «plainte» tout en volant vers la femelle, avec la proie dans son bec. Sa compagne lui répond par le même cri avant de s'envoler vers lui ou de l'attendre sur son perchoir. Il atterrit à côté d'elle, prend la nourriture dans son bec et se livre à quelques reprises à la «révérence» avant qu'elle ne saisisse à son tour la proie dans son bec. On entend surtout le «cri grinçant» et la «plainte» pendant le transfert.

Cette cérémonie comporte d'autres variantes. Par exemple, le mâle se contente parfois de laisser tomber la proie à proximité de la femelle ou de la lui remettre en plein vol. Il la lâche et elle l'attrape, sans plus de cérémonies. À d'autres moments, elle vole juste au-dessous du mâle, roule sur le dos et saisit la proie dès qu'il l'a lâchée. On a même remarqué que le mâle commençait quelquefois par manger une partie de la proie ou par la plumer avec des gestes solennels avant de la présenter à sa compagne.

La femelle emporte sa part sur l'une de ses corniches favorites pour la dévorer. Elle cache les restes, s'il y en a, dans une fente du rocher. Le transfert de nourriture se poursuit tout au long de la saison des nids.

Chez les faucons pèlerins, la cour revêt un autre aspect particulier, qu'on appelle parades sur les plates-formes. En effet, les oiseaux se posent sur des saillies de la falaise ou des endroits propices pour y creuser leur nid. Ils se livrent seuls ou en couple à ces parades qui comprennent la «tête baissée», le «vol au ralenti», la «révérence», la «plainte» et le «cri grinçant». Celles-ci comprennent également d'autres parades (voir *La nidification*), telles que le trépignement, le becquetage et l'accouplement.

La copulation se produit fréquemment juste avant la ponte et se poursuit encore quelques jours après: le mâle atterrit sur le dos de la femelle et abaisse la queue d'un côté, tandis qu'elle se recroqueville, penchée vers l'avant, et abaisse la queue de l'autre côté. L'accouplement dure environ dix secondes et peut se répéter plus de quatre fois en une heure.

Le moment où commence la cour dépend de la température et de l'âge du couple. En outre, il convient de savoir s'il s'agit d'oiseaux migrateurs ou non. Une bonne partie des manifestations nuptiales décrites ici (à l'exception de l'accouplement) ont été surprises en automne, en hiver et au printemps, mais elles sont plus fréquentes juste avant la période de reproduction. Il semble également que les couples qui se sont déjà reproduits entament les parades nuptiales plus tôt que les autres.

Comme chez toutes les espèces d'oiseaux, on trouve, chez les faucons pèlerins, un assez grand nombre de «célibataires». Il s'agit parfois de jeunes oiseaux qui n'ont pas encore atteint leur maturité sexuelle ou qui, pour une raison inconnue, retardent le moment de se reproduire. En général, ils se tiennent à bonne distance des territoires occupés par des couples. Ils forment ce qu'on appelle une population flottante. Lorsque l'un des membres d'un couple meurt, c'est sans doute parmi ces célibataires que le survivant vient chercher un remplaçant. Dans certains cas, seulement une semaine s'écoule entre la mort d'un partenaire et l'arrivée de son remplaçant.

La nidification

Emplacement du nid: Sur les saillies des falaises ou les corniches des édifices.
Dimensions: Diamètre de 30 cm; profondeur de 2 à 5 cm.
Matériaux: Une simple dépression creusée dans le sol.

Les faucons pèlerins nichent habituellement sur des saillies de parois abruptes, à mi-hauteur. Ils affectionnent les falaises qui comptent de nombreuses petites plates-formes sur lesquelles ils peuvent nicher, dormir, manger et se livrer au transfert de nourriture. Les saillies qui servent de nid sont souvent exposées plein sud et, dans les régions côtières, les oiseaux nichent dans des criques abritées. Sur les roches qui se trouvent juste au-dessous de leur nid, vous apercevrez une couche d'excréments blanchâtres, et peut-être des lichens oranges qui semblent proliférer à cet endroit.

Le nid n'est qu'une dépression creusée dans la terre molle qui recouvre la roche. Son diamètre est d'environ 30 cm, sa profondeur de 2 à 5 cm. Les oiseaux ne le tapissent pas de matériaux. On a vu, toutefois, des faucons pèlerins nicher à la cime d'arbres, dans la cavité formée par la rupture de la couronne. Lorsqu'il n'y a pas de terre dans laquelle creuser le nid, ils s'installent dans la petite dépression formée par l'érosion d'une roche plus tendre.

On commence par voir le mâle s'intéresser à certaines plates-formes. Lorsque la femelle est en vue, il vole vers l'une de ces saillies en lançant le «cri grinçant» ou la «plainte». Puis il gratte le sol comme s'il voulait creuser le nid. Il vole ensuite vers une autre saillie, avant de recommencer son manège. Parfois, la femelle se joint à lui et semble s'intéresser à son activité.

Lorsqu'elle commence à chercher une plate-forme à son tour, elle en explore plusieurs. On la voit trépigner, arpenter la saillie, exactement comme si elle en évaluait la commodité. Après en avoir choisi une, elle achève le nid en un jour ou deux. On a remarqué qu'elle pouvait utiliser son bec pour gratter la terre.

Selon certains chercheurs, cette activité permettrait au couple de resserrer ses liens. En effet, mâle et femelle grattent la terre sur diverses plates-formes pendant la cour, mais lorsque vient le moment de choisir l'emplacement du nid, la femelle en préfère souvent une qu'elle a explorée beaucoup plus tard.

Les faucons pèlerins ont coutume de revenir chaque année nicher sur la même falaise, mais à des endroits différents. On a observé un couple qui a changé de plate-forme 10 années de suite mais, en général, le même nid est réutilisé quelques années plus tard. Si la première nichée est détruite, les oiseaux changent de plate-forme pour en élever une seconde. Parfois, ils réintègrent le nid de l'année précédente.

Le mâle et la femelle choisissent pour dormir deux saillies différentes, mais situées sur la même falaise. On a remarqué qu'ils dormaient parfois face à la paroi.

L'éducation des oisillons

Œufs: Environ 3 ou 4; fond crème ou rosé; mouchetés d'un beau brun; il arrive que les taches soient concentrées à une extrémité.
Incubation: De 28 à 33 jours; c'est surtout la femelle qui incube.
Première phase de croissance: De 4,5 semaines à 6 semaines.
Seconde phase de croissance: Au moins 6 semaines, parfois beaucoup plus.
Couvée: 1.

Ponte et incubation
Vers la fin de mars ou au début d'avril, la femelle commence à pondre un œuf tous les deux ou trois jours, le plus souvent tôt le matin. Une couvée normale en contient trois ou quatre. Si elle est détruite avant le dixième jour d'incubation, le couple en produit une autre dans les trois semaines qui suivent.

L'incubation commence après la ponte du troisième ou du quatrième œuf. Auparavant, l'un des oiseaux, habituellement la femelle, monte la garde toute la journée à côté du nid. La nuit, elle se couche probablement sur les œufs. Toute l'incubation nocturne et la majeure partie de l'incubation diurne incombent à la femelle.

Pendant ce temps, le mâle la nourrit. Il lui offre sa nourriture en plein vol ou sur un perchoir tout proche. Pendant qu'elle mange, à proximité du nid, le mâle incube les œufs. Il arrive qu'elle s'éloigne un peu pour faire sa toilette, déféquer ou chasser, auquel cas le mâle vient aussitôt la remplacer dans le nid.

Les faucons pèlerins se méfient des humains pendant l'incubation et, si vous parvenez en vue du nid, ils risquent de s'envoler, même si vous êtes encore à 400 ou 500 m. Les oiseaux volent alors au-dessus du nid en caquetant jusqu'au départ de l'intrus. Parfois, au contraire, ils restent immobiles jusqu'à ce que celui-ci soit à moins de 100 m. En fin de compte, leur degré de tolérance à une présence humaine varie selon les individus. Bien que les faucons pèlerins n'aient pas coutume d'abandonner définitivement leur couvée pendant l'incubation lorsqu'ils sont dérangés, il vaut mieux prendre des précautions. Par conséquent, restez aussi loin que possible du nid et servez-vous d'un télescope pour observer le couple.

La durée de l'incubation, qui peut aller de 28 à 33 jours, dépend de plusieurs facteurs dont la température, la taille des œufs et le comportement de chaque oiseau.

Première phase de croissance

Bien que les œufs soient pondus à deux ou trois jours d'intervalle, ils sont généralement tous éclos en deux jours, car l'incubation ne commence pas avant la ponte du dernier, sauf exception. En effet, il convient de mentionner que dans le Grand Nord, l'incubation commence souvent dès que le premier œuf a été pondu et, par conséquent, l'éclosion s'étale habituellement sur une semaine.

Pendant les huit ou douze premiers jours, la femelle garde ses petits sous son ventre. Ensuite, elle passe plus de temps sur un perchoir tout proche ou à la chasse. Cependant, elle retourne au nid tous les soirs, jusqu'à ce que les petits faucons aient atteint l'âge de trois semaines. Elle les protège également du soleil en déployant ses ailes.

Les oisillons naissent couverts d'un duvet immaculé. Ils sont très faciles à repérer, car ils se recroquevillent les uns contre les autres dans le nid. Leurs premiers jours se passent à dormir, car ils sont pratiquement aveugles et incapables de sortir du nid. Au bout d'une semaine, ils voient et s'agitent davantage. Lorsque les parents arrivent au nid, les petits faucons rampent vers eux. À trois semaines, ils commencent à avoir des plumes sur les ailes et la queue, et ils s'étirent et battent des ailes plus souvent. Au bout de la semaine suivante, ces plumes sont plus développées et le plumage de leur corps commence à apparaître. Les petits prennent l'habitude de faire leur toilette. Ils parviennent à sortir du nid et sont si agressifs que les parents se contentent de déposer la nourriture sur la plate-forme sans s'attarder outre mesure.

Pendant cette phase, le mâle apporte des proies à la femelle, qui les offre ensuite aux oisillons. En général, l'oiseau capturé est plumé par le mâle qui en mange également la tête avant de le donner à la femelle. Celle-ci en arrache les morceaux destinés aux petits. Peu à peu, les jeunes faucons apprennent à déchiqueter eux-mêmes leur viande et, au bout de trois semaines, leur mère les laisse seuls pour aller à la chasse. Dès l'âge de quatre semaines, ils sont capables de manger seuls lorsqu'on leur apporte de la nourriture au nid. Ils lancent la «plainte», comme les adultes, dès que les parents s'approchent avec une proie. Ils sont tellement bruyants que l'on peut les entendre de très loin. En général, les adultes apportent de quatre à huit proies par jour, surtout à l'aurore et au crépuscule.

Le mâle dissimule parfois une quantité considérable de nourriture dans des fentes de rochers, peut-être en prévision des journées très pluvieuses, au cours desquelles il risque de rentrer bredouille de la chasse.

Vers la fin de cette phase, les petits faucons prennent l'habitude de se disperser sur les diverses plates-formes de la falaise. À ce stade, il importe de ne pas les effaroucher, car ils ne sont peut-être pas encore capables de voler jusqu'à un autre perchoir.

La première phase dure de quatre semaines et demie à six semaines.

Seconde phase de croissance

Les mâles, plus petits, grandissent plus vite et sont généralement les premiers à s'envoler. Après avoir quitté le nid, les jeunes faucons restent aux alentours pendant une semaine ou deux, toujours nourris par les parents, qui continuent encore pendant quelque temps à plumer et à déchiqueter les proies avant de les leur offrir. Ensuite, ils se contentent de leur donner la proie entière. Les adultes reprennent l'habitude de chasser ensemble et le transfert de nourriture aux petits s'effectue parfois en plein vol. Le jeune faucon arrive sous l'adulte, puis roule sur le dos pour recevoir la proie dans ses serres.

Les jeunes oiseaux se lancent de plus en plus fréquemment du haut des falaises et se livrent entre eux à des poursuites et à des manœuvres aériennes qui ressemblent aux parades nuptiales des adultes. Toutefois, ils ne sont pas encore de grands chasseurs. Bien qu'ils n'hésitent pas à se lancer à la poursuite des oiseaux, ils ne les capturent pas souvent et se contentent généralement d'attraper des insectes. Parfois, la famille se déplace d'une partie de la falaise à l'autre. Peu à peu, les adultes s'éloignent des jeunes, bien que certains observateurs aient vu des parents nourrir leur nichée jusqu'en septembre. On ignore exactement à quel moment et dans quelles circonstances la famille se disperse, mais on sait toutefois que la seconde phase de croissance dure au moins six semaines.

Dans le nord, la famille reste parfois réunie jusqu'au moment de la migration. Ailleurs, les jeunes faucons se retrouvent livrés à eux-mêmes pendant plusieurs semaines avant de migrer.

Le plumage

Comment différencier le mâle de la femelle
Le plumage ne permet pas d'identifier le sexe d'un spécimen. Toutefois, la femelle est plus grosse que le mâle. En outre, elle se charge de la majeure partie de l'incubation et c'est elle qui garde les petits sous son ventre après l'éclosion. Pendant ce temps, le mâle continue de la nourrir.

Comment distinguer les jeunes des adultes
Le dos des adultes est gris ardoise. Le bas de leur poitrine est très légèrement strié de brun. Les immatures ont le dos marron foncé tandis que leurs ailes sont ourlées de fauve. Toute leur poitrine est rayée de brun. Ils conservent ce plumage jusqu'à leur premier printemps. À partir de ce moment-là, ils commencent à muer.

Mue
Les faucons pèlerins muent complètement une fois par an. En général, la mue commence vers la fin du printemps et se poursuit jusqu'à l'automne, durant par conséquent de quatre à six mois. Chez les oiseaux qui se reproduisent dans l'Arctique, la mue commence vers le milieu de l'été, s'interrompt pendant la migration, avant de reprendre pendant l'hiver. Habituellement, la mue des mâles commence et finit plus tard que celle des femelles.

Les déplacements saisonniers

En Amérique du Nord, le faucon pèlerin est un oiseau migrateur. Les populations d'Alaska et du Nord canadien prennent le chemin du sud en septembre et en octobre. La migration de printemps a lieu en mars et en avril. En général, les oiseaux semblent suivre les côtes, mais certains voyagent à l'intérieur des terres. Quelques-uns passent l'hiver le long des rivages de l'Atlantique, du golfe du Mexique et du Pacifique, mais la plupart semblent aller jusqu'en Amérique centrale et en Amérique du Sud. On pense que quelques groupes de la côte ouest et des Rocheuses sont sédentaires.

Comment les reconnaître pendant la migration

Le faucon pèlerin est un gros rapace, aux longues ailes profilées. Il a plutôt tendance à battre des ailes, sauf lorsqu'il s'élève dans le ciel. Il est si rapide et si gracieux qu'on a l'impression qu'il fend l'air sans le moindre effort. De près, vous pourrez voir ses favoris noirs.

Le comportement pendant la migration

Les faucons pèlerins migrent seuls, souvent sans cesser de battre des ailes, à une altitude relativement basse, le long des côtes. Parfois, ils font escale là où ils peuvent chasser de petits oiseaux migrateurs.

BobHines

Colin de Virginie

Colinus virginianus (Vieillot) / Northern Bobwhite

Des trésors de patience sont nécessaires pour observer le colin, car il se méfie des humains. Ce sont surtout ses cris qui permettent de le repérer. En effet, les mâles célibataires lancent leur «bob-houit» caractéristique au printemps et en été, tandis que, en automne et en hiver, les membres de la colonie émettent le «cri de séparation» du matin au soir.

Il est probable que les colins de Virginie détecteront votre présence avant que vous puissiez les voir. Peut-être surprendrez-vous alors leurs manifestations d'alarme telles le cri «tsiou» et la manœuvre de diversion en été, lorsque les parents éduquent la couvée, ou le «tsiou» accompagné du «cri d'alarme» en automne et en hiver.

La manière dont les oiseaux s'installent pour dormir en automne et en hiver est également caractéristique de l'espèce. Vous les apercevrez serrés les uns contre les autres, formant un cercle fermé, la queue vers l'intérieur, de manière à conserver un maximum de chaleur. Si vous suivez leurs traces dans la neige fraîche, vous atteindrez l'emplacement de l'un de ces cercles, que trahira peut-être la présence d'un anneau d'excréments.

CALENDRIER DU COMPORTEMENT

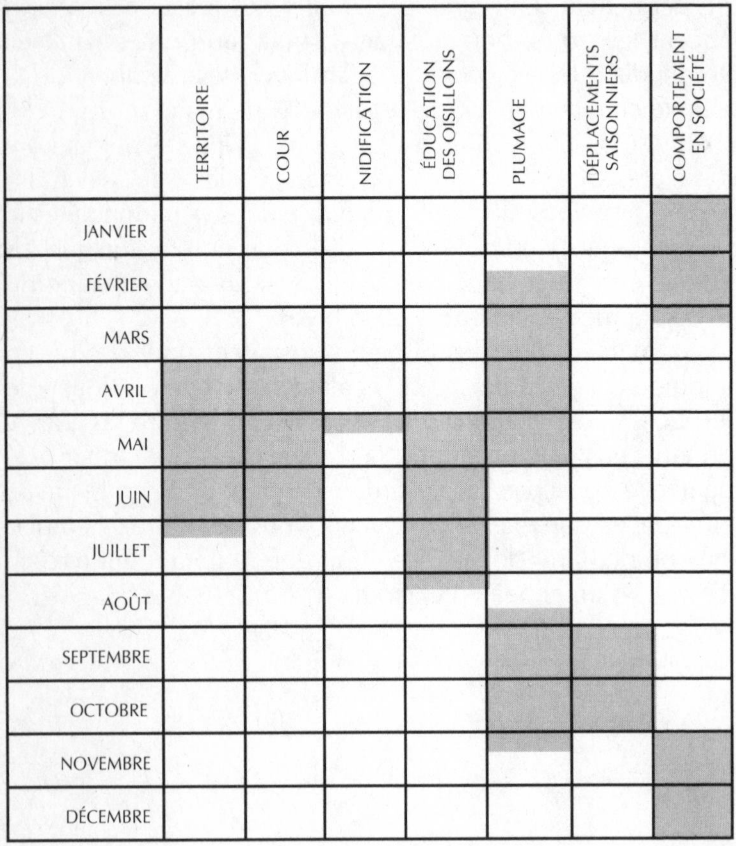

	TERRITOIRE	COUR	NIDIFICATION	ÉDUCATION DES OISILLONS	PLUMAGE	DÉPLACEMENTS SAISONNIERS	COMPORTEMENT EN SOCIÉTÉ
JANVIER							
FÉVRIER							
MARS							
AVRIL							
MAI							
JUIN							
JUILLET							
AOÛT							
SEPTEMBRE							
OCTOBRE							
NOVEMBRE							
DÉCEMBRE							

Communication visuelle

1. Parade frontale

Mâle *P, É*

Le corps placé à l'horizontale, toutes les plumes sont hérissées tandis que la queue forme un éventail. Dans cette posture, l'oiseau déploie ses ailes, avec lesquelles il décrit des cercles vers l'avant.

Cri: Aucun.

Contexte: C'est la parade à laquelle un mâle se livre lorsque sa compagne et lui sont défiés par un autre mâle. On l'observe également entre deux mâles célibataires, auquel cas elle permet peut-être à l'un des oiseaux d'affirmer sa suprématie sur l'autre. Parfois, le mâle s'y livre face à la femelle au début de la cour. (Voir *La cour.*)

2. Parade latérale

Mâle *P, É*

Le mâle marche lentement devant la femelle, la tête basse, la queue en éventail et tournée en direction de la femelle.

Cri: Aucun.

Contexte: Cette parade se déroule pendant la saison de reproduction et précède parfois la copulation. (Voir *La cour.*)

3. Picorage

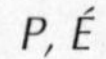

Mâle *P, É*

L'oiseau se penche vers l'avant, hérisse les plumes de son corps et donne des coups de bec par terre ou fait mine de picorer de la nourriture. Il déploie parfois la queue.

Cri: «Tut-tut».

Contexte: On observe ce mouvement pendant la saison de reproduction. La femelle y répond en s'approchant du mâle pour recevoir de la nourriture, exactement comme le font les espèces de plus petite taille. Le picorage est une parade nuptiale qui comporte son cri particulier. À d'autres époques de l'année, les oiseaux se contentent de lancer ce cri, qui permet aux jeunes ou à d'autres membres de la colonie de repérer l'endroit où il y a de la nourriture. (Voir *La cour, Communication auditive.*)

4. Frémissement d'ailes

Femelle *P, É*

La femelle élève et abaisse rapidement les ailes en marchant en direction du mâle.

Cri: Aucun.

Contexte: On observe cette parade pendant les premiers jours de la cour. Après la formation du couple, elle disparaît complètement. (Voir *La cour.*)

Communication auditive

1. Bob-houit

Mâle *P, É*

Il s'agit d'un cri sifflé, comportant deux ou trois notes, assez semblable à la graphie «bob-houit». Les syllabes sont très distinctes, mais la dernière note, lancée sur un ton ascendant, est quelque peu brouillée. Il existe plusieurs variantes de ce cri. Par exemple, l'oiseau peut répéter plusieurs fois l'une des syllabes. On compte habituellement de quatre à huit cris à la minute.

Contexte: Ce cri est utilisé très souvent par le colin. Dans la version la plus énergique, il émane généralement des mâles célibataires vers la fin du printemps et au début de l'été. Ils annoncent ainsi leur présence sur leur territoire de chant. Il arrive qu'un duo ait lieu entre voisins. Chez les mâles qui ont trouvé une partenaire, ce cri est beaucoup moins fréquent et beaucoup plus doux. (Voir *Le territoire, La cour, L'éducation des oisillons.*)

2. Cri de séparation

Mâle ou femelle *P, É, A, H*

Ce cri varie d'un sifflement strident du type «hououîîî» à un «hoy» très doux en passant par une sorte de «hoyou». L'oiseau le répète parfois très vite à plusieurs reprises.

Contexte: Il s'agit d'un cri courant dont la version la plus stridente est émise par les membres d'une colonie au moment du coucher et juste après le réveil. D'autres colonies y répondent si elles se trouvent à portée de voix. Lorsqu'un oiseau est séparé de ses congénères, il lance une version plus douce. On l'entend également chez le membre d'un couple qui s'est éloigné de son partenaire ou chez les femelles qui ont perdu leur mâle. (Voir *Le comportement en société, La cour.*)

3. Miaulement

Mâle ou femelle *P, É, A, H*

Il s'agit d'un cri plutôt rauque, de trois à cinq syllabes sonores, très brèves, distinctes les unes des autres. Exemple: «iiâââ-ou-îîî».

Contexte: Les mâles émettent ce miaulement surtout pendant la période qui précède la saison des amours et pendant celle-ci. Toutefois, on peut l'entendre à d'autres époques de l'année. Il accompagne des affrontements entre mâles rivaux en présence d'une femelle. On a déjà entendu la femelle lancer ce cri face à une rivale. (Voir *Le territoire, La cour.*)

4. Tsiou

Mâle ou femelle *É*

Ce cri, qui ressemble au gazouillis ténu des poussins, est émis par les oisillons et par les adultes.

Contexte: On l'entend lorsqu'un prédateur terrestre dérange la couvée ou le nid. Il accompagne également la manœuvre de diversion à laquelle se livrent les adultes. (Voir *L'éducation des oisillons.*)

5. Cri d'alarme

Mâle ou femelle *P, É, A*

Ce cri, long et monocorde, se termine par une syllabe brève que l'oiseau répète à plusieurs reprises. Exemple: «tou-ou-ic, ic, ic, ic...».

Contexte: Il s'agit d'un cri lancé par les parents ou les jeunes en présence des prédateurs. On peut l'entendre tant que l'intrus ne s'est pas éloigné. (Voir *L'éducation des oisillons.*)

6. Tut-tut

Mâle ou femelle *P, É, A, H*

On entend un cri doux, composé de plusieurs notes brèves, répétées à toute allure.

Contexte: Le mâle pousse ce cri au début de la saison de reproduction, lorsqu'il trouve de la nourriture. Le «picorage» accompagne généralement ce cri, incitant la femelle à s'approcher pour manger. Les deux membres du couple émettent également ce petit cri lorsqu'ils découvrent une abondante source de nourriture. Ainsi, ils attirent leurs congénères à cet endroit. (Voir *La cour, L'éducation des oisillons.*)

Autres cris: On pense que les colins possèdent l'un des répertoires les plus complexes de tout l'ordre des Gallinacés. Les cris décrits ci-dessus sont les plus courants et les plus importants pour comprendre le comportement habituel des oiseaux. Toutefois, sachez qu'on attribue aux colins de Virginie près de vingt-quatre cris différents.

DESCRIPTION DU COMPORTEMENT

Le territoire

Mâles accouplés
Fonctions: Accouplement; nidification; subsistance.
Dimensions: Près de 0,5 ha.
Comportements habituels: «Parade frontale», poursuites.
Durée de sa défense: Première partie de la saison de reproduction.

Vers le milieu du printemps, les couples déjà formés quittent les colonies hivernales (voir *Le comportement en société*) pour nicher à quelque distance. On entend parfois les mâles lancer une version atténuée du cri «bob-houit», mais ils sont beaucoup plus tranquilles que les mâles célibataires et se consacrent principalement à leurs parades nuptiales. Toutefois, ils ne quittent guère un territoire d'environ 500 m^2. D'autres mâles reproducteurs peuvent nicher à une quinzaine de mètres, mais si un célibataire s'approche, l'occupant défend activement sa partenaire en se livrant à la «parade frontale». Parfois, il part à la poursuite de l'intrus.

Mâles célibataires
Fonction: Chant.
Dimensions: Inconnues.
Comportements habituels: «Bob-houit»; poursuites.
Durée: Du printemps au milieu de l'été.

Au printemps et en été, ce sont surtout les mâles célibataires que l'on entend crier. Leurs territoires jouxtent fréquemment ceux des couples nidificateurs. Ces mâles sont extrêmement bruyants et semblent défendre les alentours du perchoir où ils s'installent pour chanter contre d'autres célibataires. Ces manifestations se poursuivent jusqu'au milieu de l'été. Ensuite, elles s'atténuent progressivement.

Étant donné que les populations de colins de Virginie comportent beaucoup plus de mâles que de femelles, on pense que ces oiseaux célibataires restent à proximité des couples dans l'espoir de remplacer le partenaire mâle au cas où il mourrait.

La cour

Comportements habituels: «Parade frontale», «parade latérale», «picorage».
Durée: Tout le long de la saison.

Il est rare que l'on surprenne les parades nuptiales des colins en liberté, car ils se méfient des humains. Toutefois, on a étudié plusieurs aspects de la cour chez des oiseaux captifs et c'est une synthèse des résultats obtenus que nous vous présentons ici afin que vous puissiez identifier les parades nuptiales de cette espèce si vous avez la chance de les surprendre.

On ignore presque tout des circonstances qui président à la formation des couples. Certains chercheurs pensent qu'elle a lieu au début du printemps, à l'époque où l'on commence à entendre les premiers «bob-houit». D'autres estiment plutôt que c'est en hiver, lorsque la colonie est réunie.

Toutefois, plusieurs parades que l'on croit associées à la cour se produisent surtout au début de la saison. C'est le cas notamment de la «parade frontale», manifestation d'agressivité qui remplit plusieurs offices. Par exemple, elle a lieu lorsqu'un mâle accouplé affronte un mâle ou une femelle inconnus, lorsque deux mâles célibataires sont en rivalité, tentant d'établir entre eux une hiérarchie, ou lorsqu'un mâle célibataire rencontre une femelle pour la première fois. Mais après la formation du couple, le mâle ne destine plus la «parade frontale» à la femelle.

La «parade latérale» caractérise également les débuts de la cour. Le mâle s'y livre, face à sa compagne, et l'on pense qu'elle précède parfois la copulation. Vers la même époque, la femelle exécute souvent le «frémissement d'ailes», parade dont on ignore la fonction exacte, mais qui pourrait servir à attirer l'attention du mâle et, ainsi, à l'apaiser au cas où il nourrirait des intentions hostiles à son égard.

On a également remarqué que les oiseaux utilisaient le «picorage». Le mâle, après avoir découvert une parcelle de nourriture, lance le cri «tut-tut», penche la tête pour la recueillir ou, simplement, lui donner un coup de bec. Pendant cette parade, il hérisse son plumage, attirant ainsi l'attention de la femelle qui vient recueillir la nourriture à terre ou dans son bec. Chez les autres espèces d'oiseaux, ce comportement porte le nom de «transfert de nourriture».

Après avoir trouvé leur partenaire, les colins sont inséparables. Le matin et l'après-midi, ils cherchent de la nourriture. Au milieu de la journée, ils flânent et, dès que le soleil se couche, ils vont dormir ensemble.

La nidification

Emplacement du nid: Au sol.
Dimensions: Entre 10 et 13 cm de diamètre.
Matériaux: Herbe; mousse; aiguilles de pin.

Les travaux de construction du nid sont difficiles à surprendre chez les colins de Virginie en raison, toujours, de leur méfiance à l'égard des humains. En général, le nid est bâti sous un mince écran de végétation, à moins de 15 m d'une clairière ou d'un champ.

L'un des deux oiseaux commence par gratter le sol pour y creuser une petite dépression. Le couple y apporte ensuite des matériaux qu'il recueille tout près, tels que des brins d'herbe ou des tiges d'ivraie. Parfois, les oiseaux ramassent des brindilles situées dans les alentours, en tournant le dos au nid, avant de cueillir les matériaux avec leur bec, pour ensuite les lancer par-dessus leur épaule en direction de celui-ci. Ils répètent toute l'opération autour du nid, si bien que les brindilles finissent par se retrouver dans la dépression.

Deux ou trois heures suffisent pour achever le nid, qui est ensuite partiellement recouvert d'herbe. À l'instar de beaucoup d'autres oiseaux, les colins commencent à bâtir des nids qu'ils abandonnent par la suite, peut-être en faveur d'un emplacement plus propice.

L'éducation des oisillons

Œufs: De 12 à 14; blancs.
Incubation: Environ 23 jours; habituellement, seule la femelle incube.
Première phase de croissance: Aucune.
Seconde phase de croissance: De 2 à 3 mois.
Couvée: 1.

Ponte et incubation

La ponte commence généralement plusieurs jours après la fin des travaux. La femelle pond un œuf toutes les vingt-quatre ou trente-six heures. Il est rare que le nid soit occupé en dehors des moments où elle pond. On a remarqué que certaines femelles avaient coutume d'aller pondre un œuf dans le nid d'une voisine. C'est pourquoi les couvées sont nombreuses, comptant généralement de douze à quatorze oisillons. Il arrive même que d'autres oiseaux de l'ordre des Gallinacés, tels les faisans ou les volailles domestiques, pondent dans des nids de colins, mais on ignore la raison de ce «parasitisme du nid». Tout ce que l'on sait, c'est que les œufs étrangers sont généralement incubés par la femelle au même titre que les siens.

L'incubation commence après la ponte du dernier œuf et se poursuit pendant vingt-trois jours. C'est la femelle qui incube, mais s'il lui arrive quelque chose, le mâle prend le relais. Il est toutefois rare que le couple partage cette tâche.

L'oiseau incubateur quitte le nid l'après-midi, parfois aussi le matin, pour rejoindre son partenaire. Les deux oiseaux mangent ensemble. Pendant que l'un incube, l'autre ne s'approche guère du nid. À ce stade, on peut entendre le mâle lancer des «bob-houit» étouffés.

Beaucoup de nids sont détruits par les prédateurs et, jusqu'à la fin de l'été, le couple s'efforce de produire des couvées de remplacement qui, en général, sont moins nombreuses que la première.

Lorsque l'oiseau incubateur est dérangé par un prédateur, il se livre à une manœuvre de diversion: battant fiévreusement des ailes en les traînant au sol, il s'éloigne du nid en poussant le cri «tsiou». Si cette stratégie réussit, l'oiseau attend que le prédateur ait disparu pour revenir très discrètement au nid.

En revanche, si le prédateur ne s'éloigne pas, l'oiseau lance le «cri d'alarme» et ne se tait qu'une fois tout danger écarté.

Première phase de croissance

Les œufs éclosent à une heure d'intervalle. Peu après, les oisillons sont capables de quitter le nid. Si l'éclosion se produit en fin d'après-midi, les parents retirent les coquilles du nid et y restent avec leur nichée jusqu'au lendemain matin. Mais si les petits naissent plus tôt, les adultes les entraînent hors du nid dès que leurs plumes sont sèches.

Par conséquent, il n'existe pas, chez les colins de Virginie, de première phase de croissance.

Seconde phase de croissance

La famille est inséparable pendant cette phase. Les parents abritent souvent les petits au chaud sous leurs ailes pendant deux semaines, jusqu'à ce qu'ils soient revêtus d'un plumage abondant. La première semaine surtout, les oisillons restent recroquevillés sous les ailes de leurs parents sauf au moment des repas, qui sont très brefs.

La recherche de la nourriture se fait en famille. Lorsque l'un des adultes découvre un endroit où elle abonde, il lance le cri «tut-tut», ce qui a pour effet immédiat d'attirer les oisillons. Les colins mangent surtout des insectes, des graines et des fruits.

Lorsqu'un prédateur s'approche, la famille tout entière lance le cri «tsiou» en courant de tous les côtés. Les jeunes se cachent tandis que les adultes se livrent à la manœuvre de diversion décrite plus haut. S'ils ne réussissent pas à décourager le prédateur, les parents lancent alors le «cri d'alarme» («tiou-ou-ic») jusqu'à ce qu'il s'éloigne. Ensuite, ils rejoignent leur progéniture et la famille poursuit ses activités.

À deux semaines, les petits colins sont capables de voler sur de courtes distances. Quelques semaines plus tard, ils se débrouillent à merveille. À ce stade, lorsque la famille a dû se disperser pour échapper à une menace quelconque, on entend le «cri de séparation», qui sonne le ralliement de la famille après que tout danger est écarté. Ce cri est également utilisé pour rassembler tous les membres d'une colonie en automne et en hiver, après une séparation. Lorsque les petits atteignent quinze semaines, ils sont aussi gros que les adultes.

À l'automne, de nombreuses familles se regroupent pour former de larges vols. (Voir *Le comportement en société.*)

Le plumage

Comment différencier le mâle de la femelle
C'est surtout la tête et le cou qui permettent d'identifier le sexe d'un spécimen. En effet, le mâle a la gorge blanche et une barre blanche au-dessus des yeux, tandis que, chez la femelle, ces régions sont de couleur fauve.

Comment distinguer les jeunes des adultes
Jusqu'à l'âge de trois mois, le plumage des juvéniles des deux sexes ressemble à celui des femelles adultes. Toutefois, ils sont plus petits et un peu plus ternes.

Mue
Les colins muent deux fois par an. Vers la fin de l'hiver — parfois dès février dans les régions méridionales —, ils entament une mue partielle de la tête et du cou. Cette mue se termine habituellement en mai ou en juin.

C'est en août et en septembre que se produit la mue complète, qui ne s'achève qu'en octobre ou en novembre. Ni l'une ni l'autre de ces mues ne modifie les couleurs du plumage.

Les déplacements saisonniers

Après que les juvéniles ont atteint leur maturité, vers la fin de l'été, on observe un déplacement en masse des colins vers les endroits où abonde la nourriture. Des groupes de plus de trente oiseaux, composés de familles, d'adultes célibataires et de couples qui n'ont pas réussi à se reproduire, se nourrissent et dorment ensemble tout l'hiver. En septembre et en octobre, quelques oiseaux passent encore d'un groupe à l'autre, mais, dès novembre, les colonies se sont installées sur leurs territoires hivernaux et leur nombre se stabilise. Ce phénomène est parfois appelé «déplacement d'automne» et, bien que la majorité des oiseaux ne se déplacent qu'à environ 1 km, certains parcourent près de 15 km pour se joindre à un groupe.

Le comportement en société

On sait que les colins se regroupent en hiver. Ces colonies se nourrissent et dorment sur un territoire aux limites bien déterminées. Elles comptent habituellement de douze à seize oiseaux, comprenant des couples, des célibataires et des juvéniles. La manière dont les colins s'installent pour la nuit ne manque pas de surprendre. En effet, ils se rassemblent dans un endroit bien abrité, sur le sol, et forment un cercle compact, chaque oiseau se plaçant à côté de l'autre, la queue vers l'intérieur. Ensuite, chacun élève légèrement les ailes de manière à couvrir son voisin. Cette méthode permet aux oiseaux de conserver leur chaleur jusqu'à l'aube.

Deux événements peuvent modifier le nombre d'oiseaux dans une colonie: si l'un de ses membres meurt ou si les oiseaux d'une colonie voisine viennent se joindre à la première. En effet, lorsqu'il reste moins de sept ou huit oiseaux dans un vol, ceux-ci sont incapables de former, chaque soir, le cercle qui les garde au chaud. Les oiseaux se dispersent alors pour se joindre aux colonies voisines. Lorsqu'une colonie compte plus de seize oiseaux, elle se divise en deux groupes pour la nuit.

Chaque colonie occupe un territoire d'une superficie variable, allant de quelques centaines de mètres carrés à 15 ou 20 ha, selon l'abondance de nourriture. On sait que les territoires de deux colonies voisines peuvent se chevaucher, car les oiseaux n'en défendent pas les frontières.

À l'aube, le cercle se défait et les oiseaux quittent leur abri nocturne. Avant de se disperser, un ou plusieurs membres lancent le «cri de séparation» auquel répondent les colonies voisines. On ignore la fonction exacte de cette «conversation», mais il est probable qu'elle permet à chaque colonie de savoir ce qui se passe chez ses voisins. Les oiseaux d'un vol passent la matinée ensemble, à se nourrir. Vers midi, ils s'installent au soleil, pour digérer en somnolant. Lorsque la température est très basse, ils reforment leur cercle à ce moment-là. L'après-midi se passe à manger et, dès le crépuscule, toute la colonie se rassemble dans l'abri nocturne. Avant de former le cercle, les oiseaux peuvent lancer le «cri de séparation».

Vers la fin de l'hiver, les couples commencent à s'isoler des autres membres de la colonie pendant la journée. Ils les rejoignent toutefois pour la nuit. Mais en mars et en avril, ils quittent définitivement leurs congénères pour retrouver leur territoire de reproduction. Alors, la colonie se disperse totalement.

Faisan à collier

(aussi appelé «faisan de chasse»)

Phasianus colchicus (Linné) / Ring-Necked Pheasant

Bien que les faisans à collier soient plutôt discrets, il nous est possible de surprendre bon nombre de leurs comportements. Par exemple, l'un de nos voisins s'est plaint un hiver d'être réveillé chaque matin par un faisan juste avant l'aube. Debout sur une grosse roche du jardin, l'oiseau lançait un «couacouc» sonore, avant de battre des ailes. Ce cri s'appelle «cri matinal» et permet au mâle de signaler que la cour et la revendication territoriale sont sur le point de commencer.

Si vous vivez dans une banlieue ou à la campagne, vous pouvez attirer les faisans en éparpillant du maïs fendu. Par un matin printanier, tandis que nous observions un couple de faisans près de notre mangeoire, le mâle s'est soudain renversé sur le côté face à la femelle, déployant vers le bas l'aile la plus proche de sa compagne, tout en ouvrant la queue dans sa direction. Ensuite, il s'est avancé de quelques pas, d'une démarche mesurée, avant de reprendre sa posture habituelle. La femelle a continué de manger tranquillement. Cette parade spectaculaire permet d'admirer les couleurs flamboyantes de la queue du mâle. Elle porte le nom de «parade latérale» et c'est l'une des principales manifestations de la cour chez le faisan.

Lorsque la saison est plus avancée, on peut apercevoir la femelle et sa couvée traversant une route ou se promenant dans les champs. En automne et au printemps, les femelles picorent ensemble. Celles-ci restent en groupe pendant des saisons plus froides.

C'est uniquement par bribes que l'on peut observer le comportement des faisans sauvages, car ils sont très méfiants. Toutefois, vous finirez, à force de patience, par compléter vous-même le puzzle en replaçant dans leur contexte les parades que vous parviendrez à surprendre, et un portrait relativement précis de la vie de cet oiseau se dessinera.

CALENDRIER DU COMPORTEMENT

	TERRITOIRE	COUR	NIDIFICATION	ÉDUCATION DES OISILLONS	PLUMAGE	DÉPLACEMENTS SAISONNIERS	COMPORTEMENT EN SOCIÉTÉ
JANVIER							
FÉVRIER							
MARS							
AVRIL							
MAI							
JUIN							
JUILLET							
AOÛT							
SEPTEMBRE							
OCTOBRE							
NOVEMBRE							
DÉCEMBRE							

Communication visuelle

1. Parade latérale

Mâle ou femelle *P, É*

L'oiseau se tourne du côté opposé à celui auquel s'adresse la parade. Il ouvre la queue en éventail et abaisse l'aile qui se trouve face à l'autre oiseau en hérissant sa huppe et en gonflant sa caroncule. La tête est soit rentrée dans les épaules, soit levée très haut, selon les circonstances. Il se pavane en décrivant un arc de cercle devant l'autre oiseau.
Cri: Aucun.
Contexte: Lorsqu'il s'agit d'une parade nuptiale exécutée devant une femelle, le mâle rentre la tête dans les épaules. Mais dans le cas d'une revendication territoriale face à d'autres mâles, l'oiseau garde la tête haute. Les femelles se livrent parfois à cette parade face à d'autres femelles. (Voir *Le territoire, La cour.*)

2. Poursuite de domination

Mâle *P, É*

Queue et tête hautes, huppe hérissée, caroncule gonflée, le mâle court ou, parfois, marche, derrière un autre mâle.
Cri: Aucun.
Contexte: Le mâle affirme ainsi sa domination sur un autre mâle pendant les querelles territoriales. L'intrus a la queue basse et la caroncule plate. (Voir *Le territoire.)*

3. Picorage

Mâle *P, É*

Face à la femelle, le mâle hérisse les plumes de son corps et plonge le bec en direction du sol, comme pour recueillir de la nourriture.

Cri: «Cri de picorage».

Contexte: On observe cette parade pendant la cour. La femelle réagit habituellement en venant s'emparer de la nourriture que le mâle lui désigne ainsi. (Voir *La cour.*)

Autres parades: La femelle se livre occasionnellement à deux autres parades que les observateurs n'ont pas souvent l'occasion de surprendre. Nous les mentionnons ici pour que vous sachiez qu'elles existent. Toutes deux se déroulent lorsque la femelle est près du mâle, pendant ce qui semble être la cour. Il s'agit d'un petit saut et d'un mouvement par lequel la femelle étire le cou en déployant légèrement les ailes.

Communication auditive

1. Cri matinal

Mâle *P, É, A, H*

L'oiseau pousse un cri dissyllabique particulièrement sonore. Il met l'accent sur la seconde syllabe. En général, le cri est précédé de plusieurs lents battements d'ailes et d'une sorte de sifflement audible, provoqué par l'accélération du battement. Il est assez proche

de la graphie «couacouc». L'oiseau se tient bien droit pour pousser ce cri.
Contexte: Le mâle se sert du «cri matinal» pour revendiquer son territoire. Vous l'entendrez surtout dans la demiheure qui précède l'aurore. L'oiseau commence à crier régulièrement vers la fin de mars. Peu à peu, la fréquence des cris s'accélère jusqu'en mai avant de ralentir pendant l'été. Toutefois, on peut entendre ce cri en tout temps.

2. Caquet trissyllabique

Mâle *P, É, A, H*

Ce cri de trois syllabes est répété à plusieurs reprises, mais s'adoucit vers la fin de la série. Il est assez proche de la graphie «ticatuc, ticatuc, ticatuc...».
Contexte: Le faisan lance ce cri au sol ou en vol, lorsqu'il est dérangé. On l'entend aussi parfois le soir et il arrive qu'un autre mâle y réponde. (Voir *Le comportement en société.*)

3. Caquet dissyllabique

Mâle *P, É, A, H*

Ce caquet, semblable au précédent, ne s'allonge pas vers la fin. En outre, l'oiseau ne l'émet jamais en vol.
Contexte: Il s'agit peut-être d'un cri d'alarme, car les mâles le lancent lorsqu'ils sont dérangés. Toutefois, on l'entend moins souvent pendant la saison des nids.

4. Cri de picorage

Mâle ou femelle *P, É*

On entend une série distincte de «kot-kot-kot».

Contexte: Le mâle émet ce cri lorsqu'il picore en face de la femelle. Quant à cette dernière, elle s'en sert lorsqu'elle se déplace en compagnie de sa couvée. (Voir *Communication visuelle («Picorage»), La cour, L'éducation des oisillons.*)

5. Kieu-kieu

Femelle *P, É*

Ce cri aigre, de deux syllabes, est émis par la femelle.

Contexte: En général, il lui sert de réponse au «cri matinal» du mâle. On pense que le duo auquel se livrent ainsi les deux membres du couple leur permet de rester à portée de voix. (Voir *La cour.*)

6. Cra

Mâle *P*

Il s'agit d'un cri aigre, expiré. L'oiseau gonfle parfois sa caroncule.

Contexte: On entend ce cri pendant les querelles entre mâles. (Voir *Le territoire.*)

DESCRIPTION DU COMPORTEMENT

Le territoire

Fonctions: Accouplement; subsistance.
Dimensions: De 1,5 à 4,5 ha.
Comportements habituels: «Cri matinal»; «parade latérale», «poursuite de domination», poursuites.
Durée de sa défense: Du début d'avril à la fin de l'incubation.

Vers la fin de l'hiver ou au début du printemps, les faisans s'éloignent de leurs aires hivernales pour s'éparpiller sur des territoires propices à la reproduction. Cette dispersion est en partie causée par l'agressivité croissante que l'on observe entre les mâles.

Vers la même époque, on entend de plus en plus le «cri matinal», lancé par les mâles. Il sert sans doute à revendiquer le territoire et à attirer une femelle. Généralement perché bien en vue sur un rocher ou sur une bille de bois, le mâle crie tôt le matin et, plus rarement, en fin d'après-midi. De plus, il arrive qu'il s'installe sur le même perchoir plusieurs jours de suite. Étant donné que ce cri varie d'un oiseau à l'autre, avec l'habitude vous arriverez à reconnaître les faisans de votre région.

Il arrive que lorsqu'un mâle pousse le «cri matinal», ses voisins émettent aussitôt une série de notes très aiguës, qui finissent par couvrir en partie son cri. On pense qu'il s'agit d'un type de communication entre les mâles qui revendiquent des territoires voisins ou d'une tentative d'atténuer l'effet du cri matinal de leur voisin.

Les territoires sont revendiqués au début d'avril. Dès lors, les mâles qui, en hiver, toléraient d'autres mâles sur leurs aires de subsistance, partent à la poursuite de tous ceux qu'ils aperçoivent. On entend de plus en plus le «cri matinal».

Les mâles les plus âgés réintègrent les territoires des années précédentes. Évidemment, ce sont les endroits les plus propices que les oiseaux revendiquent d'abord. Les mâles dominants s'y installent, non loin de leurs aires hivernales. Lorsqu'un vieux mâle meurt, ses voisins se partagent son territoire.

La superficie des territoires peut aller de 150 à 450 m^2 et englobe des clairières où la nourriture est abondante, ainsi que des zones plus abritées. Dans une région donnée, les dimensions des territoires dépendent de la qualité de l'habitat et du nombre de faisans qui y vivent. Plus les mâles vieillissent, plus leurs territoires semblent s'agrandir, notamment si leurs voisins meurent.

Les mâles de un an qui souhaitent revendiquer un territoire sont généralement contraints, par les individus dominants, de s'établir dans des zones moins propices. Il est toutefois rare que les faisans revendiquent un territoire avant leur deuxième année et la population flottante que constituent les plus jeunes est tolérée sur les territoires des autres mâles sous réserve qu'elle reste silencieuse et renonce à parader. Par conséquent, au début du printemps, tandis que la plupart des mâles s'empressent d'expulser les intrus, si vous voyez deux mâles côte à côte, il est probable que l'un des deux est âgé seulement de un an.

Dans tous les autres cas, toute promiscuité entraîne des manifestations d'agressivité, de trois types différents. En effet, on peut voir deux mâles debout face à face ou marchant côte à côte. Ils hérissent les plumes du cou tout en gonflant leur caroncule et en lançant le cri «cra». Habituellement, l'un des oiseaux cède mais il arrive qu'un combat ait lieu.

La «poursuite de domination» constitue une autre parade hostile: l'occupant du territoire court ou marche derrière l'intrus, la tête et la queue hautes, la caroncule gonflée.

L'oiseau peut également se livrer à la «parade latérale» devant un autre mâle. Toutefois, il ne se comporte pas comme s'il se trouvait face à une femelle: il garde la tête haute, et l'aile qu'il abaisse n'est pas aussi déployée que dans le cas où cette parade sert à alimenter la cour. Cette dernière est parfois suivie de la «poursuite de domination» grâce à laquelle l'oiseau expulse l'intrus.

Dans l'éventualité d'un combat, les oiseaux se recroquevillent, face à face. Ils se donnent des coups de bec et, à certains moments, l'un d'eux — parfois tous les deux — exécute un saut en hauteur. Les combats peuvent se prolonger pendant plus d'une heure mais, en moyenne, ils se terminent au bout d'un quart d'heure. Ensuite, les deux oiseaux marchent côte à côte, chacun semblant vouloir dépasser l'autre. Comme on l'a remarqué chez les moqueurs, il est possible que ce comportement permette de fixer les frontières des territoires.

Les escarmouches territoriales se produisent souvent lorsqu'un mâle suit son «harem», qui vagabonde sur le domaine d'un autre mâle.

La défense du territoire s'estompe lorsque toutes les femelles d'un mâle se sont éloignées pour incuber leurs œufs. À ce moment-là, d'autres mâles, dont les femelles n'ont pas encore pondu, s'installent sur le territoire ainsi «libéré».

La cour

Comportements habituels: Poursuites, «parade latérale», «picorage».
Durée: Du mois d'avril au début de l'incubation.

Chez les faisans, un mâle revendique généralement tout un groupe de femelles, que l'on appelle «harem». Les femelles qui ont passé l'hiver ensemble s'installent, lorsque le printemps approche, dans des régions où la nourriture abonde. Il arrive que certaines quittent le groupe ou que d'autres s'y joignent, mais le nombre de femelles composant un harem se stabilise généralement avant le mois de mai.

Les femelles nouent des liens avec les mâles dont le territoire englobe leur aire de subsistance. C'est grâce aux parades nuptiales que le mâle se lie peu à peu avec chaque femelle. On pense que, chez les faisans, les femelles sont monogames, s'accouplant année après année avec le même mâle.

Mais ce ne sont pas tous les mâles qui ont un harem. Près de 30 p. 100 des mâles d'une région n'ont pas de territoire et, donc, pas de compagne. Plus de 25 p. 100 de ceux qui jouissent de l'usage d'un territoire n'ont pas plus d'une partenaire, si tant est qu'ils en aient une. Par conséquent, on suppose que seulement 45 p. 100 des mâles s'accouplent avec plus d'une femelle.

Les parades nuptiales ont lieu surtout le matin, lorsque le harem quitte son abri pour se nourrir à découvert. Les mâles ont tendance à parader en face des femelles qui se sont temporairement séparées du groupe. Au point que, si la femelle rejoint ses compagnes, le mâle cesse immédiatement de parader.

Au début de la cour, il a coutume de poursuivre rapidement la femelle sur une centaine de mètres, parfois plus. Quelques jours plus tard, on voit apparaître deux autres manifestations: la «parade latérale» et le «picorage».

Habituellement, le mâle se livre à la «parade latérale» pendant qu'il se pavane devant la femelle, en décrivant un arc de cercle. Si elle est immobile, il exécute la parade en face d'elle. Mais si elle se déplace, il la suit et recommence à parader après l'avoir rejointe. On a remarqué que le mâle pouvait recommencer le même manège dix fois de suite et même davantage.

Plusieurs mouvements de la femelle encouragent le mâle à exécuter la «parade latérale». Par exemple, elle commence à sautiller ou à tendre le cou en direction de son compagnon.

Le «picorage» est une autre manifestation de la cour, exécutée exclusivement par le mâle qui lance le «cri de picorage» tout en hérissant les plumes de son corps et en abaissant les ailes. Ensuite, il indique, à l'aide de coups de bec, la nourriture qu'il aperçoit à terre, et la femelle s'approche pour manger la graine indiquée.

C'est vers la fin d'avril et au début de mai que l'accouplement est le plus fréquent. Parfois, il est précédé d'un petit rituel durant lequel le mâle se livre à plusieurs reprises à la «parade latérale» tandis que la femelle se recroqueville pour qu'il puisse accomplir la copulation. À d'autres occasions, la femelle s'accroupit sans préambule. On a remarqué que les parades préliminaires à l'accouplement se faisaient plus rares à mesure que la saison avançait.

Les mâles célibataires s'attaquent parfois aux harems et s'accouplent de force avec les femelles, surtout lorsque le mâle est occupé à se quereller avec ses voisins. Ces «agresseurs» ne poussent aucun cri et ne se livrent à aucune parade. Ils se contentent de poursuivre la femelle, de saisir les plumes de son cou dans leur bec et essaient d'accomplir la copulation.

Le nombre de femelles par harem diminue vers la fin de mai ou le début de juin, à mesure que les femelles quittent leur partenaire pour incuber.

La nidification

Emplacement: Sur le sol.
Dimensions: De 20 à 50 cm de diamètre; peu profond.
Matériaux: Herbes, feuilles, tiges de mauvaises herbes.

La femelle se contente de creuser une petite dépression dans le sol, qu'elle tapisse ensuite d'herbes et de feuilles. Le nid se trouve parfois dans les bois, parfois dans un pré. Les faisans ont toutefois une prédilection pour les champs de foin et d'herbes folles.

Habituellement, la femelle niche à l'extérieur de son aire de subsistance, dont elle a fixé les limites pendant la cour. Cet endroit est souvent situé juste en dehors du territoire de son partenaire.

L'éducation des oisillons

Œufs: Habituellement de 10 à 12; d'un brun olive.
Incubation: Elle dure 24 jours; seule la femelle incube.
Première phase de croissance: Aucune.
Seconde phase de croissance: De 10 à 11 semaines.
Couvée: 1.

Ponte et incubation

La ponte commence en avril pour atteindre son point culminant en mai. Pour pondre chaque œuf, la femelle quitte temporairement le harem. Habituellement, elle pond à intervalles d'un jour et demi à deux jours. Au début, elle passe de une à deux heures dans le nid. Peu à peu, elle prend l'habitude de demeurer jusqu'à six heures sur les œufs, mais il ne s'agit pas d'une véritable incubation. On a remarqué que les jeunes femelles pondaient moins d'œufs que les autres. Une couvée peut compter de neuf à dix-sept œufs.

On sait que les faisans ont coutume de pondre dans les nids d'autres espèces, telles les canards malards, les bécasses, les gélinottes huppées et les colins, mais on en ignore la raison.

L'incubation commence dès la ponte du dernier œuf et c'est le signal pour la femelle de quitter définitivement le harem. Dès lors, elle ne sort du nid qu'une fois par jour, en fin d'après-midi, pendant une heure environ, pour manger et faire sa toilette. L'incubation dure vingt-quatre jours.

Pendant la première semaine, la femelle abandonnera vraisemblablement les œufs si elle est dérangée par un prédateur éventuel, par exemple un humain qui se trouve trop près du nid. En revanche, lorsque l'incubation est plus avancée, elle retourne au nid lorsque le danger est passé. Si elle perd sa couvée, elle recommence à bâtir un nid dans les dix jours suivants. C'est pourquoi les nids que vous découvrirez vers le milieu ou la fin de l'été ne sont pas destinés à abriter des secondes couvées. Ils ont tout simplement été construits par des femelles dont la première couvée n'est pas arrivée à terme.

Première phase de croissance

Habituellement, les œufs éclosent en juin, souvent en moins de douze heures. Les petits quittent immédiatement le nid. Par conséquent, ils entament aussitôt leur seconde phase de croissance.

Seconde phase de croissance

La femelle garde les oisillons sous ses ailes la première journée, généralement à proximité du nid. Ensuite, elle les conduit un peu plus loin, mais il est rare que la famille s'éloigne de plus de quelques centaines de mètres. Ultérieurement, la couvée s'aventure plus loin, à la recherche de nourriture et d'abris sûrs. Les oisillons mangent surtout au petit matin et en fin d'après-midi. Le reste du temps, ils se reposent sous le couvert végétal. La femelle les garde sous son ventre toutes les nuits.

Si on la dérange, elle se livre parfois à une manœuvre de diversion destinée à détourner l'attention du prédateur: elle fait mine d'être blessée et de voler maladroitement.

En général, le mâle ne s'occupe pas de sa famille, mais certains observateurs ont vu des femelles et des petits âgés d'environ six semaines accompagnés d'un mâle. Dès qu'ils atteignent dix ou onze semaines, les oisillons se dispersent pour chercher leur nourriture.

Lorsque les juvéniles ont atteint environ cinq semaines, on peut différencier les sexes. En effet, la joue des mâles est glabre tandis que celle des femelles est couverte de plumes. Dès qu'ils ont un peu plus de quatre mois, les jeunes faisans revêtent leur livrée d'adulte.

Le plumage

Comment différencier le mâle de la femelle

Mâle et femelle sont très différents. La femelle est légèrement plus petite. Son plumage est moucheté de brun sur les flancs, le dos et la queue, qui est d'ailleurs plus courte que celle du mâle. Quant au mâle, il a une tête sombre, un collier blanc, un corps grenat et une très longue queue. En outre, sa tête comporte deux traits caractéristiques: une caroncule semblable à celle des poulets sur chaque joue, qui enfle et grossit pendant certaines parades, ainsi qu'une petite huppe au sommet du crâne.

Comment distinguer les jeunes des adultes

Les juvéniles ressemblent aux femelles adultes, mais leur corps est plus petit et leur queue, plus courte. Les jeunes mâles pèsent de 25 à 33 p. 100 de plus que les jeunes femelles.

Mue

Les faisans à collier muent complètement une fois par an. La mue commence en juillet ou en août pour se terminer en septembre ou en octobre.

Les déplacements saisonniers

Les faisans se déplacent à deux époques de l'année: en octobre, tandis qu'ils gagnent leurs aires hivernales, choisies parce qu'elles sont bien abritées, puis en mars et en avril, lorsqu'ils regagnent leurs territoires de reproduction.

Le comportement en société

Après la saison de reproduction, les faisans se rassemblent en petits vols, qui se nourrissent et dorment ensemble durant tout l'automne et tout l'hiver. Ces vols sont rarement mixtes. Les groupes de mâles sont moins nombreux, ne comportant parfois que deux oiseaux, tandis que les vols de femelles comptent en moyenne quatre ou cinq oiseaux. L'effectif des groupes n'est pas stable, notamment chez les mâles.

En février, les mâles commencent à se montrer agressifs les uns envers les autres. Peu à peu, les groupes éclatent pour permettre aux oiseaux de regagner leur territoire de reproduction.

Grand duc d'Amérique

Bubo virginianus (Gmelin) / Great Horned Owl

Que vous campiez au fond des bois ou que vous écoutiez les bruits de la nuit par la fenêtre de votre chambre, le hululement grave et étouffé du grand duc d'Amérique évoquera toute la sauvage profondeur des forêts. C'est surtout à la tombée de la nuit ou juste avant l'aube que vous entendrez à plusieurs reprises le «houhou» tranquille du grand duc lointain, auquel répondra peut-être paisiblement un autre grand-duc perché à quelque distance. Je me souviens d'avoir sursauté en entendant, vers 10 heures du soir, le hululement d'un hibou juste au-dessus de ma tête, dans les branches d'un pin blanc. De si près, le son que je trouvais d'habitude si doux a fait vibrer mes poumons.

Le grand duc d'Amérique est le plus gros de nos hiboux communs. Il se nourrit de nombreux mammifères de taille imposante ainsi que d'autres espèces d'oiseaux. On en a même vu qui, pendant la nuit, chassaient les aigles pêcheurs et les grands hérons. Mais en dépit de sa réputation de férocité, le grand duc est constamment harcelé par les corneilles pendant la journée, sort également réservé à plusieurs autres hiboux et à quelques éperviers. Qu'est-ce qui pousse les corneilles à se comporter ainsi? Nul ne le sait. Le seul résultat de leur harcèlement est d'inciter le hibou à s'éloigner temporairement. Mais il ne tarde pas à revenir malgré toute l'énergie qu'elles dépensent à le faire fuir.

En fait, cette guérilla continuelle constitue l'indice le plus évident de la présence d'un hibou. Si vous vous approchez d'un endroit d'où proviennent les croassements caractéristiques des corneilles, vous les verrez certainement plonger sur le hibou que vous apercevrez peut-être tandis qu'il tente d'échapper à ses persécutrices.

CALENDRIER DU COMPORTEMENT

	TERRITOIRE	COUR	NIDIFICATION	ÉDUCATION DES OISILLONS	PLUMAGE	DÉPLACEMENTS SAISONNIERS	COMPORTEMENT EN SOCIÉTÉ
JANVIER							
FÉVRIER							
MARS							
AVRIL							
MAI							
JUIN							
JUILLET							
AOÛT							
SEPTEMBRE							
OCTOBRE							
NOVEMBRE							
DÉCEMBRE							

GUIDE DE LA COMMUNICATION

Communication visuelle

1. Étalement des ailes

Mâle ou femelle *P, É, A, H*

L'oiseau étale ses ailes en les ramenant vers l'avant. Avec ses plumes hérissées, il paraît énorme. Le bec est généralement béant.

Cris: «Sifflement» ou «claquement du bec».

Contexte: On observe cette parade au cours d'interactions agressives ou défensives avec des congénères ou des prédateurs. (Voir *Le territoire, La cour.*)

2. Révérence

Mâle ou femelle *P, É, H*

L'oiseau penche à plusieurs reprises le corps vers l'avant.

Cris: Aucun ou divers hurlements, aboiements et sifflements.

Contexte: Cette parade se déroule pendant la cour, lorsque le couple se retrouve après une séparation ou au moment d'un changement de partenaire dans le nid. (Voir *La cour, L'éducation des oisillons.*)

Communication auditive

1. Hululement

Mâle ou femelle *P, É, A, H*

Il s'agit d'une série de quatre ou cinq «hou» paisibles, sonores et profonds,

chaque individu hululant selon son propre rythme. Les femelles émettent des cris plus courts et plus aigus que les mâles, bien qu'elles soient plus grosses qu'eux.
Contexte: On entend les grands ducs hululer toute l'année, mais surtout en hiver et en automne, car c'est à ce moment que les mâles défendent leur territoire. Il arrive aussi que le «hululement» soit utilisé comme cri d'alarme, par exemple lorsqu'un prédateur s'approche du nid. (Voir *Le territoire, La cour.*)

2. Sifflement

Mâle ou femelle *P, É, A, H*

L'oiseau lance un sifflement sonore.
Contexte: On entend ce cri surtout pendant les rencontres qui risquent de tourner à l'affrontement. Il accompagne souvent l'«étalement des ailes».

3. Claquement du bec

Mâle ou femelle *P, É, A, H*

L'oiseau claque rapidement du bec à plusieurs reprises. On peut l'entendre à 30 ou 50 m de là.
Contexte: Ce son accompagne habituellement les affrontements. Il arrive qu'un grand duc le destine à des corneilles qui le harcèlent.

Autres cris: Le répertoire des grands ducs est si étendu qu'il est impossible de décrire tous les sons qu'ils émettent. En général, vous entendrez un mélange d'aboiements, de hurlements et de sifflements pendant les querelles territoriales et les interactions entre partenaires.

DESCRIPTION DU COMPORTEMENT

Le territoire

Fonctions: Nidification; subsistance.
Dimensions: 500 à 3 500 m^2.
Comportements habituels: Revendications; patrouilles; cris et, parfois, combats aux frontières communes.
Durée de sa défense: Elle commence environ un mois avant la saison de reproduction et se poursuit jusqu'à la fin de celle-ci.

Il est évident que les grands ducs d'Amérique ont un comportement territorial. En général, les mâles commencent à occuper les territoires dès novembre, hululant depuis divers perchoirs. C'est surtout en début de soirée et juste avant l'aube que les «hululements» déchirent le silence de la forêt.

Le mâle est le principal défenseur du territoire. Le soir, on peut entendre jusqu'à cinq grands ducs dont les hululements semblent se répondre. Ces revendications territoriales sont l'apanage des mâles, car les femelles sont habituellement silencieuses, sauf pendant les quelques semaines que dure la cour. Les observateurs croient que seuls les mâles répondent aux «hululements» que les humains émettent dans le but d'attirer ou de recenser les hiboux.

Les conflits territoriaux sont rares, car les oiseaux respectent généralement les frontières de leurs voisins. Lorsque la querelle est inévitable, on entend toutes sortes de bruits tels que des cris rauques, des aboiements, des hurlements aigus. Les grands ducs engagent parfois le combat, s'attaquant à l'aide de leurs ailes et de leurs serres. Pendant un combat, l'oiseau semble se mettre au garde-à-vous, le plumage hérissé, les ailes partiellement déployées, émettant le «claquement du bec» et oscillant latéralement.

Lorsque les jeunes ont acquis leur autonomie, vers le mois d'août, les adultes s'éloignent de leur territoire, sans doute à la recherche d'endroits où la nourriture est plus abondante. Par conséquent, les territoires disparaissent à ce moment-là pour se reconstituer vers la fin de l'automne.

On a remarqué que certains ne revenaient pas sur leur territoire avant la saison de reproduction, vers la fin de l'hiver ou au début du printemps. Cela s'applique surtout aux grands ducs des régions septentrionales, qui passent habituellement l'hiver plus au sud.

Les grands ducs occupent parfois des territoires dont les frontières chevauchent celles de certains rapaces. Toutefois, il est rare que d'autres gros hiboux, comme la chouette rayée, s'installent sur leur territoire. Peut-être craignent-ils que le grand duc, plus gros, ne les attaque.

La cour

Comportements habituels: «Étalement des ailes», «révérence», transfert de nourriture.
Durée: De l'hiver au début du printemps.

On ne sait pas grand-chose de la cour chez les grands ducs, car peu de documents ont été publiés à ce propos jusqu'à maintenant. Après que le mâle a commencé à revendiquer son territoire, la femelle se joint à lui. Certains couples passent toute l'année ensemble, d'autres se séparent après la saison des nids ou avant la revendication du territoire.

Le déroulement de la cour, chez cette espèce, comporte plusieurs manifestations, par exemple l'approche du mâle, les cris, les parades, la toilette mutuelle et le transfert de nourriture.

C'est surtout en début de soirée que l'on peut surprendre les manifestations de la cour chez le grand duc, souvent après le coucher du soleil. Tout d'abord, le mâle lance le «hululement» en s'approchant de la femelle. Il saute d'un perchoir à l'autre, jusqu'à ce qu'il se trouve à ses côtés. Parfois, elle lui répond par un «hululement» plus court et plus aigu. Ensuite, il se livre à plusieurs parades différentes tout en poussant des cris d'une diversité croissante. Par exemple, il hérisse ses plumes tout en déployant partiellement ses ailes avant d'exécuter à plusieurs reprises la «révérence». Il lui arrive aussi de sautiller sur le sol, puis de renverser la tête vers l'arrière tout en émettant le «claquement du bec».

C'est ainsi qu'il finit par rejoindre la femelle sur son perchoir. Parfois, elle l'accueille fraîchement avec le «claquement du bec» ou en hérissant ses plumes. Le mâle s'éloigne alors de quelques mètres pour recommencer ses parades.

En revanche, si elle semble réceptive, il s'installe tout près d'elle. Les deux oiseaux font alors mutuellement leur toilette. Chacun lisse les plumes que l'autre porte sur la tête et autour du bec. Cela sert probablement à estomper les velléités d'agressivité des deux oiseaux. Pendant ces rencontres, on peut entendre le mâle ou la femelle lancer plusieurs cris différents. Parfois, le couple s'envole pour se poser un peu plus loin. L'un des oiseaux exécute alors un sautillement accompagné de la «révérence» sans cesser de pousser divers cris.

Occasionnellement, le mâle apporte une proie à la femelle qui la dévore, non sans la partager quelquefois avec son compagnon.

L'accouplement, qui a souvent lieu au sol, suit généralement ces parades. Après la formation du couple, les oiseaux ne se séparent guère, passant souvent la journée à se reposer ensemble.

La nidification

Emplacement du nid: Généralement dans les arbres; parfois sur les escarpements.
Dimensions: Variables car les nids sont bâtis par d'autres oiseaux.
Matériaux: Brindilles.

Les grands ducs d'Amérique ne construisent pas de nid. Ils utilisent un nid déjà existant ou tout autre emplacement naturel propice, selon ce qu'ils peuvent trouver dans la région. Ils accaparent fréquemment les vieux nids d'éperviers, de buses ou d'aigles.

Toutefois, lorsqu'un couple de grands-ducs s'installe — comme c'est souvent le cas — dans un nid de buse à queue rousse, celle-ci le réclame rarement, car les hiboux nichent bien avant les buses. Si, à leur arrivée, celles-ci trouvent leur nid occupé, elles ne se querellent que très rarement avec les usurpateurs, préférant bâtir un nouveau nid pour la saison. Toutefois, en l'absence de nids de rapaces, les grands ducs accaparent ceux des corneilles, des hérons, voire des écureuils. Il arrive même qu'ils utilisent des souches de gros arbres ou des cavités formées par les parties pourries des troncs. Dans les régions escarpées, ils nichent sur les saillies des falaises ou dans de petites cavernes. On a même vu des grands ducs nicher simplement sur le sol.

En général, les oiseaux se contentent de nettoyer l'intérieur du nid qu'ils ont choisi, sans y ajouter de matériaux à l'exception de quelques plumes de leur poitrine. Si le couple s'est installé sur une falaise, la femelle pond directement sur le sol.

Il arrive que les grands ducs réutilisent le même nid année après année. Parfois, ils préfèrent s'installer dans un nouveau coin de leur territoire. Ils ne commencent à occuper le nid que quelques jours avant la ponte du premier œuf.

L'éducation des oisillons

Œufs: De 1 à 4; blancs.
Incubation: De 28 à 30 jours; c'est surtout la femelle qui incube.
Première phase de croissance: De 6 à 8 semaines.
Seconde phase de croissance: Environ 3 mois.
Couvée: 1.

Ponte et incubation

Peu après avoir pris possession de son nid, la femelle commence à pondre. L'incubation débute dès l'arrivée du premier œuf. En effet, la saison de reproduction commençant souvent en février pour les grands ducs habitant les régions tempérées, la température se situe encore audessous de zéro. La femelle pond à intervalles de deux jours, parfois de trois ou quatre.

Le nombre d'œufs d'une couvée varie d'une année à l'autre. Les observateurs ayant constaté que ces variations étaient comparables chez la plupart des grands ducs d'une région donnée, il est probable que les oiseaux sont capables d'évaluer la quantité de nourriture disponible, adaptant la taille de leur couvée à ce facteur. Dans l'est, la majorité des femelles pondent deux œufs. Dans le centre et l'ouest, la couvée compte habituellement trois ou quatre œufs. En Floride, on a trouvé des nids qui ne contenaient qu'un œuf.

Si la couvée est détruite, le couple essaiera d'en avoir une seconde soit dans le même nid, soit dans un autre. La ponte recommence généralement au bout de trois semaines.

L'incubation dure de vingt-huit à trente jours; c'est surtout la femelle qui s'en charge. Le mâle vient toutefois la remplacer lorsqu'elle décide d'aller chasser, mais le temps qu'il passe à incuber varie d'un couple à l'autre. En général, c'est la femelle qui incube pendant la journée, tandis que le mâle se repose sur un perchoir situé à distance variable du nid. Selon diverses études, le mâle pourrait, dans certains cas, incuber également pendant la journée.

Le «changement de quart» se produit en début de soirée. Habituellement, c'est le mâle qui vient remplacer la femelle, hululant doucement en s'approchant du nid. Après s'être posé dans le nid, il émet des bruits divers, dont une sorte de caquet. À ce moment-là, l'un des oiseaux — parfois les deux — se livre à la «révérence» et les deux partenaires se font parfois mutuellement leur toilette (voir *La cour*). Ensuite, la femelle prend son envol. Il arrive que le rituel soit beaucoup plus sommaire, le mâle se contentant de lancer à quelques reprises le «hululement» avant de s'installer sur les œufs.

Pendant cette période, les oiseaux ont coutume d'apporter dans le nid de la nourriture, qu'ils mangent seuls ou qu'ils partagent avec leur partenaire.

Première phase de croissance

L'incubation commençant dès la ponte du premier œuf, l'éclosion s'étale sur plusieurs jours. Les nouveau-nés ne sont guère plus gros que des poussins. Ils sont couverts d'un duvet blanc, sont incapables de tenir la tête droite et ont les yeux fermés. Couchés dans le nid, ils peuvent tout juste émettre un doux pépiement, parfois assez sonore pour qu'on l'entende en passant à proximité.

À deux semaines, leurs yeux s'ouvrent et quelques plumes apparaissent sur leur dos ou leurs ailes. Une semaine plus tard, les plumes des ailes ont environ 5 cm de longueur tandis que celles de la queue mesurent de 3 à 5 cm. Toutefois, les oisillons se meuvent encore difficilement. Pendant la troisième et la quatrième semaine, ils peuvent se déplacer dans le nid. Les parents cessent de les couver au bout d'une vingtaine de jours.

Entre la sixième et la huitième semaine, ils quittent le nid. Avant de s'envoler vers un perchoir tout proche, ils commencent par se poser sur les branches voisines si leur nid se trouve dans un arbre. Il est fréquent que les oisillons quittent très tôt le nid, peut-être à cause des orages ou des prédateurs. Il est également possible que le nid, peu entretenu, ne supporte plus leur poids. Lorsque cela se produit, ils s'installent sur une branche basse où les parents viennent les nourrir.

Les restes des proies restent dans le nid, où elles pourrissent. Les oisillons crachent des boulettes de résidus régurgités et reculent jusqu'au bord du nid pour déféquer. Vous apercevrez ainsi un cerne blanchâtre d'excréments sur le sol juste au-dessous du nid ou sur le rebord même de ce dernier.

Seconde phase de croissance

La seconde phase de croissance dure trois mois. Au début, les petits hiboux demeurent perchés sur le territoire, attendant que leurs parents leur apportent de la nourriture. Mais dès l'âge de neuf ou dix semaines, ils essaient de voler pour suivre leurs parents. À ce stade, ils poussent des cris sonores. Peu à peu, ils perfectionnent leur vol et apprennent à chasser. À l'âge de cinq mois, ils sont autonomes et la famille se disperse à ce moment-là, quittant le territoire.

Le plumage

Comment différencier le mâle de la femelle

Le mâle et la femelle ont un plumage identique. Seuls leur taille et leur comportement permettent de les distinguer. La femelle est plus grosse, mais ce n'est qu'en voyant le couple réuni que vous pourrez la reconnaître. Leur cri constitue le meilleur indice pour les différencier: le hululement du mâle est grave et sonore, alors que les cris de la femelle sont aigus et brefs. De plus, elle ne dispose pas d'un répertoire aussi complexe.

Comment distinguer les jeunes des adultes

La gorge des juvéniles est moins blanche et leurs aigrettes sont plus courtes que celles des adultes. Les rayures horizontales de leur poitrine sont plus espacées. Ils conservent également un peu de duvet autour du cou pendant leur premier hiver et jusqu'à l'été suivant.

Mue

Les adultes ne muent qu'une fois par an, en plein été. La mue se termine généralement vers le milieu de l'automne.

Les déplacements saisonniers

Bien que ces oiseaux ne soient pas migrateurs, certaines sous-espèces, notamment dans le nord, descendent vers le sud de façon significative en hiver. Néanmoins, leurs déplacements ne semblent coïncider ni avec des hivers particulièrement rudes ni avec les cycles démographiques de leurs proies. D'autres grands ducs, même ceux qui vivent sous des latitudes tempérées, se déplacent vers l'est ou vers l'ouest en hiver.

On sait également que, juste après la saison de reproduction, tous les grands ducs quittent leur territoire, qu'ils réintègrent vers le milieu de l'automne.

BobHines

Chouette rayée

Strix varia (Barton) / Barred Owl

La chouette rayée est extrêmement loquace. Il n'est pas rare de l'entendre hululer en plein milieu d'une journée estivale. Cependant, notre ignorance des mœurs de cet oiseau, pourtant commun, est tout à fait ahurissante. Nous ne savons même pas avec certitude combien de temps dure l'incubation. En outre, un mystère presque total plane sur les parades, les cris et le comportement, territorial ou nuptial, de cet oiseau.

Il est fréquent que des chouettes rayées apparaissent en hiver dans un jardin public, se nourrissant de petits rongeurs et d'oiseaux. Il s'agit probablement de mâles qui délaissent provisoirement leur territoire, trop pauvre en gibier, peut-être chassés par les femelles qui, étant plus grosses, représentent l'élément dominant du couple. Toutefois, aucune observation n'est encore venue étayer cette hypothèse.

Nous espérons que, après avoir lu cette synthèse qui représente l'état des connaissances actuelles sur la chouette rayée, vous tâcherez, par vos propres observations, d'en apprendre davantage et d'élucider quelques-uns des mystères de son existence quotidienne.

CALENDRIER DU COMPORTEMENT

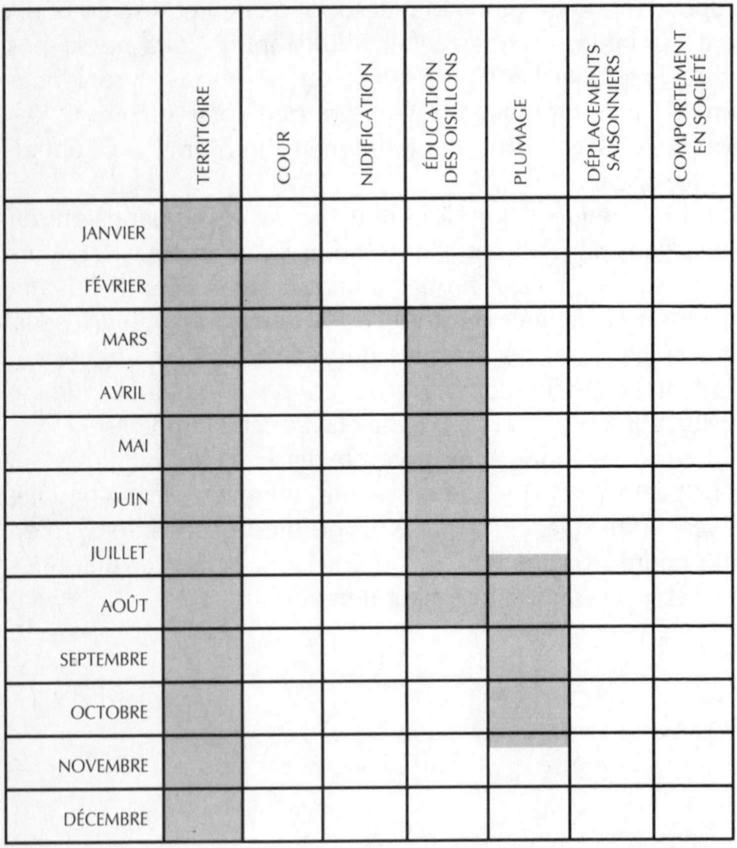

	TERRITOIRE	COUR	NIDIFICATION	ÉDUCATION DES OISILLONS	PLUMAGE	DÉPLACEMENTS SAISONNIERS	COMPORTEMENT EN SOCIÉTÉ
JANVIER							
FÉVRIER							
MARS							
AVRIL							
MAI							
JUIN							
JUILLET							
AOÛT							
SEPTEMBRE							
OCTOBRE							
NOVEMBRE							
DÉCEMBRE							

Communication visuelle

Les manifestations visuelles de la chouette rayée n'ont pas été assez bien étudiées pour que nous en décrivions quelques-unes ici. Il semble toutefois que ces oiseaux exécutent quelques parades semblables à celles que nous avons mentionnées dans le chapitre consacré au grand duc d'Amérique, notamment la «révérence» et l'«étalement des ailes».

Communication auditive

1. Hululement

Mâle ou femelle *P, É, A, H*

Cette série de hululements est émise sur un rythme bien précis et se termine souvent par une note plus feutrée: «hou hou houhou, hou hou, houhou, owwww».

Contexte: Le hululement sert peut-être au couple à rester en contact. On pense qu'il est également utilisé au cours des querelles territoriales ou comme cri d'alarme au nid. On l'entend parfois pendant la journée. C'est pendant la cour et vers la fin de l'été ou au début de l'automne qu'il est le plus fréquent.

2. Hululement ascendant

Mâle ou femelle *P, É, A, H*

Cette série de six à neuf «hou» est émise sur une gamme ascendante. Elle se ter-

mine, comme le hululement ordinaire, par une note plus feutrée.
Contexte: Inconnu. On l'entend souvent dans des circonstances semblables à celles qui incitent les oiseaux à lancer le «hululement».

3. Hou-oww

Mâle ou femelle *P, É, A, H*

Il s'agit d'un cri bref, émis sur une gamme descendante. L'oiseau peut le répéter à quelques reprises, à des intervalles de une minute, parfois plus.
Contexte: Inconnu. Peut-être ce cri permet-il au couple de rester en contact. On l'entend souvent à quelque distance du nid.

4. Sifflement ascendant

Mâle ou femelle *P, É, A, H*

Ce sifflement, dont la dernière note est beaucoup plus aiguë, ressemble beaucoup au bruit émis par les humains lorsqu'ils sifflent en plaçant deux doigts dans la bouche.
Contexte: Inconnu.

On ignore si les cris mentionnés plus haut sont associés les uns aux autres, s'il s'agit de variantes du même cri ou de cris ayant des fonctions entièrement distinctes.
Les chouettes rayées émettent beaucoup d'autres sons, parmi lesquels un amalgame de caquets, de croassements et de gargouillis que l'on peut notamment entendre lorsque deux oiseaux se

rencontrent, que ce soient deux partenaires ou deux voisins. Beaucoup d'entre eux sont impossibles à décrire clairement et aucun n'a fait l'objet d'une étude assez approfondie pour nous permettre de comprendre leur fonction exacte.

DESCRIPTION DU COMPORTEMENT

Le territoire

Fonctions: Accouplement; nidification; subsistance.
Dimensions: Près de 2 km^2.
Comportement habituel: «Hululement».
Durée de sa défense: Toute l'année.

Peu d'études ont été consacrées au comportement territorial des chouettes rayées. On sait qu'elles répondent rapidement aux enregistrements de hululements ou à des imitations exécutées par des humains. Habituellement, elles s'approchent de l'endroit d'où vient le cri ou, peut-être, de la frontière de leur territoire si l'observateur se trouve en dehors de celui-ci. Mâles et femelles semblent répondre aux cris des autres chouettes, qu'ils proviennent d'enregistrements ou de congénères. Les oiseaux des deux sexes défendent le territoire. On a déjà entendu des cris divers pendant les rencontres territoriales, mais on ignore encore leur signification précise. Ni les revendications ni la défense ne semblent s'intensifier à un moment particulier de l'année.

La superficie moyenne d'un territoire est de 2 km^2. Il arrive que les oiseaux n'en utilisent qu'une partie pendant la saison des nids. En revanche, le territoire s'agrandit en hiver si le gibier vient à manquer. Les chouettes sont alors contraintes de chasser dans des milieux inhabituels. Les mâles décident parfois de quitter leur territoire, mais les femelles y demeurent toute l'année. On a déjà vu certains de ces mâles chasser dans les banlieues, voire en pleine ville. Toutefois, ils rejoignent leur compagne dès les premiers jours du printemps. Dans les régions où l'hiver est moins rude, le couple passe toute l'année sur son territoire.

On a toujours cru que les chouettes rayées avaient une prédilection pour les régions humides. Pourtant, de récentes études ont infirmé cette hypothèse. Il est vrai que les oiseaux se plaisent dans les forêts anciennes, dont l'étage inférieur est propre. De plus, les arbres y sont assez vieux pour posséder des cavités dans lesquelles les oiseaux nichent. Leurs branches fournissent d'excellents postes d'observation d'où ils peuvent plonger sur leurs proies terrestres. En général, les adultes adoptent, sur leur territoire, des perchoirs qu'ils utilisent pour manger et dormir. Les boulettes de résidus régurgités s'accumulent juste audessous.

La cour

Comportements habituels: «Hululement»; peut-être d'autres manifestations.
Durée: De février à mars.

La cour demeure un aspect mystérieux du comportement de tous nos hiboux communs et c'est sur la chouette rayée que nous en savons le moins. Le mâle et la femelle demeurent généralement toute l'année sur leur territoire, sauf en cas de disette de nourriture, auquel cas le mâle passe l'hiver ailleurs.

On pense que, dans l'ensemble, les parades nuptiales des chouettes rayées ressemblent à celles des grands ducs. Le mâle s'approche de la femelle en émettant des bruits divers. La femelle, dont la voix est plus aiguë, est généralement silencieuse pendant ces rencontres. Lorsque le mâle réussit à s'approcher d'elle, il exécute peut-être des parades semblables à celles des grands ducs, soit l'«étalement des ailes» et la «révérence».

La cour semble avoir lieu en février et en mars. Après la formation du couple, les deux partenaires ne se séparent plus de toute la saison. Ils utilisent probablement des cris brefs et des hululements pour rester en contact pendant leur chasse nocturne.

La nidification

Emplacement du nid: Dans la cavité d'un arbre, à plus de 6 m du sol; parfois, les chouettes utilisent le nid d'autres oiseaux.
Dimensions: L'orifice d'entrée doit avoir au moins 15 cm de diamètre.
Matériaux: Aucun matériau n'est apporté au nid, sauf peut-être lorsque le couple utilise le nid d'autres oiseaux; à ce moment-là, il ajoute de la mousse ou quelques brins d'herbe.

En général, les chouettes rayées préfèrent nicher dans des cavités, soit à l'endroit où une branche s'est détachée du tronc, laissant un trou, soit au sommet d'une souche, là où le bois est pourri à l'intérieur. L'entrée doit avoir au moins 15 cm de diamètre si elle est latérale, et près du double si elle se trouve au sommet de la cavité. Une étude a permis de découvrir que la profondeur moyenne de cette dernière était d'environ 50 cm. Les chouettes ne tapissent leur nid que de quelques plumes arrachées à leur poitrine.

Lorsqu'ils ne trouvent aucun creux convenable, les oiseaux utilisent un vieux nid de rapace, de corneille ou d'écureuil. Ils affectionnent notamment les nids de buses à épaulettes rousses et d'éperviers de Cooper. Toutefois, ils se contentent de remettre le rebord en état et de tapisser l'intérieur de brins d'herbe, de mousse ou d'aiguilles de pin.

Il arrive que les chouettes rayées soient contraintes de bâtir leur propre nid, mais cela arrive très rarement. Peu robustes, les nids construits par les chouettes s'effondrent facilement, provoquant la destruction de la couvée.

En général, les chouettes rayées reviennent nicher au même endroit plusieurs années de suite. Une étude a permis de constater qu'un couple avait occupé la même cavité neuf années consécutives.

Les nids se situent habituellement à une hauteur de 7 à 25 m. À moins de surprendre une chouette dans son nid, celui-ci est difficile à repérer, car on n'aperçoit que rarement d'indices trahissant sa présence, par exemple des boulettes de résidus régurgités ou des excréments autour de l'arbre.

L'éducation des oisillons

Œufs: Environ 2 ou 3; blancs.
Incubation: Entre 28 et 33 jours; c'est surtout la femelle qui incube.
Première phase de croissance: De 4 à 7 semaines; parfois plus.
Seconde phase de croissance: Jusqu'à la fin de l'été ou au début de l'automne.
Couvée: 1.

Ponte et incubation

La femelle pond un œuf tous les deux jours, parfois à intervalles plus longs. Il est possible que l'incubation commence dès la ponte du premier, car l'un des adultes reste toujours dans le nid pendant la nuit. En revanche, les parents s'absentent parfois tous les deux pendant la journée. Mais dès la ponte du dernier œuf, il y a toujours un oiseau dans le nid, sauf pendant quelques minutes, le matin et le soir.

On ignore dans quelle mesure le mâle participe à l'incubation, mais on sait avec certitude que c'est la femelle qui incube le plus. Toutefois, cette proportion varie selon les couples, comme chez les grands ducs.

Peu de documents traitent du comportement des chouettes rayées pendant l'incubation. Personne ne semble avoir aperçu des restes de gibier dans le nid, ce qui permet de penser que les deux oiseaux mangent à quelque distance de là. On ne sait si le mâle nourrit la femelle pendant cette période et, si tel est le cas, dans quelle proportion.

Les chercheurs ne sont même pas d'accord sur la durée de l'incubation: certains parlent de quatre semaines mais, selon de récentes études, elle se poursuivrait près de cinq semaines. Il est évident que d'autres observations s'imposent.

Première phase de croissance

L'éclosion s'étale sur plusieurs jours, ce qui prouve que l'incubation commence avant la fin de la ponte. Pendant deux ou trois semaines, les parents gardent les petits sous leur ventre. Ils leur apportent de la nourriture qu'ils déchiquettent avant de la leur offrir, lambeau par lambeau. On ne sait pas comment les oiseaux parviennent à enlever du nid les restes de proies et les excréments des oisillons lorsque la famille niche dans la cavité d'un arbre.

Pendant la première semaine, les petits sont couverts de duvet et ont les yeux fermés. La semaine suivante, ils voient et rampent dans le nid. Dès la troisième semaine, de nouvelles plumes duveteuses remplacent le duvet initial et l'on commence à apercevoir les plumes des ailes. Les oisillons sortent du nid à un moment que l'on situe habituellement entre quatre semaines et demie et neuf semaines après l'éclosion. Tout dépend, pense-t-on, de l'espace dont dispose la couvée dans le nid. Il est possible qu'un départ précoce soit provoqué par un entassement excessif des petits dans la cavité.

Quoi qu'il en soit, les petites chouettes sont incapables de voler lorsqu'elles quittent le nid. Elles sortent de la cavité en s'agrippant à l'écorce avec leur bec et leurs serres. Si elles tombent, elles peuvent grimper aux arbres dont l'écorce est assez rêche pour s'y accrocher. On les voit alors entourer le tronc de leurs ailes. En vingt minutes, elles peuvent escalader près de 15 m.

Le comportement des adultes, pendant cette phase, diffère selon le couple. En général, les chouettes rayées sont des oiseaux relativement paisibles qui s'éloignent silencieusement du nid lorsqu'un observateur est à proximité. Dans d'autres cas, elles demeurent dans le nid même lorsque les humains s'en approchent de très près. Toutefois, il convient de prendre des précautions pour observer des oiseaux de proie, car leurs serres sont particulièrement puissantes et ils peuvent se montrer agressifs, notamment aux environs du nid. C'est surtout lorsque les oisillons ont quitté le nid que vous risquez de déclencher une réaction défensive de la part des adultes.

Seconde phase de croissance

Les petits, incapables de voler au début de cette phase, passent la journée perchés sur des branches propres. À sept semaines, ils commencent à revêtir leur livrée d'hiver. C'est entre l'âge de douze et quinze semaines qu'ils apprennent à voler et peuvent enfin quitter les alentours du nid avec leurs parents. Mais les adultes continuent de les nourrir jusqu'à la fin de l'été ou au début de l'automne.

À ce stade, on entend fréquemment les juvéniles émettre un bruit qui tient à la fois du sifflement et du grincement. Il dure près de trois secondes et devient plus aigu vers la fin. Les jeunes chouettes le répètent deux à trois fois à la minute. On les entend également gazouiller.

Lorsqu'ils savent voler, ils accompagnent leurs parents à la chasse. Les juvéniles restent en groupe et on peut les voir tous perchés dans le même arbre. Ils continuent pendant plusieurs jours à dormir sur le sol, cachés parmi les hautes herbes. Vers la fin de l'été, les petites chouettes sont capables de chasser, mais demeurent encore avec leurs parents et continuent de réclamer de la nourriture à grands cris. On pense qu'elles se dispersent seulement à l'automne.

Le plumage

Comment différencier le mâle de la femelle
Leur plumage est identique. La femelle est plus grosse, mais cet indice ne permet de différencier le mâle de la femelle que si le couple est réuni. Toutefois, on peut les reconnaître grâce à leur voix. La femelle possède une voix plus aiguë et plus perçante que le mâle. En outre, elle se charge de la plus grosse partie de l'incubation. Parfois, elle est même seule à incuber.

Comment distinguer les jeunes des adultes
En hiver, tous les oiseaux se ressemblent, bien que le plumage des juvéniles soit un peu plus roux. Les extrémités rougeâtres de leurs plumes s'effacent pendant l'hiver et, dès leur premier printemps, ils sont identiques aux adultes.

Mue
Les chouettes rayées muent complètement une fois par an, de la mi-juillet ou du début d'août à la fin d'octobre ou au début de novembre.

Les déplacements saisonniers

Les chouettes rayées ne migrent pas. En hiver, les mâles quittent parfois leur territoire de subsistance pour gagner des endroits plus riches en gibier. Il arrive même qu'ils hivernent dans les banlieues ou les villes, se nourrissant d'oiseaux ou de petits mammifères.

Bob Hines

Petit duc maculé

Otus asio (Linné) / Eastern Screech Owl

Lorsque vous entendrez pour la première fois le «hennissement» étrange du petit duc maculé, vous resterez sans doute figé d'effroi, surtout si vous êtes seul en forêt. Mais le petit hibou qui émet ce cri sinistre n'a rien de menaçant. Habituellement, on peut le voir en plein jour, installé à l'entrée d'une cavité ou d'un nichoir, occupé à scruter les environs.

Bien que cet oiseau soit très répandu à la campagne et dans les banlieues, nous avons encore beaucoup à apprendre sur son comportement. À l'exception du «hennissement» et du «cri monotone», son répertoire a rarement pu être enregistré. Nous pouvons seulement conjecturer sur son comportement territorial, et les descriptions de la cour sont extrêmement rares.

Pourtant, d'innombrables ornithologues amateurs, munis d'enregistrements des principaux cris du petit duc maculé, arpentent les forêts la nuit dans l'espoir de les inciter à leur répondre et, de cette façon, de les repérer. Ces activités sont habituellement organisées aux États-Unis par la société Audubon, vers l'époque de Noël. Mais pour mieux cerner le cycle de vie de ce petit hibou, si populaire, pour comprendre son comportement en société ainsi que ses relations avec les oiseaux d'autres espèces, nous devons aller au-delà du simple recensement des populations.

CALENDRIER DU COMPORTEMENT

	TERRITOIRE	COUR	NIDIFICATION	ÉDUCATION DES OISILLONS	PLUMAGE	DÉPLACEMENTS SAISONNIERS	COMPORTEMENT EN SOCIÉTÉ
JANVIER							
FÉVRIER							
MARS							
AVRIL							
MAI							
JUIN							
JUILLET							
AOÛT							
SEPTEMBRE							
OCTOBRE							
NOVEMBRE							
DÉCEMBRE							

Communication visuelle

Les manifestations visuelles des petits ducs maculés n'ont pas été suffisamment étudiées pour que nous puissions affirmer que tel ou tel mouvement constitue une de ses manifestations ritualisées. Toutefois, de brèves descriptions donnent à penser que ces oiseaux se livrent, pendant la cour, à la «révérence» et à l'«étalement des ailes», deux parades semblables à celles que l'on peut observer chez les grands ducs d'Amérique.

Communication auditive

Comme c'est le cas chez la plupart des hiboux, les mâles ont une voix plus grave que celle des femelles bien qu'ils soient de plus petite taille. C'est également le mâle qui pousse le plus souvent le «hennissement» et le «cri monotone». La femelle préfère communiquer à l'aide de tout un répertoire de hululements et d'aboiements, surtout lorsqu'elle défend sa nichée.

1. Hennissement

Mâle ou femelle *P, É, A, H*

Il s'agit d'un cri aigu, vibrant, qui commence par monter pour redescendre ensuite.

Contexte: On l'entend souvent pendant la défense territoriale, notamment vers la fin de l'été et au début de l'automne. (Voir *Le territoire, L'éducation des oisillons.*)

2. Cri monotone

Mâle ou femelle *P, É, A, H*

Ce cri chevrotant est émis sur un seul ton monotone.

Contexte: On l'entend souvent pendant que le mâle et la femelle sont ensemble. Un couple peut l'interpréter en duo dans une version plus brève. Peut-être sert-il au mâle pour revendiquer une cavité afin d'y établir son nid. Il est surtout fréquent de la fin de l'hiver au début du printemps. (Voir *Le territoire, La cour.*)

3. Claquement du bec

Mâle ou femelle *P, É, A, H*

Il s'agit d'un claquement sec tout à fait audible.

Contexte: Ce bruit s'adresse habituellement à un agresseur qui se trouve à proximité, par exemple un prédateur ou un vol d'oiseaux chanteurs qui harcèlent le petit duc.

DESCRIPTION DU COMPORTEMENT

Le territoire

Fonctions: Accouplement; nidification.
Dimensions: Les abords de la cavité que l'oiseau a choisie pour nidifier.
Comportements habituels: «Hennissement», «cri monotone»; poursuites.
Durée de sa défense: De la fin de l'automne au début du printemps.

Les rencontres les plus hostiles entre petits ducs maculés se produisent surtout autour du nid. La défense du territoire commence dès la fin de l'hiver, tandis que le mâle revendique une ou plusieurs cavités. On pense qu'il annonce sa prise de possession de son territoire à l'aide du «cri monotone».

L'aire d'un petit duc maculé s'étend en fonction de la concentration de nourriture. Dans les régions rurales ou sauvages, la superficie d'une aire peut aller de 35 à 50 ha. Dans les zones urbaines, où abonde le gibier de prédilection des petits ducs (insectes, rongeurs, petits oiseaux), il arrive que les aires ne dépassent guère 5 à 7 ha.

Les oiseaux passent tout l'hiver sur leur aire, ne s'en éloignant que si la nourriture commence à manquer. Selon certaines études, les petits ducs maculés auraient un comportement territorial sur leur aire qu'ils défendraient contre leurs voisins. Toutefois, les querelles sont certainement rares, car chaque oiseau finit vraisemblablement par s'habituer à la présence de son voisin et par respecter son territoire.

Il existe plusieurs descriptions de ce que l'on pense être un comportement territorial. L'oiseau commence par pousser le «hennissement» ou le «cri monotone» et, au fur et à mesure que les deux oiseaux s'approchent l'un de l'autre, toute une série de sons agressifs, très graves, sont émis. Ensuite, il arrive que l'un des oiseaux charge l'autre et, si le combat est inévitable, tous deux roulent sur le sol. Cris et affrontements se poursuivent jusqu'à ce que l'un des combattants s'éloigne. On ignore si les spécimens des deux sexes participent à la défense territoriale.

C'est surtout vers la fin de l'été et au début de l'automne que l'on peut observer ce type de comportement. À cette époque, les jeunes hiboux se dispersent tandis que les adultes, déjà établis, les empêchent de s'installer à proximité.

Les petits ducs maculés réagissent à des imitations ou à des enregistrements de leurs cris en s'approchant. Parfois ils répondent, pensant peut-être avoir affaire à un intrus. On a néanmoins remarqué qu'ils restaient souvent silencieux même lorsque l'enregistrement émanait d'un endroit tout proche, auquel cas on a supposé que cet endroit se trouvait en dehors du territoire. En général, un seul membre du couple répond à l'enregistrement. Peut-être est-ce le mâle. Il est possible que ce soit lui qui se charge du plus gros de la défense territoriale, comme c'est le cas chez les grands ducs d'Amérique. On a remarqué que les petits ducs maculés répondaient plus volontiers aux enregistrements vers le début de l'automne, en hiver et au printemps.

La cour

Comportements habituels: «Hennissement», «cri monotone»; transfert de nourriture.
Durée: De la fin de l'hiver jusqu'à ce que la saison de reproduction soit bien entamée.

La relation entre un mâle et une femelle naît à proximité du futur nid. Vers la fin de l'hiver, le mâle prend possession d'une ou de plusieurs cavités de nidification afin d'attirer la femelle. Ensuite, il nourrit sa compagne, déposant les proies dans le nid ou sur un perchoir tout proche.

Il n'existe toutefois que quelques rares descriptions de la cour proprement dite et des parades nuptiales, probablement difficiles à surprendre, qui l'accompagnent. Bien entendu, d'autres observations s'imposent. Le peu de données dont nous disposons laissent croire toutefois que la cour commence en février ou en mars, le mâle s'approchant progressivement de la femelle en poussant le «hennissement» ou le «cri monotone».

Au fur et à mesure qu'il s'avance vers elle, il peut se livrer à quelques parades, dont la «révérence» et l'«étalement des ailes». Si la femelle n'est pas agressive, il se pose à côté d'elle et tous deux font mutuellement leur toilette, se lissant les plumes de la tête. Juste avant l'accouplement, les partenaires peuvent lancer le «cri monotone». On a remarqué qu'ils pouvaient ainsi rester côte à côte, continuant à lancer des cris et, parfois, se faisant mutuellement leur toilette. Il est possible que le «cri monotone» se modifie quelque peu, devenant plus bref, tandis que les oiseaux entament un duo. On constate d'ailleurs que la version de la femelle est beaucoup plus aiguë. Mais dès que le mâle lui monte sur le dos pour la copulation, les cris cessent. Si les oiseaux s'accouplent une seconde fois, les parades préliminaires sont beaucoup plus restreintes, voire inexistantes.

La nidification

Emplacement du nid: Dans les cavités des arbres; les nichoirs ou les orifices des bâtiments; à une hauteur variant entre quelques dizaines de centimètres et près de 10 m.
Dimensions: Variables.
Matériaux: Les oiseaux n'apportent aucun matériau dans le nid.

Les petits ducs utilisent des cavités pour nicher, se nourrir, dissimuler de la nourriture et dormir pendant la journée. Parfois, il s'agit de cavités naturelles, par exemple à l'intérieur d'un tronc pourri, ou dans des orifices creusés par des pics, notamment des pics flamboyants. En l'absence de cavités naturelles, les oiseaux se contentent de nichoirs, tels ceux qu'utilisent habituellement les canards huppés, ou de simples ouvertures dans la façade des granges et des communs. Ils n'apportent aucun matériau au nid, se contentant de pondre au fond du trou. Au printemps et en été, ils utilisent ces cavités comme nids. Mais elles leur servent aussi tout au long de l'année pour se protéger des prédateurs et des intempéries.

Pendant la journée, les petits ducs maculés dorment à l'abri des éperviers et des oiseaux plus petits qui harcèlent les hiboux. Leur choix dépend non seulement des conditions climatiques, mais aussi du couvert végétal. Par exemple, en été, lorsque les arbres sont couverts de feuilles, les oiseaux peuvent utiliser n'importe quel tronc pour s'y dissimuler. Mais en hiver, alors qu'il fait froid et que la plupart des arbres sont dénudés, les petits ducs jettent leur dévolu sur les conifères ou les nichoirs artificiels.

Se méfiant des hiboux, plus gros que lui, qui sortent aussi la nuit, le petit duc maculé emporte souvent sa proie dans la cavité qui ne tarde pas à contenir des restes ainsi que des boulettes de résidus régurgités. Les oiseaux y dissimulent aussi des provisions. C'est pourquoi la cavité contient souvent des cadavres intacts d'oiseaux ou de souris.

L'éducation des oisillons

Œufs: De 4 à 6; blancs.
Incubation: En moyenne 27 à 30 jours; seule la femelle incube.
Première phase de croissance: Environ 4 semaines.
Seconde phase de croissance: De 6 à 8 semaines.
Couvée: 1.

Ponte et incubation

La ponte commence au printemps. Pendant les quelques jours qui la précèdent, la femelle ne quitte pas le nid. Elle pond les premiers œufs tous les jours ou tous les deux jours. Ensuite, l'intervalle augmente jusqu'à trois jours. On pense que l'incubation commence dès la ponte du premier œuf. La femelle est seule à incuber et, donc, à acquérir un repli incubateur. Bien que le mâle la remplace parfois quelques minutes dans le nid, il n'incube sans doute pas véritablement.

Pendant cette période, la femelle est entièrement nourrie par son compagnon qui, souvent après avoir mangé une partie de la proie, la dépose dans le nid ou sur un perchoir proche. Les restes s'accumulent dans la cavité, avec les boulettes de résidus régurgités et les excréments. Par conséquent, l'intérieur du nid est particulièrement sale, même avant l'éclosion des œufs.

Première phase de croissance

Les œufs éclosent en quelques jours et le mâle commence à apporter davantage de nourriture, qu'il laisse tomber dans le nid. La femelle s'empare de la proie, qu'elle déchiquette avant d'en placer des lambeaux dans le bec des oisillons. Chaque soir, vers la même heure, elle s'absente brièvement du nid; il lui arrive aussi de le faire quelques minutes le matin.

La première semaine, les oisillons ont les yeux fermés. Ils sont couverts d'un duvet très fin, semblable à une chevelure. Pendant les deux premières semaines, la femelle les garde au chaud sous son ventre, jusqu'à ce que leurs plumes apparaissent. Dès la troisième semaine, elle dort parfois en dehors du nid, sur un perchoir tout proche. Les yeux des petits sont ouverts et leur plumage commence à se développer.

Les parents chassent pour nourrir la couvée. Chaque nuit, ils reviennent entre dix et soixante-dix fois au nid. Plus les proies sont de petite taille — papillons ou insectes, par exemple —, plus les voyages doivent être nombreux pour rassasier la nichée. Il arrive que la nourriture s'accumule dans le nid, mais elle ne tarde pas à être dévorée par les oisillons en pleine croissance. Après s'être posés sur un perchoir tout proche, les adultes volent directement au nid. Ils atterrissent sur le rebord de la cavité et plongent la tête à l'intérieur.

Les petits quittent le nid pendant leur quatrième semaine.

Seconde phase de croissance

Au cours des derniers jours de la phase précédente, les parents rationnent quelque peu les oisillons qui, parfois, vont jusqu'à perdre du poids, les incitant ainsi à sortir du nid. Lorsqu'ils l'auront quitté, ils seront de nouveau nourris correctement.

Les jeunes oiseaux sont incapables de voler lorsqu'ils sortent du nid pour la première fois. En revanche, ils peuvent escalader les branches en se servant de leur bec, de leurs serres et de leurs ailes. Par conséquent, ils se promènent dans l'arbre et, s'ils tombent, ils arrivent à remonter.

Les parents dorment à proximité de leur petite famille. À ce stade, la femelle se montre très protectrice envers sa nichée. Si vous vous approchez trop, elle risque de vous attaquer. Une semaine ou deux après leur départ du nid, les petits commencent à suivre les parents à la chasse. Peu à peu, ils apprennent à chasser et à se nourrir seuls.

La famille reste ensemble jusqu'à la fin de l'été ou au début de l'automne. Ensuite, les jeunes se dispersent dans toutes les directions. Il est rare qu'ils s'éloignent à plus de 2 km de l'endroit où ils sont nés, mais on note quelques exceptions. On a découvert notamment un oiseau qui avait parcouru plus de 150 km. Les adultes, eux, restent sur leur aire.

Le plumage

Comment différencier le mâle de la femelle

Le plumage est identique chez les oiseaux des deux sexes. Toutefois, la femelle se charge de l'incubation et elle a une voix plus aiguë que le mâle.

Comment distinguer les jeunes des adultes
Il est très difficile de faire la distinction entre un jeune et un adulte.

Mue
Les petits ducs maculés muent complètement une fois par an, de la fin de juillet à la mi-novembre.

Polymorphisme
Dans l'est, cette espèce est généralement polymorphe. On constate la coexistence de deux colorations, indépendamment du sexe ou de l'âge de l'oiseau. Il s'agit de la phase rousse et de la phase grise. Des études ont montré que ce sont surtout des oiseaux en phase grise que l'on trouve dans les régions septentrionales, tandis que les petits ducs en phase rousse se concentrent aux États-Unis. En Floride, on ne considère pas cette espèce comme polymorphe, car toutes les gradations entre les deux phases coexistent. On pense que la sélection naturelle se produit dans le nord, où les oiseaux en phase rousse meurent pendant les grands froids, auxquels ils ne sont pas adaptés, mais il ne s'agit là que d'une hypothèse.

Les déplacements saisonniers

Le petit duc maculé n'est pas un oiseau migrateur. Les adultes passent l'année sur leur territoire de reproduction, ne se déplaçant que si la nourriture vient à manquer. Les jeunes se dispersent vers la fin de l'été et à l'automne.

BobHines

Colibri à gorge rubis

Archilochus colubris (Linné)
Ruby-Throated Hummingbird

Pourquoi les humains sont-ils à ce point fascinés par les colibris? Est-ce à cause de leur petite taille (ils ne pèsent que quelques grammes et mesurent seulement une dizaine de centimètres), de leur plumage chatoyant (leurs plumes contiennent une matière spéciale qui les rend iridescentes), de l'extraordinaire agilité de leur vol (ils peuvent voler dans toutes les directions, y compris à reculons pendant quelques secondes) ou est-ce plutôt leur appétit vorace (un colibri peut consommer 50 p. 100 de son poids en sucre chaque jour... sans engraisser!)? Quelle que soit la raison de cet engouement, les colibris sont des oiseaux ensorcelants, que les ornithologues amateurs affectionnent tout particulièrement.

Si vous souhaitez en attirer dans votre jardin, il ne vous reste plus qu'à planter à profusion des plantes annuelles et des plantes vivaces ainsi que des buissons dont les fleurs sont riches en nectar, surtout les fleurs tubulaires rouges. Lorsque les colibris auront pris l'habitude de flâner parmi vos plates-bandes, installez des mangeoires à leur intention à proximité. Mais soyez patient! Tous les oiseaux ne découvrent pas immédiatement les mangeoires.

En observant les colibris dans votre jardin, vous en apprendrez beaucoup sur leur comportement. Quelles sont les principales parades entre mâle et femelle, entre adultes du même sexe, entre adultes et juvéniles? Les colibris sont très agressifs à proximité de leurs sources de nourriture et vous ne tarderez pas à surprendre beaucoup de poursuites et de parades. Ils iront même jusqu'à s'en prendre à vous!

Malgré tout, nous manquons encore de données sur le comportement de ces oiseaux. Certains auteurs pensent que leurs parades servent uniquement à défendre les sources de nourriture, n'ayant aucun rapport précis avec la cour. Contrairement à d'autres espèces dont les couples élèvent ensemble des petits, les oiseaux des deux sexes ne se rapprochent que brièvement, au moment de l'accouplement. Ensuite, c'est la femelle qui s'occupe de la couvée. On ignore encore comment ces couples éphémères se forment et dans quelles circonstances a lieu l'accouplement.

CALENDRIER DU COMPORTEMENT

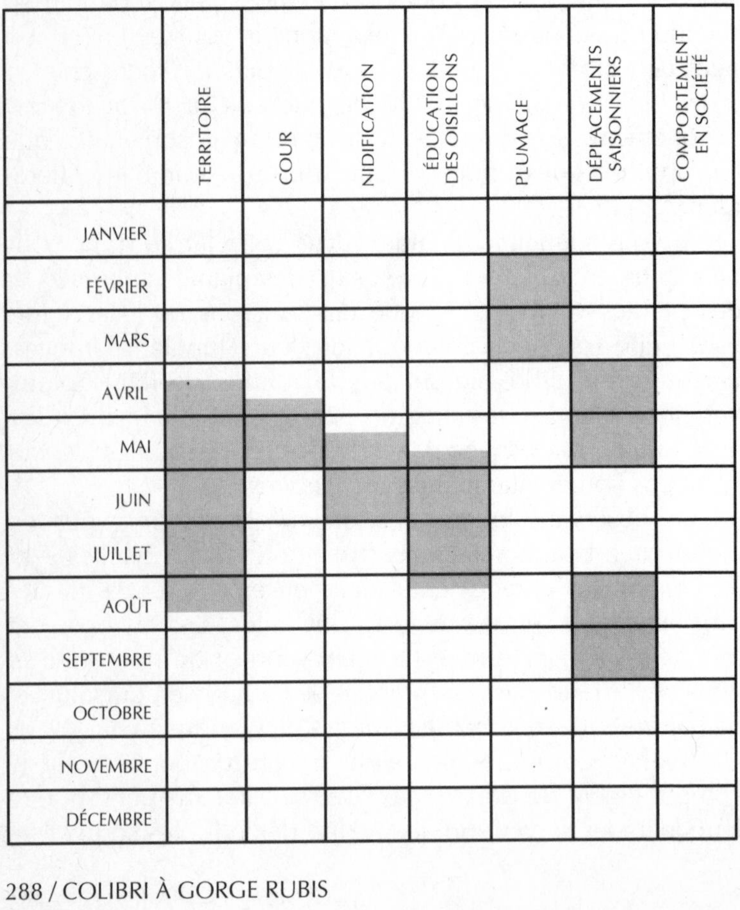

	TERRITOIRE	COUR	NIDIFICATION	ÉDUCATION DES OISILLONS	PLUMAGE	DÉPLACEMENTS SAISONNIERS	COMPORTEMENT EN SOCIÉTÉ
JANVIER							
FÉVRIER							
MARS							
AVRIL							
MAI							
JUIN							
JUILLET							
AOÛT							
SEPTEMBRE							
OCTOBRE							
NOVEMBRE							
DÉCEMBRE							

On compte seize espèces de colibris qui se reproduisent aux États-Unis, mais on ne trouve le colibri à gorge rubis que dans la partie orientale du continent. Il est très rare qu'une espèce de l'ouest soit aperçue dans l'est. On sait que le colibri à gorge rubis se reproduit dans le sud du Canada et dans l'est, le sud et le centre des États-Unis.

GUIDE DE LA COMMUNICATION

Communication visuelle

1. Mouvement de pendule

Mâle *P, É*

L'oiseau va et vient suivant la trajectoire d'un pendule. De chaque côté, il peut s'élever de 1 à 12 m pour redescendre sur son perchoir.

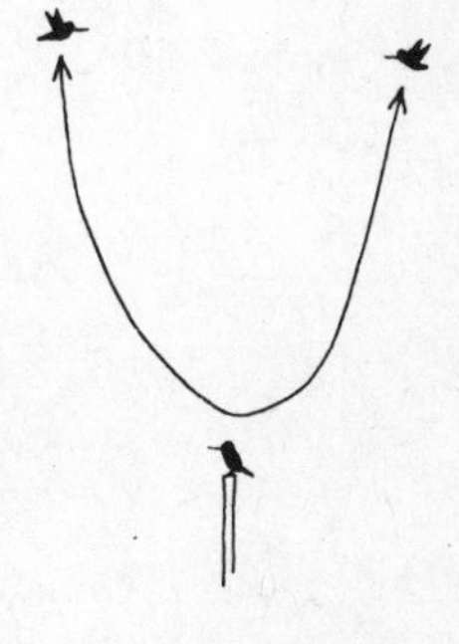

Cris: Un bourdonnement sonore, sans doute émis par la queue et les ailes, accompagne ce mouvement lorsque l'oiseau atteint le point le plus bas de sa trajectoire. Il lui arrive également de pousser des cris grinçants.

Contexte: Les mâles adoptent cette conduite pendant les querelles avec d'autres mâles ou lorsqu'ils rencontrent une femelle. Elle sert sans doute de vol nuptial. (Voir *Le territoire, La cour.*)

2. Vol vertical

Mâle ou femelle *P, É*

Deux colibris se déplacent de bas en haut, face à face, séparés d'environ 50 cm. Parfois, leur vol s'effectue selon un mouvement de balancier, l'un des oiseaux étant en bas lorsque l'autre est en haut. Certains observateurs ont éga-

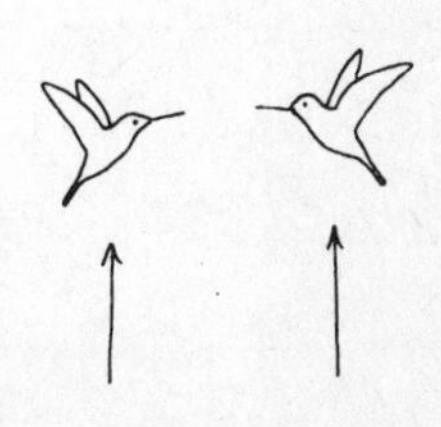

lement vu deux colibris exécuter un vol en spirale, toujours face à face.
Cri: Gazouillis.
Contexte: Il s'agit sans doute d'une parade agressive, ou peut-être nuptiale. Les auteurs d'une étude ont vu la copulation se produire aussitôt après, sur le sol. (Voir *Le territoire, La cour.*)

3. Vol horizontal

Mâle ou femelle *P, É*

L'oiseau va et vient en suivant une courte trajectoire horizontale.
Cris: Gazouillis ou bourdonnement.
Contexte: Nous avons surpris cette parade pendant des affrontements entre colibris et lorsque d'autres espèces d'oiseaux faisaient irruption dans le jardin. Selon un auteur, il s'agirait également d'une parade nuptiale, qui peut être suivie d'une poursuite et de l'accouplement. (Voir *Le territoire, La cour.*)

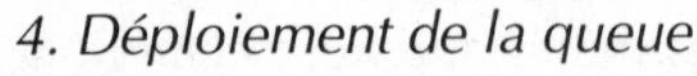

4. Déploiement de la queue

Mâle ou femelle *P, É*

L'oiseau ouvre la queue en éventail.
Cris: Bourdonnement ou gazouillis.
Contexte: Il s'agit d'une parade agressive et, peut-être aussi, nuptiale. On observe ce mouvement pendant le «vol vertical» et le «vol horizontal».

Communication auditive

Le répertoire des colibris à gorge rubis n'a été ni décrit dans les ouvrages scientifiques ni même étudié en profondeur. On sait que les oiseaux émettent des bourdonnements divers, sans doute à l'aide de leur queue et de leurs ailes. Ils poussent aussi plusieurs cris (gazouillis, bruit de crécelle, cri grinçant) selon les circonstances.

DESCRIPTION DU COMPORTEMENT

Le territoire

Fonction: Accouplement.
Dimensions: Environ 1 200 m^2.
Comportements habituels: «Mouvement de pendule», poursuites.
Durée de sa défense: Été.

Les colibris passent le plus clair de leur temps à affronter leurs congénères. Toutefois, on ignore encore dans quelles circonstances et pour quelles raisons ils acquièrent un comportement territorial et commencent à défendre une surface donnée. Il leur arrive de partager sans histoires une abondante source de nourriture, telle qu'un gros buisson fleuri. À d'autres moments, ils défendent farouchement un territoire précis qui englobe des fleurs riches en nectar.

Les mâles migrent avant les femelles et recherchent des territoires propices tels que des jardins. Ils commencent à défendre une superficie d'environ 0,10 ha. Lorsque la floraison d'un buisson est terminée, l'oiseau part à la recherche d'une nouvelle grappe de fleurs. On pense donc que le comportement territorial est surtout destiné à défendre la source de nourriture contre d'autres adultes, mâles ou femelles, bien que l'accouplement se produise également à cet endroit.

Un mâle qui a fait l'objet d'une étude fréquentait un jardin d'environ 1 200 m^2. Il en expulsait tous les autres colibris, quel que fût leur sexe, les poursuivant fréquemment bien au-delà des frontières de son territoire. Il en chassait également les abeilles et les papillons. Installé sur ses perchoirs favoris, il guettait les intrus. Dès qu'un autre colibri apparaissait, il se lançait à sa poursuite et, s'il ne vidait pas incontinent les lieux, l'occupant se livrait au «mouvement de pendule».

Les femelles ont un comportement territorial à proximité du nid, qu'elles ne bâtissent habituellement pas sur le fief du mâle. Dans certains cas, elles sont agressives à proximité de leurs sources de nourriture. Nous avons vu des colibris femelles revendiquer des territoires dans notre jardin, de juillet à septembre, soit au moment de la floraison d'une grosse plate-bande de lobélias *(Lobelia cardinalis).*

Chaque année, une femelle dominante veille sur le jardin, de ses perchoirs favoris. Elle chasse non seulement les autres femelles adultes mais également les juvéniles, mâles et femelles. Toutefois, nous ne l'avons pas encore vue chasser de mâles adultes. Elle s'en prend aussi aux abeilles et aux papillons ainsi qu'à d'autres espèces d'oiseaux, telles que les mésanges, les chardonnerets et même les geais bleus. Certaines femelles exécutent le «mouvement de pendule» face à d'autres femelles, à des juvéniles et à des représentants d'autres espèces.

Nous avons guetté avec intérêt les réactions des colibris qui essayaient de pénétrer dans le jardin. Parfois, la femelle ne les remarquait pas immédiatement, mais aussitôt qu'ils étaient repérés, elle les chassait sans répit, souvent bien au-delà des limites de notre propriété. Certains intrus, plus persistants, étaient poursuivis pendant des heures. Nous avons même eu l'occasion d'assister à de vrais combats: les oiseaux s'agrippent l'un à l'autre avant de choir au sol. D'autres se montrent plus pusillanimes, quittant rapidement les lieux. Parfois, des colibris s'installaient devant la maison pour boire le nectar des fleurs, là où la femelle ne risquait guère de les apercevoir de son perchoir. Nous avons constaté que ceux qui pénétraient dans notre jardin utilisaient souvent le même itinéraire à l'arrivée et au départ.

La cour

Comportements habituels: «Mouvement de pendule», «vol horizontal».
Durée: Avant la ponte.

Chez les colibris, les couples sont éphémères. Les oiseaux ne sont pas monogames et les partenaires des deux sexes ne se rencontrent que brièvement, pour l'accouplement. Ensuite, la femelle s'éloigne pour élever sa couvée. Le mâle s'accouple ensuite avec d'autres femelles. On ignore si certaines manifestations sont spécifiques à la cour ou — le comportement des colibris étant principalement agressif — si le mâle se contente de dominer la femelle pendant l'accouplement.

On a observé des mâles en train d'exécuter le «mouvement de pendule» devant des femelles. Tandis qu'ils passent au-dessus d'elles, leur queue et leurs ailes émettent un bourdonnement sonore. D'autres auteurs ont vu les deux oiseaux se livrer de concert au «vol vertical». Ensuite, l'accouplement a eu lieu, au sol. Selon un observateur, le «vol horizontal» précède également la copulation. Toutefois, les descriptions de l'accouplement même sont rares et il est possible que ce que l'on a décrit comme tel soit simplement une manifestation d'agressivité.

La nidification

Emplacement du nid: Sur une petite branche souvent couverte de lichens; le nid se trouve à une hauteur de 1 à 15 m (habituellement entre 3 et 6 m) au-dessus du sol, dans des conifères ou des feuillus.
Dimensions: Diamètre extérieur de 1,5 à 4,5 cm; hauteur de 2,5 à 5 cm, diamètre intérieur de 2 à 2,5 cm.
Matériaux: Écailles de bourgeons; lichens et brins d'herbe; le tout lié à l'aide de fils d'araignée.

Le nid d'un colibri est minuscule, à peine plus large qu'une pièce de un dollar. Recouvert de lichen, on le confond facilement avec le nœud d'une branche d'arbre. Les travaux, que la femelle accomplit seule, durent de un à dix jours. Le petit édifice est souvent posé sur une branche descendante et protégé par le couvert végétal. Il se trouve habituellement non loin d'un point d'eau — un ruisseau par exemple — ou sur une branche qui la surplombe.

La femelle fixe à l'aide de fils d'araignée une assiette d'écailles de bourgeons, qui recouvrent en hiver les fleurs et les feuilles. Ensuite, elle garnit l'extérieur de lichens auxquels elle ajoute un peu de duvet en provenance de végétaux. À l'intérieur, elle place un rembourrage qu'elle façonne avec son corps. Elle continue parfois d'améliorer le nid pendant la ponte et l'incubation.

Le nid est étanche. Étant fabriqué à partir de matériaux extensibles, il s'élargit au fur et à mesure que les oisillons grandissent.

L'éducation des oisillons

Œufs: En général 2; d'un blanc immaculé.
Incubation: Environ 16 jours; seule la femelle incube.
Première phase de croissance: De 14 à 31 jours.
Seconde phase de croissance: Jusqu'à 34 jours.
Couvées: 1 ou 2.

Ponte et incubation

La femelle commence parfois à pondre avant d'avoir achevé le nid, généralement le matin. Toute une journée peut s'écouler entre la ponte de chaque minuscule œuf blanc. Toutefois, l'incubation ne débute pas avant la ponte du dernier. On a constaté que la femelle passait 60 à 80 p. 100 de la journée à incuber, selon la température. S'il fait froid, elle se recroqueville sur les œufs, mais pendant les grosses chaleurs, elle se contente de rester debout au-dessus d'eux, pour les abriter du soleil. Pour changer de position, elle se lève, s'envole, fait une culbute dans les airs, puis redescend sur les œufs.

Les colibris à gorge rubis ont parfois deux couvées. Si la première est détruite, ils recommencent. Certaines femelles réutilisent le même nid mais, en général, elles préfèrent en bâtir un nouveau.

Première phase de croissance

Les petits ne sont pas plus gros que des pois. Un plumage duveteux gris foncé les recouvre. Ils ont un bec jaune, très court. La femelle les couve jusqu'à ce que leur température corporelle se maintienne, soit pendant douze jours environ. Ils n'acquièrent pas de duvet. En revanche, des plumes apparaissent en quelques jours. Ils garderont cette livrée jusqu'à ce qu'ils quittent le nid.

La mère les nourrit de une à trois fois par heure. Elle atterrit sur le nid et place son bec à l'intérieur du bec béant des petits. On observe alors que, par une série de mouvements verticaux, comme si elle pompait, elle transfère dans le bec des oisillons le nectar et les insectes que contient son jabot. Au fur et à mesure que le bec des oisillons s'allonge, la femelle plante le sien à angle droit par rapport à celui des petits pour les alimenter.

Elle emporte ou mange tous les excréments de la couvée. (Un observateur a remarqué que la mère les alignait sur une branche, au-dessus du nid.) Lorsque les oisillons sont assez grands pour reculer jusqu'au bord du nid, ils défèquent en dehors de ce dernier.

Les petits utilisent leur bec et leurs pattes pour faire leur toilette. Parfois, ils touchent avec leur langue les feuilles environnantes, comme si cette façon d'agir constituait leur mode d'apprentissage.

Si la nourriture abonde et si la température est clémente, la couvée grandit vite et quitte donc le nid plus tôt. C'est pourquoi la durée de cette phase de croissance varie beaucoup selon les auteurs.

Seconde phase de croissance

Plusieurs jours avant leur départ du nid, les petits s'entraînent à déployer leurs ailes et, lorsqu'approche le moment crucial, ils s'agrippent au rebord du nid en les faisant rapidement vibrer. C'est le matin qu'ils prennent leur envol. Ils n'ont qu'à se soulever dans les airs pour parcourir plus de 15 m. Toutefois, leurs premiers atterrissages sont souvent «forcés».

Ils passent plusieurs jours à proximité du nid. Selon une étude, ils émettent un cri particulier, une sorte de murmure aigu qui porte loin. La femelle continue parfois de les nourrir pendant quelque temps, mais ils sont capables d'explorer les fleurs pour découvrir les plus riches en nectar. La mère conduit parfois sa couvée aux mangeoires.

Le cas d'une femelle qui s'est occupée simultanément de deux nids, situés sur la même branche et séparés d'environ 1 m a été rapporté. Elle nourrissait un oisillon presque parvenu à la taille adulte dans un nid tout en incubant deux œufs dans l'autre. En plus, elle chassait les merles, les troglodytes familiers et les moqueurs chats de l'arbre. Les deux nichées sont parvenues à maturité. Lorsqu'on a vu les deux plus jeunes pour la dernière fois, ils étaient occupés à manger dans un jardin des environs. On les a aperçus, neuf jours après leur départ du nid, perchés dans un arbre, à proximité.

Le plumage

Comment différencier le mâle de la femelle

Le mâle exhibe une gorge d'un rouge profond, qui peut

paraître noire dans la pénombre. Sa queue fourchue est ourlée de noir sur les côtés. La femelle arbore, quant à elle, une gorge plutôt blanchâtre. En outre, sa queue est arrondie, bordée de blanc à l'extrémité.

Comment distinguer les jeunes des adultes
Les jeunes, mâles et femelles, ressemblent à la femelle adulte. Ils possèdent notamment une gorge blanchâtre et leurs rectrices extérieures ont une extrémité blanche. En août et en septembre, certains jeunes mâles commencent à revêtir quelques plumes rubis sur la gorge.

Mue
Les colibris à gorge rubis muent complètement une fois par an, pendant la migration automnale et jusqu'en février ou mars, lorsqu'ils ont atteint leurs territoires d'hiver. C'est à ce moment-là que les jeunes mâles acquièrent leur gorge rouge vif.

Les déplacements saisonniers

Les colibris à gorge rubis commencent à migrer à l'automne. Parfois, un groupe fait escale dans un endroit où abonde la nourriture. On peut alors observer des manifestations d'agressivité entre les oiseaux. Ils voyagent de jour, souvent seuls. Pendant que nous observions, en septembre, la migration des rapaces du haut d'un sommet de 600 m du Massachusetts, nous avons vu passer des colibris juste au-dessus de nous, à raison d'un oiseau toutes les quatre ou cinq heures.

Les colibris hivernent au Mexique et en Amérique du Sud, après avoir traversé sans escale le golfe du Mexique. Ils doivent emmagasiner suffisamment de graisse pour pouvoir exécuter d'une traite ce très long vol.

La migration printanière se déroule en avril et en mai, les oiseaux suivant en direction du nord la floraison des fleurs dont ils consomment le nectar.

Bob Hines

Grand pic

Dryocopus pileatus (Linné) / Pileated Woodpecker

Il est toujours palpitant d'apercevoir le plus grand de nos pics. Dans le sud, c'est un oiseau assez répandu dans les banlieues et les campagnes. Mais il a presque disparu du nord-est au début du siècle, tandis que les forêts étaient abattues pour faire place aux cultures.

Cependant, beaucoup de terres agricoles étant aujourd'hui en friche, les arbres reprennent leurs droits et le grand pic recolonise peu à peu les régions dans lesquelles il était naguère fort répandu. Mais de nombreuses années sont nécessaires pour qu'une forêt de repousse contienne des arbres assez gros pour abriter des fourmis charpentières, principale nourriture du grand pic. En outre, les oiseaux se méfient davantage des humains dans les régions septentrionales du continent. Ils sont donc difficiles à observer.

On sait que, pour une large part, le comportement du grand pic ressemble à celui de ses cousins, notamment le pic chevelu, le pic mineur et le pic flamboyant, que nous vous décrivons dans les deux premiers tomes de cette série. Beaucoup de leurs parades sont identiques, telles que les «mouvements latéraux du bec», le «hérissement de la huppe», la «parade menaçante», le «tambourinement» et le cri «couic-couic». En fin de compte, le grand pic diffère surtout de ses nombreux cousins par sa taille.

Mentionnons toutefois que son tambourinement, que l'on entend de loin, suffit à le distinguer des autres. Il est beaucoup plus grave et s'adoucit vers la fin. C'est en les entendant que vous repérerez le plus facilement les grands pics, car non seulement ils passent beaucoup de temps à tambouriner, mais encore ils émettent un son qui porte très loin.

Chaque grand pic évolue sur une aire très vaste. Par conséquent, vous serez sans doute contraint d'observer son comportement par bribes. Mais en lisant les pages qui suivent, vous parviendrez peu à peu à comprendre comment vos observations, s'imbriquant les unes dans les autres, pourront vous offrir une image complète de la vie de l'oiseau.

CALENDRIER DU COMPORTEMENT

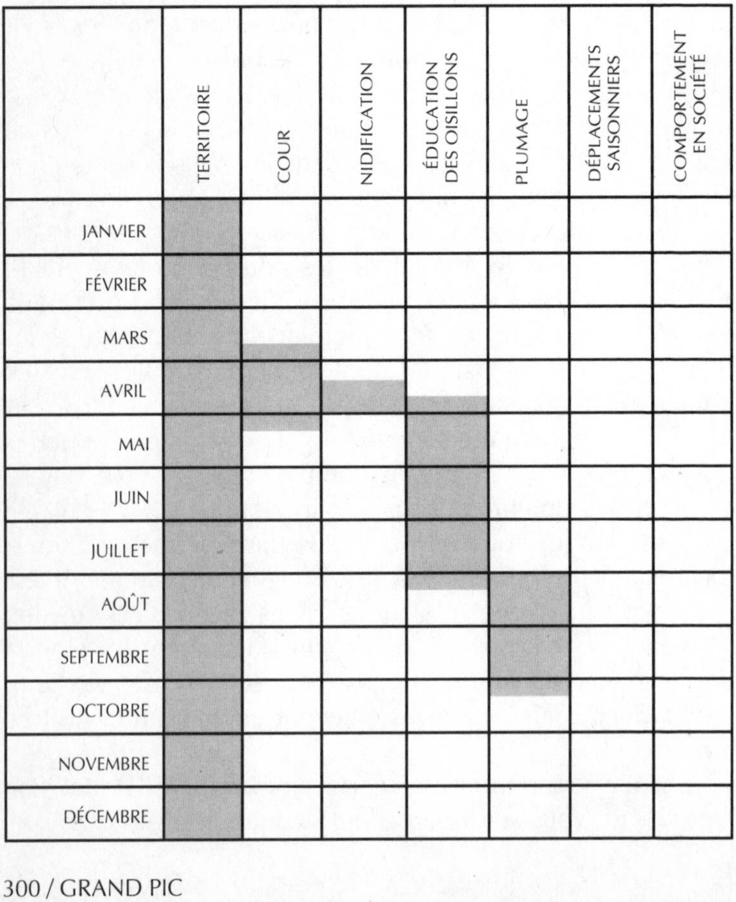

	TERRITOIRE	COUR	NIDIFICATION	ÉDUCATION DES OISILLONS	PLUMAGE	DÉPLACEMENTS SAISONNIERS	COMPORTEMENT EN SOCIÉTÉ
JANVIER							
FÉVRIER							
MARS							
AVRIL							
MAI							
JUIN							
JUILLET							
AOÛT							
SEPTEMBRE							
OCTOBRE							
NOVEMBRE							
DÉCEMBRE							

GUIDE DE LA COMMUNICATION

Communication visuelle

1. Mouvements latéraux du bec

Mâle ou femelle *P, É, A, H*

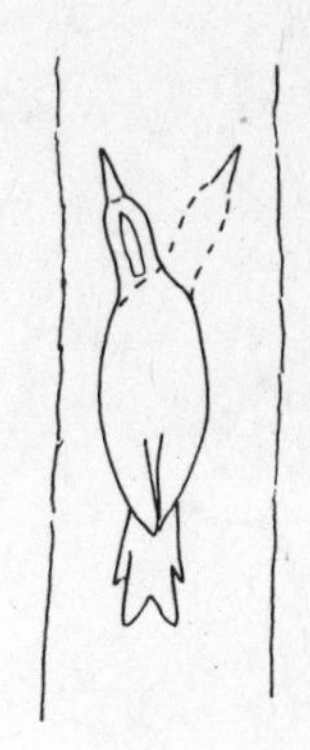

La tête levée, parfois légèrement renversée en arrière, l'oiseau agite son bec d'un côté puis de l'autre, formant un angle de 45° avec son corps. Il lui arrive d'ouvrir le bec. On remarque également que la queue suit quelquefois les mouvements du bec. L'oiseau fait ce mouvement perché dans un arbre ou à terre.

Cri: «Couic-couic».

Contexte: On observe ce mouvement entre oiseaux du même sexe, pendant les conflits territoriaux, ou entre le mâle et la femelle durant la cour, ou lorsque les deux partenaires du couple se rencontrent. (Voir *Le territoire, La cour.*)

2. Hérissement de la huppe

Mâle ou femelle *P, É, A, H*

L'oiseau hérisse sa huppe rouge à différentes hauteurs.

Cris: «Kîk-kîk» ou «hurlement aigu».

Contexte: Cette posture traduit une agitation extrême de l'oiseau, par exemple lorsqu'il défend sa cavité contre des écureuils. (Voir *Le territoire, L'éducation des oisillons.*)

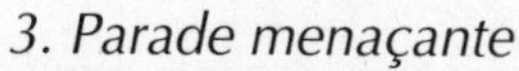

3. Parade menaçante

Mâle ou femelle *P, É, A, H*

L'oiseau déploie ses ailes, exhibant ses sous-alaires blanches. Parfois, il accom-

pagne ce mouvement de battements d'ailes rapides. On peut le voir ensuite donner des coups de bec à un autre oiseau ou à des objets à sa portée.
Cri: Aucun ou «kîk-kîk».
Contexte: Cette parade s'adresse à un intrus, que ce soit un autre grand pic ou un oiseau d'une espèce différente. (Voir *Le territoire.)*

Communication auditive

1. Kout-kout

Mâle ou femelle *P, É, A, H*

On entend une dizaine ou une quinzaine de notes graves, plus lentes, moins sonores et moins aiguës que le cri «kîk-kîk», mais qui portent néanmoins très loin. C'est le cri le plus commun du grand pic.
Contexte: En général, le couple se sert de ce cri pour communiquer, peut-être pour rester en contact à distance. On l'entend lorsque le mâle et la femelle se nourrissent chacun de leur côté, sur leur territoire. Ils poussent également ce cri à l'approche d'oiseaux de proie, notamment de la buse à épaulettes, de l'épervier de Cooper et de l'épervier brun. Il trahit quelquefois l'agitation de l'oiseau. (Voir *La cour, Le territoire.)*

2. Kîk-kîk

Mâle ou femelle *P, É, A, H*

Cette série sonore de six à huit notes suraiguës s'adoucit légèrement vers la

fin. Elle est fréquemment suivie du «tambourinement». C'est un son strident qui porte très loin.
Contexte: Le mâle et la femelle l'utilisent pour communiquer lorsqu'ils se trouvent à quelque distance l'un de l'autre ou à l'approche d'un danger. Le partenaire répond soit en lançant le même cri, soit en tambourinant. C'est surtout en hiver et au printemps que l'on entend le «kîk-kîk».

3. Couic-couic

Mâle ou femelle *P, É*

Ce cri, assez bien rendu par la graphie «couic-couic», est facile à distinguer des autres grâce aux circonstances dans lesquelles il est utilisé.
Contexte: Deux oiseaux communiquent de cette manière lorsqu'ils sont à côté l'un de l'autre. Le cri accompagne fréquemment les «mouvements latéraux du bec». On peut l'entendre pendant la cour ou au cours de querelles territoriales, mais c'est surtout pendant la saison des nids qu'on le remarque. (Voir *Le territoire, La cour.*)

4. Tambourinement

Mâle ou femelle *P, É, A, H*

L'oiseau donne de rapides coups de bec contre un tronc d'arbre ou sur une grosse branche qui résonne. Le tambourinement dure de deux à trois secondes et s'adoucit vers la fin. L'oiseau le répète parfois toutes les quarante à soixante secondes, de quatre à sept

fois d'affilée. Il lui arrive de tambouriner à un rythme encore plus rapide.
Contexte: Ce sont surtout les mâles qui tambourinent, à n'importe quelle époque de l'année sauf, peut-être, à l'automne. Les oiseaux célibataires qui cherchent un ou une partenaire se livrent à un tambourinement beaucoup plus rapide. (Voir *La cour, Le territoire.*)

5. Cognement

Mâle ou femelle *P, É*

L'oiseau donne de petits coups sourds contre la paroi intérieure ou extérieure du nid. Vous ne l'entendrez que si vous vous trouvez à proximité.
Contexte: Les oiseaux font ce bruit lorsqu'ils se relaient, pendant l'excavation du nid ou l'incubation. En général, on l'entend au moment où l'un des partenaires se présente à l'entrée de la cavité de nidification pour relayer l'autre. (Voir *La nidification, L'éducation des oisillons.*)

6. Hurlement aigu

Mâle ou femelle *P, É*

Il s'agit d'un cri extrêmement strident que l'oiseau ne répète pas immédiatement.
Contexte: On l'entend lorsqu'un danger menace le nid ou pendant des conflits avec d'autres oiseaux à proximité de ce dernier. (Voir *Le territoire.*)

DESCRIPTION DU COMPORTEMENT

Le territoire

Fonctions: Accouplement; nidification; subsistance.
Dimensions: De 75 à 100 ha.
Comportements habituels: «Tambourinement»; «mouvements latéraux du bec», «parade menaçante».
Durée de sa défense: Toute l'année.

Les grands pics vagabondent sur des aires immenses et défendent un vaste territoire dont la superficie peut aller jusqu'à 100 ha, selon l'abondance de la nourriture et le nombre de cavités convenables dans lesquelles les oiseaux nichent et dorment. En automne et en hiver, les conflits territoriaux ont pour enjeux les cavités qui servent d'abris. Mais au printemps, le couple doit parfois se défendre contre les attaques d'un intrus qui tente de s'accoupler avec la femelle. En été, les querelles ont lieu à proximité du nid, pendant que les adultes élèvent leurs petits.

Les grands pics exécutent plusieurs parades agressives, qui comprennent les attaques à coups de bec dans les cas extrêmes. Parmi ces manœuvres, on compte les «mouvements latéraux du bec» et la «parade menaçante». Certains cris les accompagnent parfois, tels le «couic-couic» et le «hurlement aigu». À l'occasion, vous entendrez le «kîk-kîk» et le «tambourinement» pendant les querelles, peut-être lorsqu'un des membres du couple appelle l'autre à la rescousse.

Pendant une querelle typique, les oiseaux se poursuivent autour des troncs d'arbre, tâchant de se frapper à coups de bec et exécutant les parades décrites plus haut. Parfois, la scène se déroule au sol et nous avons constaté que les grands pics se moquaient de la présence des humains lorsqu'ils étaient occupés à vider une querelle. La plupart des conflits se déroulent entre oiseaux du même sexe, sauf pendant la période de reproduction, au cours de laquelle n'importe quel membre du couple s'efforce d'expulser les intrus qui s'approchent du nid.

Les grands pics se querellent également avec d'autres espèces, parmi lesquelles les écureuils, les autres oiseaux qui nichent dans les arbres, les rapaces et les serpents arboricoles qui dérobent les œufs. Bien que les écureuils gagnent généralement la bataille, cela n'empêche pas les grands pics de les attaquer lorsqu'ils s'approchent du nid. Les oiseaux exécutent alors la «parade menaçante» ou le «hérissement de la huppe». Parfois, l'écureuil se défend et, s'il décide de s'approprier le nid, il parvient généralement à ses fins.

Certaines espèces de serpents grimpent aux arbres et dévorent les œufs ou les petits des oiseaux qui nichent dans les cavités. Si l'intrus est trop gros, le grand pic ne peut guère l'empêcher de pénétrer dans la cavité. Vous pourrez alors voir l'oiseau exécuter la «parade menaçante» et le «hérissement de la huppe».

Des oiseaux de plus petite taille, tels d'autres espèces de pics, des merles bleus ou les troglodytes, viennent parfois inspecter les nids des grands pics, mais ils sont vite expulsés par l'un des occupants.

Les grands pics ont tendance à s'éparpiller. Leurs aires sont si vastes que les querelles entre voisins sont extrêmement rares. Bien entendu, tout dépend du nombre de grands pics dans une région et de la superficie des habitats susceptibles de les accueillir.

La cour

Comportements habituels: «Tambourinement», «kîk-kîk»; «mouvements latéraux du bec».
Durée: Printemps.

Vers la fin de l'hiver ou au début du printemps, les mâles célibataires essaient d'attirer une femelle en tambourinant fréquemment sur un arbre, à raison de deux séries de coups à la minute, de plusieurs endroits propices situés sur leur aire. Voletant d'un poste à l'autre, le mâle surplombe la cime des arbres en lançant le cri «kîk-kîk». Il est si bruyant qu'on le repère facilement.

Les couples passent l'année ensemble sur leur aire. La cour recommence au printemps. Les deux partenaires exécutent plus fréquemment le «tambourinement» et, lorsqu'ils se rencontrent, ils accomplissent entre autres «les mouvements latéraux du bec». Le «tambourinement» est toutefois moins fréquent chez les couples que chez un oiseau célibataire qui cherche une partenaire, se produisant au rythme d'une séance à la minute.

La copulation se produit avant et pendant la ponte. La femelle se perche en travers de la branche, dans la même posture que plusieurs autres espèces de pics. Parfois, elle pousse le cri «couic-couic» tandis que le mâle s'approche d'elle. Habituellement, les oiseaux s'accouplent à proximité du nid.

Comme les autres pics, le grand pic se voit menacé à l'occasion par un intrus, célibataire mâle ou femelle, qui tente de lui voler son ou sa partenaire. Lorsque cela se produit, une querelle éclate entre le «séducteur» et le «conjoint» du même sexe (c'est-à-dire mâle contre mâle ou femelle contre femelle). L'oiseau convoité se contente, quant à lui, de rester à proximité, sans prendre part au conflit. Plusieurs cris ponctuent cet affrontement, dont le «couic-couic» et le «hurlement aigu». Les deux oiseaux exécutent les «mouvements latéraux du bec» et la «parade menaçante». Il leur arrive fréquemment de se poursuivre et de se frapper à coups de bec. En général, l'intrus est mis en déroute.

Les grands pics dorment dans leurs cavités, à raison d'un oiseau par abri. Il s'agit parfois d'anciens nids ou de cavités qui servent uniquement à cette fin et que les oiseaux utilisent plusieurs années de suite. En général, abris et nids sont situés non loin les uns des autres, dans la même portion de territoire.

Toute l'année, le couple se retrouve chaque matin, généralement à l'aurore. Le premier qui émerge de son abri lance le cri «kîk-kîk» ou accomplit le «tambourinement». L'autre ne tarde pas à répondre de la même manière. Ils se rejoignent et commencent à chercher ensemble leur nourriture. On remarque que les deux oiseaux ne s'éloignent pas à plus de 40 ou 50 m l'un de l'autre, restant en contact grâce au cri «kout-kout», qu'ils poussent lorsqu'ils s'envolent un peu plus loin ou juste après l'atterrissage. Parfois, on entend aussi le cri «kîk-kîk» ou le «tambourinement».

Pendant l'heure qui précède le crépuscule, les oiseaux regagnent leur abri respectif. Bien qu'ils soient généralement silencieux à ce moment-là, on les entend parfois pousser leur «kout-kout».

La nidification

Emplacement du nid: Cavité creusée dans le bois mort, à une hauteur de 4,5 à 20 m au-dessus du sol.
Dimensions: Le diamètre est d'environ 9 cm; la profondeur, de 25 à 60 cm.
Matériaux: Les oiseaux n'ajoutent habituellement aucun matériau, mais on a parfois trouvé des grains de sable et des petits galets au fond des nids.

En général, les grands pics bâtissent leur nid dans du bois mort. La cavité doit se situer à une hauteur de 4,5 à 20 m au-dessus du sol, et le tronc doit être suffisamment large pour accueillir la petite famille. C'est pourquoi les forêts trop jeunes manquent parfois d'arbres propices à la nidification de cette espèce. Souvent, les oiseaux creusent plusieurs trous avant d'arrêter leur choix sur celui qui leur servira de nid.

Les arbres propices à la nidification, c'est-à-dire suffisamment gros et dont une partie est pourrie, n'abondent pas. Les oiseaux s'évertuent parfois à creuser avant de s'apercevoir que l'intérieur du tronc est trop dur. C'est pourquoi la concurrence peut être féroce autour des troncs prometteurs. Dans ce cas, on peut voir deux des concurrents, parfois les quatre, s'affronter exactement comme lors des querelles territoriales.

Les deux partenaires se chargent de l'excavation du nid, le mâle exécutant la plus grosse part des travaux. L'oiseau qui creuse s'interrompt parfois pour tambouriner sur l'arbre ou lancer le cri «kîk-kîk» afin d'attirer son partenaire, qui vient alors le remplacer. Le premier cogne à quelques reprises près de l'entrée du nid avant de s'éloigner. On pense que cela traduit l'attachement des oiseaux à un nid.

Quelques jours suffisent généralement pour terminer les travaux d'excavation du nid. Celui-ci est facile à repérer, car un tas de copeaux s'accumule au pied de l'arbre qui l'abrite. Les oiseaux emportent également des éclats de bois à 4 ou 5 m de là avant de les laisser tomber par terre.

L'éducation des oisillons

Œufs: De 3 à 5; blancs.
Incubation: Environ 15 ou 16 jours; les deux parents incubent.
Première phase de croissance: De 3 à 4 semaines.
Seconde phase de croissance: Jusqu'à plusieurs mois.
Couvée: 1.

Ponte et incubation

Nous croyons que la femelle pond un œuf par jour, jusqu'à une moyenne de quatre. L'incubation, pense-t-on, commence dès la ponte du dernier. Vous pourrez surprendre l'accouplement pendant la période de ponte et les quelques jours précédents.

Les parents veillent sur le nid avec une extrême vigilance. Ils le laissent rarement plus de quelques minutes sans surveillance. En général, l'oiseau qui incube ne s'éloigne pas avant d'avoir vu son partenaire arriver au nid. Ensuite, il reste à proximité, se nourrissant dans les bois, lançant parfois le «kout-kout».

Au moment de la relève, le remplaçant émet plusieurs «kout-kout». L'oiseau qui est dans le nid passe la tête par l'ouverture, avertissant par là son compagnon qu'il est prêt à partir. L'autre vient se poser sur l'arbre. Il arrive que l'oiseau qui se prépare à s'envoler cogne sur la paroi intérieure du nid avant de partir. Son partenaire entre et s'installe sur les œufs, non sans avoir préalablement jeté un rapide coup d'œil aux alentours.

Les oiseaux passent en moyenne de une à deux heures sur les œufs. Pendant la journée, le mâle incube davantage. C'est également lui qui reste dans le nid pendant la nuit. Par conséquent, on peut affirmer que, dans l'ensemble, c'est surtout le mâle qui se charge de l'incubation.

Première phase de croissance

On ne sait pas à quel moment se produit l'éclosion, car les parents couvent constamment les petits les cinq premiers jours et presque autant entre le cinquième et le neuvième jour. Comme ils nourrissent la couvée par régurgitation et ne commencent à transporter les poches fécales hors du nid qu'au bout de quelques jours, aucun indice ne révèle si les œufs sont éclos ou non.

Lorsque l'un des parents vient nourrir ses oisillons, il se perche à l'entrée du nid avant de passer la tête à l'intérieur et, tout en restant agrippé au rebord, il se penche pour offrir sa récolte aux petits. À la fin du repas, l'adulte garde sa nichée sous son aile jusqu'à ce que l'autre parent revienne avec, à son tour, de la nourriture. Les repas sont irréguliers: les premiers jours, les oisillons sont généralement nourris toutes les heures; un peu plus tard, cet intervalle peut s'allonger jusqu'à deux heures.

À l'âge de quinze jours, les petits arrivent à grimper jusqu'à l'entrée du nid pour regarder au-dehors. Ils se tiennent tranquilles jusqu'à ce qu'un parent s'approche. Alors, on peut entendre une sorte de «chrr-chrr». Le parent place son bec dans la gorge de l'oisillon et exécute un mouvement de va-et-vient du bec tandis qu'il régurgite la nourriture.

Pendant les premiers jours, il est probable que les parents mangent les poches fécales des petits. Ensuite, ils préfèrent les emporter pour les abandonner un peu plus loin. Ils sont capables d'en transporter plusieurs à la fois.

Vers la fin de cette phase, on assiste parfois à une réapparition de la cour. Les parents exécutent le «tambourinement» ou lancent le cri «couic-couic». Il leur arrive même d'exécuter les «mouvements latéraux du bec» lorsqu'ils s'approchent l'un de l'autre.

La première phase de croissance dure de trois à quatre semaines.

Seconde phase de croissance

Bien que les oisillons aient été confinés à leur nid pendant plusieurs semaines, sans pouvoir s'exercer à voler, ils sont capables, dès leur premier envol, de parcourir près d'une centaine de mètres. Juste avant que la nichée quitte le nid, les parents se livrent parfois à quelques séances de «tambourinement» à proximité de l'arbre. On ignore pourquoi ils agissent de cette manière.

Après leur départ, les jeunes restent en contact avec les parents à l'aide d'une variante brève du cri «kîk-kîk». Parfois, ils volent à la rencontre des adultes pour recevoir de la nourriture. On sait qu'ils peuvent être alimentés en partie par leurs parents pendant trois mois, sinon plus.

Le plumage

Comment différencier le mâle de la femelle
La huppe rouge vif du mâle lui recouvre le crâne et le front jusqu'au bec. En outre, il porte une fine moustache rouge. La femelle n'a de rouge que la huppe, au sommet de la tête.

Comment distinguer les jeunes des adultes
Les jeunes sont légèrement plus pâles que les adultes, dont le plumage est gris anthracite. En outre, ils ont plus de rayures sur la gorge. On peut différencier le mâle de la femelle, chez les juvéniles, de la même manière que chez les adultes.

Mue
Les adultes muent complètement de la fin de l'été jusqu'au milieu de l'automne environ.

Les déplacements saisonniers

En général, les grands pics ne migrent pas. Les couples passent toute l'année sur leur territoire de reproduction. Toutefois, de plus en plus d'observateurs constatent une augmentation des populations de grands pics dans certaines régions, pendant l'hiver. En outre, les oiseaux commencent à se montrer en automne dans des parties du continent qu'ils n'avaient pas jusqu'à présent coutume de fréquenter. On croit qu'il s'agit simplement de jeunes, qui vagabondent loin de leur lieu de naissance à la recherche d'un territoire sur lequel s'établir.

Bob Hines

Hirondelle pourprée

(aussi appelée «hirondelle noire»)

Progne subis (Linné) / Purple Martin

Lorsqu'on évoque les hirondelles pourprées, c'est l'image de leurs nichoirs qui se présente à l'esprit. En effet, de plus en plus de gens installent de ces maisonnettes à compartiments multiples au sommet de poteaux. Il est néanmoins évident que les oiseaux n'ont pas toujours élu domicile dans des nids de fabrication humaine.

Les hirondelles pourprées nichaient jadis dans n'importe quelle cavité: fentes des parois rocheuses, cavités naturelles des troncs d'arbres, nids de pics abandonnés. C'est encore le cas dans l'ouest du continent. Dans le sud-ouest des États-Unis, les hirondelles colonisent les cavités des cactus saguaro géants. Bien que, dans ces régions, certains couples vivent seuls, la majorité se regroupent en petites colonies de trois à vingt couples.

Dans le centre et l'est, les oiseaux s'établissent presque exclusivement dans des nichoirs. Ce sont peut-être les Amérindiens qui leur ont donné cette habitude en suspendant des gourdes à des poteaux afin de les attirer. On pense qu'ils désiraient de cette manière éloigner les rapaces, vautours et autres gros oiseaux des peaux et des morceaux de viande qu'ils laissaient sécher. En effet, l'hirondelle pourprée qui défend son nid avec beaucoup d'agressivité n'hésite pas à expulser des oiseaux d'une taille bien supérieure à la sienne. Aujourd'hui, les hirondelles utilisent non seulement les nichoirs mais encore les espaces propices à la nidification qu'elle trouve sur les édifices, sous des ponts et sur d'autres structures de fabrication humaine.

Il est pertinent de se demander s'il est naturel pour ces oiseaux de s'entasser de la sorte dans des nichoirs. Vos observations vous permettront d'en juger par vous-même. Il est évident que mâles et femelles se montrent très agressifs envers leurs voisins et que les mâles défendent plusieurs cavités même s'ils n'en utilisent qu'une.

Quoi qu'il en soit, les nichoirs nous permettent d'observer de près le comportement passionnant de ces oiseaux et de connaître le déroulement de leur cycle de reproduction. Si des hirondelles pourprées nichent près de chez vous, ne ratez pas cette merveilleuse occasion de les observer.

CALENDRIER DU COMPORTEMENT

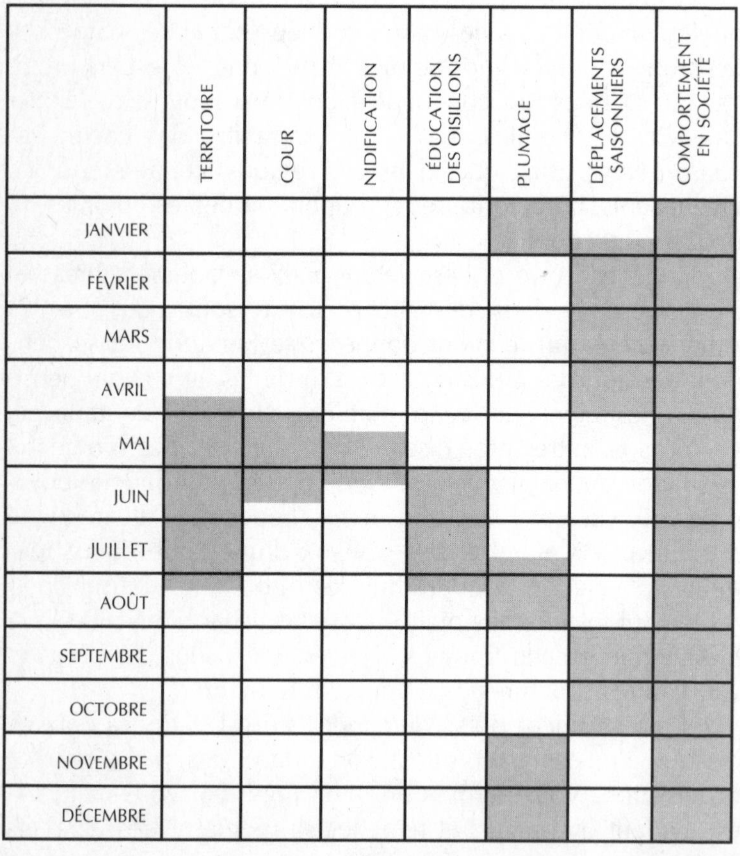

	TERRITOIRE	COUR	NIDIFICATION	ÉDUCATION DES OISILLONS	PLUMAGE	DÉPLACEMENTS SAISONNIERS	COMPORTEMENT EN SOCIÉTÉ
JANVIER							
FÉVRIER							
MARS							
AVRIL							
MAI							
JUIN							
JUILLET							
AOÛT							
SEPTEMBRE							
OCTOBRE							
NOVEMBRE							
DÉCEMBRE							

Communication visuelle

1. Parade horizontale

Mâle ou femelle *P, É, A, H*

L'oiseau se place à l'horizontale. Parfois, il ouvre le bec et hérisse la huppe tout en battant des ailes et de la queue à plusieurs reprises. On peut aussi entendre un claquement de bec sonore pendant cette manifestation.
Cri: Aucun ou «chant».
Contexte: Cette parade caractérise la défense territoriale aux alentours du nid. On l'observe dans d'autres circonstances où l'hostilité est à son comble.

2. Vol de revendication du site

Mâle *P*

Le mâle sort du nid en décrivant un grand cercle. Sur le chemin du retour, il entame un plongeon abrupt vers la cavité, en battant des ailes, qu'il garde cependant sous son corps. En entrant dans son nid, il se retourne et, la tête émergeant de l'orifice, se met à chanter.
Cri: «Chant».
Contexte: Le mâle adopte cette conduite lorsqu'il revendique une cavité et s'efforce d'attirer une femelle ou d'autres oiseaux dans le nid. (Voir *Le territoire*.)

3. Parade en vol

Mâle *P, É*

L'oiseau entame un vol laborieux, le dos voûté, la tête penchée vers le bas, la

queue fermée pointant vers le sol. Parfois, il conserve cette posture après s'être perché, les ailes tombantes.
Cri: Aucun.
Contexte: On ne sait pas avec certitude dans quelle circonstance cette manifestation ritualisée se produit. Plusieurs observateurs ont suggéré qu'il s'agissait soit d'une parade de soumission, exécutée par des mâles vaincus à la suite d'un conflit, soit d'une parade sexuelle.

Communication auditive

On connaît plus de dix vocalisations différentes chez l'hirondelle pourprée. Vous trouverez dans cette rubrique les plus courantes, que vous entendrez sûrement et que vous pourrez facilement identifier.

1. Chant

Mâle ou femelle *P, É*

On entend plusieurs notes doubles, suivies d'une sorte de gazouillis guttural ou d'un raclement. Il s'agit de la seule vocalisation prolongée et complexe de l'hirondelle pourprée. Elle dure de deux à six secondes. L'oiseau chante en vol ou depuis un perchoir. On sait que le «chant» de la femelle est plus bref et qu'il ne se termine pas toujours par le raclement.
Contexte: Le «chant» est utilisé pendant la cour, l'accouplement, volontaire ou forcé, et toute autre situation dans la-

quelle un mâle et une femelle se rencontrent. On l'entend lorsqu'un oiseau vient relayer son partenaire au nid ou lorsque le couple est réuni après une séparation. En outre, le «chant» accompagne parfois la «parade horizontale» au cours des affrontements. (Voir *La cour.*)

2. Tcha

Mâle ou femelle *P, É, A, H*

C'est le cri le plus courant des hirondelles pourprées lorsqu'elles sont sur leur territoire de reproduction. Il est assez fidèlement rendu par la graphie «tcha». Parfois, l'oiseau l'émet à deux reprises: «tcha tcha».

Contexte: Il s'agit vraiment d'un cri passe-partout. Habituellement, il est accompagné d'un battement d'ailes ou d'un frémissement du corps. On l'entend lorsque les oiseaux s'approchent de la colonie, lorsqu'ils se perchent sur un nichoir ou lorsqu'ils sont un peu inquiets. Il diffère souvent légèrement d'un individu à l'autre, permettant aux oiseaux d'une colonie de se reconnaître. Vous l'entendrez également à l'aube, lorsque les hirondelles sont encore dans leur nichoir.

3. Dzîît

Mâle ou femelle *P, É, A, H*

Ce cri, bref et unisyllabique, contient clairement un «îî» très aigu. Parfois, il descend un peu vers la fin. L'oiseau le pousse habituellement en plein vol.

Contexte: Il s'agit d'un cri sonnant l'alarme générale et auquel les autres membres de la colonie répondent parfois en s'envolant pour décrire des cercles autour du nichoir. Il s'adresse à n'importe quel intrus, y compris un prédateur ou des représentants d'autres espèces qui rivalisent avec les hirondelles pour s'approprier les nichoirs.

4. Hennissement

Mâle ou femelle *P, É*

On entend une série de quatre à dix «hîî» très aigus, un peu rauques, émis au rythme approximatif de quatre à la seconde.

Contexte: Ce cri n'est pas très courant. Vous l'entendrez surtout pendant les querelles territoriales entre mâles. Parfois, il accompagne le «vol de revendication du site» tandis que le mâle s'efforce d'attirer une femelle sur son territoire. (Voir *Le territoire, La cour.*)

5. Cri des juvéniles

Ce cri unisyllabique est bref et plutôt aigre. Les juvéniles le poussent au rythme de deux ou trois à la seconde. C'est le seul son qu'ils émettent vers la fin de leur première phase de croissance et au début de la seconde. On l'entend lorsque les parents se présentent au nid avec de la nourriture, lorsque les juvéniles se sentent en danger ou lorsqu'ils se déplacent d'un endroit à un autre. (Voir *L'éducation des oisillons.*)

DESCRIPTION DU COMPORTEMENT

Le territoire

Fonctions: Accouplement; nidification.
Dimensions: Les environs immédiats d'une ou de plusieurs cavités.
Comportements habituels: Poursuites; «chant».
Durée de sa défense: De l'arrivée des oiseaux jusqu'à l'émancipation des jeunes.

Les mâles arrivent généralement avant les femelles sur le territoire de reproduction, mais ils ne restent pas longtemps à proximité du nid le premier jour. Ils entrent et sortent des cavités, visitent les nichoirs et, parfois, lancent des bribes du «chant». Ils passent le reste de la journée à chercher leur nourriture.

La durée de leurs séjours quotidiens au nichoir dépend pour une large part des conditions météorologiques. L'arrivée d'une vague de froid les incitera à s'éloigner pendant un jour ou deux, jusqu'à ce que la chaleur revienne.

Après avoir exploré plusieurs nids à maintes reprises, les mâles en choisissent un ou plusieurs, qu'ils défendent contre leurs congénères.

Vous entendrez fréquemment le mâle chanter, installé sur le rebord de sa cavité de nidification, sur un perchoir ou au sommet du nichoir (bien que cet endroit ne soit pas revendiqué). L'intensité du «chant» croît lorsque d'autres hirondelles pourprées passent à proximité. Le mâle exécute aussi le «vol de revendication du site», pendant lequel il exécute un long vol circulaire et regagne son nichoir après avoir effectué un plongeon abrupt et un frémissement d'ailes.

Lorsqu'un autre mâle défie un oiseau déjà installé sur un territoire, il provoque parfois chez ce dernier la «parade horizontale» avant d'être poursuivi. À cette occasion, les deux oiseaux se retrouvent souvent face à face dans les airs. Il arrive que leurs griffes s'entremêlent, ce qui provoque parfois leur chute à terre où ils continuent de se battre. Pendant ces querelles, on entend parfois le «hennissement».

L'occupant bat quelquefois en retraite jusqu'à l'entrée de l'une de ses cavités. Il exécute alors la «parade horizontale» et donne des coups de bec à l'intrus s'il s'approche.

Après l'établissement des territoires, les membres d'une colonie ne se battent plus entre eux et empiètent rarement sur le «terrain» du voisin. On a même vu des oiseaux expulser un intrus du territoire de leur voisin en l'absence de celui-ci.

Au début de la saison des nids, les mâles défendent plus de cavités qu'ils n'en utiliseront. Au cours d'une étude, on a découvert que le nombre de cavités défendues au début du printemps se situait entre huit et douze. Il s'agissait de nids adjacents, situés soit sur le même étage, soit sur des étages différents, d'un seul côté du nichoir. En revanche, les mâles retardataires n'en défendent en moyenne que trois ou quatre. À mesure que la saison avance, les oiseaux défendent de moins en moins de nids. À la fin de la saison de reproduction, chaque mâle n'en défend plus que deux en moyenne.

Certains chercheurs ont avancé que c'était la défense de plusieurs cavités qui permettait au mâle d'être polygame, s'il en avait l'occasion. Il est de fait que chez les hirondelles pourprées, 20 p. 100 des mâles tentent de s'accoupler avec plusieurs femelles, mais seulement 5 p. 100 y parviennent.

Les oiseaux dorment habituellement dans l'une de leurs cavités. Au crépuscule, juste avant de se retirer pour la nuit, ils défendent toutes les autres. Les intrus dépourvus de territoire cherchent également des cavités pour y passer la nuit. En général, ils pénètrent sur un territoire à la faveur de la pénombre pour se faufiler subrepticement dans les cavités inoccupées, d'où ils seraient expulsés si leur arrivée était remarquée.

Le mâle laisse cependant les femelles circuler sur son territoire, jusqu'à ce qu'il se trouve une partenaire. À partir de ce moment, il en chasse tous les étrangers, mâle ou femelle. Au moment de l'incubation, la femelle ne défend plus que le nid.

La défense du nid, contrairement aux autres emplacements, se poursuit tout au long de la saison.

La cour

Comportements habituels: «Chant», poursuites, exploration des cavités.
Durée: De l'arrivée de la femelle au début de l'incubation

Lorsque les mâles ont revendiqué une ou plusieurs cavités et délimité un territoire, les femelles viennent inspecter les lieux. Le mâle utilise trois manœuvres pour encourager une femelle à explorer ses cavités. Soit qu'il se mette à chanter plus fort et plus souvent, soit qu'il entre et sorte rapidement d'une ou de plusieurs cavités ou, tout simplement, exécute un «vol de revendication du site». Dès qu'il est entré dans son orifice, il se retourne pour lancer le «chant» à pleins poumons. La plupart des parades nuptiales se déroulent soit à l'aurore, soit au crépuscule.

La femelle semble inspecter toutes les cavités qui sont à sa disposition, qu'elles soient défendues ou non par un mâle. On pense que la femelle ne choisit pas d'abord son partenaire, mais plutôt une cavité de nidification. Après la formation du couple, mâle et femelle deviennent inséparables. Par exemple, ils font leur toilette, se nourrissent et volent ensemble. Après chaque brève séparation, ils s'accueillent avec le «chant».

Lorsqu'une femelle explore un nid déjà revendiqué par l'une de ses congénères, le conflit peut dégénérer en combat. L'intruse essaie alors de revendiquer une autre cavité située sur le même territoire, et c'est ainsi qu'il arrive qu'un mâle devienne polygame. Il se lie avec chacune des femelles installées chez lui, les protège des autres mâles et garde leurs nids lorsqu'elles s'éloignent pour manger pendant l'incubation. Bien que près de 20 p. 100 des mâles soient tentés par la polygamie, il s'avère que cette formule ne dure assez longtemps pour que les oisillons achèvent leur seconde phase de croissance que dans 5 p. 100 des cas. Dans les autres cas, ou bien la couvée de l'une des femelles ne parvient pas à maturité, ou bien cette dernière bénéficie de l'aide d'un autre mâle.

Lorsque les femelles se présentent sur un territoire, elles dorment dans une cavité revendiquée par le mâle avec lequel elles s'accoupleront éventuellement. Lorsqu'un mâle ne possède qu'une cavité, il la partage avec la femelle la nuit. En revanche, s'il en a revendiqué plusieurs, il aura tendance à y entrer et à en sortir à répétition avant de s'installer pour la nuit soit dans la même cavité que sa compagne, soit dans une autre. On a remarqué que plus un couple est formé depuis longtemps, plus les oiseaux ont tendance à partager la même cavité pour dormir.

Pendant la nidification, le couple dort dans la cavité qui lui servira de nid. La copulation se produit sans doute dans le nid, pendant la nuit, avant et pendant la période de la ponte. Cette discrétion est destinée à décourager les autres mâles qui sont portés à chercher noise au couple, voire à s'accoupler de force avec la femelle. Les oiseaux passent la dernière partie de la nuit, jusqu'à l'aube, à chanter dans leur «maisonnette», mais on ignore si cela a un rapport avec la cour ou avec la copulation.

Pendant la saison de reproduction, vous assisterez à deux types de poursuites sexuelles: les poursuites de provocation et les tentatives d'accouplement forcé. Les premières commencent dès la formation du couple. Pendant quinze à quarante secondes, le mâle vole derrière la femelle, qui fait mine de l'éviter en suivant une trajectoire irrégulière. La poursuite commence généralement pendant que les oiseaux se nourrissent à l'écart des autres hirondelles, loin du nid. Parfois, le mâle lance le «chant». On constate que les poursuites de provocation cessent dès que la femelle commence à pondre.

L'autre type de poursuite, la tentative d'accouplement forcé, se produit lorsqu'une femelle est surprise par plusieurs mâles, notamment pendant la nidification, période qui dure de trois à quatre semaines. La vue d'une femelle occupée à recueillir des matériaux semble inciter les mâles à tenter de s'accoupler avec elle lorsqu'elle est à terre, à la poursuivre pendant qu'elle transporte des matériaux et à la forcer à s'accoupler dès qu'elle atterrit. En général, de deux à six mâles poursuivent ainsi une femelle, qui essaie de leur échapper en se posant à proximité de son nid ou en plongeant à l'abri sous le couvert végétal. Son partenaire intervient fréquemment pour essayer de tenir les insolents à l'écart. On a remarqué que les mâles se battaient parfois pour une femelle. Les tentatives d'accouplement forcé durent plus longtemps que les poursuites de provocation, c'est-à-dire jusqu'à une minute.

La nidification

Emplacement du nid: Dans l'ouest, les oiseaux nichent dans n'importe quelle cavité (dans les endroits propices sur des bâtiments, sous les ponts, dans les crevasses des falaises), mais préfèrent les nids désaffectés de pics, dans les troncs d'arbre et de cactus; dans le centre et l'est, les oiseaux vivent presque uniquement dans des nichoirs.
Dimensions: Chaque cavité doit avoir au moins 15 cm de côté et de profondeur; l'orifice doit avoir un diamètre de 6,5 cm.
Matériaux: Brins d'herbe; brindilles; papier; boue et feuilles vertes.

La nidification commence de deux à trois semaines après la formation du couple et un mois environ avant la ponte. C'est généralement le mâle qui fait mine de commencer à bâtir le nid. Vous le verrez souvent recueillir des brindilles qu'il laisse choir aussitôt. Parfois, il les emporte jusqu'au nichoir, mais ne les place pas à l'intérieur: elles tombent au pied de la maisonnette.

La femelle, qui commence peu après le mâle à construire le nid, se charge de la plus grosse partie des travaux. Le mâle se contente de la suivre tandis qu'elle recueille les matériaux. Le nid est confectionné à partir de brins d'herbe et de brindilles. Après avoir travaillé sans relâche pendant plusieurs jours, la femelle s'interrompt pendant une ou deux semaines. Ensuite, elle reprend sa tâche, surtout le matin: elle apporte au nid des brindilles et, parfois, de la boue.

Le nid est en fait constitué d'un petit tapis qui s'incline légèrement vers le fond de la cavité. Au centre, une dépression accueillera les œufs. La femelle plaque parfois de la boue contre les parois du nichoir.

Après avoir déposé une couche de brindilles, les deux oiseaux commencent à apporter des feuilles vertes qu'ils déposent sur la «paillasse» ainsi constituée. En général, ces activités ont lieu juste avant la ponte et se poursuivent tout au long de l'incubation. C'est d'ailleurs pendant cette période qu'on voit surtout les oiseaux recouvrir le nid de feuilles vertes. Des chercheurs croient que les feuilles, en se décomposant, libèrent des gaz qui inhiberaient la prolifération de parasites des plumes dans le nichoir. Selon une autre théorie, l'humidité dégagée par la verdure empêcherait les œufs de se déshydrater. Quoi qu'il en soit, les adultes cessent d'apporter des feuilles fraîches après l'éclosion des œufs.

Lorsque le mâle se présente au nid avec des brindilles, il tentera de les placer dans une autre cavité si la femelle monte la garde à l'entrée. La femelle introduit parfois également des matériaux dans une cavité adjacente au nid.

Toute la période de nidification dure de trois à quatre semaines. Pendant ce temps, le couple passe ses nuits dans le futur nid.

L'éducation des oisillons

Œufs: Environ 5 ou 6; blancs.
Incubation: De 15 à 16 jours; seule la femelle incube.
Première phase de croissance: De 27 à 35 jours, habituellement 28 jours.
Seconde phase de croissance: Une semaine environ.
Couvée: 1.

Ponte et incubation

Pendant la ponte, le mâle chante davantage. Il cesse également de poursuivre la femelle et se querelle moins avec ses voisins, car les frontières des territoires sont bien établies. La colonie semble donc plus paisible.

La femelle pond tôt le matin, à raison d'un œuf par jour. Toutefois, une vague de froid peut l'inciter à interrompre la ponte pendant une journée. Une couvée moyenne contient cinq ou six œufs, sauf chez les femelles d'un an qui n'en pondent habituellement que quatre. Si les œufs sont détruits ou si les oisillons meurent, la femelle pond une nouvelle couvée une dizaine de jours plus tard.

Elle est pratiquement seule à incuber et commence dès la ponte du dernier œuf. Lorsqu'elle s'éloigne du nid pour manger, le mâle vient monter la garde. Soit qu'il s'installe dans la cavité en passant la tête à l'extérieur, soit qu'il se perche sur la corniche du nichoir en attendant le retour de sa compagne. On a remarqué qu'il pouvait s'en aller avant qu'elle reparaisse. Il ne porte pas de repli incubateur bien qu'il s'installe parfois dans le nid.

La femelle reste au nid près de 70 p. 100 du temps, du moins pendant la journée. Elle passe chaque nuit sur les œufs. Parfois, le mâle vient la rejoindre pour dormir.

L'incubation dure de quinze à seize jours, mais elle peut se prolonger d'une journée ou deux s'il fait froid.

Première phase de croissance

Les œufs éclosent en un jour ou deux. Cet intervalle est dû, croit-on, à une incubation partielle des œufs avant la fin de la ponte. Pendant les cinq premiers jours, la femelle garde les petits sous son ventre pendant que le mâle se charge de nourrir toute la famille. Pendant les cinq jours suivants, elle participe à la cueillette de la nourriture. En moyenne, les deux oiseaux effectuent un total de dix aller-retour à l'heure pour nourrir leurs oisillons. En outre, ils emportent dans leur bec les poches fécales qu'ils abandonnent loin du nid.

Dès la troisième semaine, les oisillons ont revêtu une bonne partie de leur plumage. Leurs yeux sont ouverts et ils sont capables de déféquer en reculant jusqu'à l'entrée du nid. C'est au cours de la quatrième semaine qu'ils commencent à acquérir leurs couvertures alaires.

La femelle passe toutes les nuits avec ses oisillons, jusqu'à l'âge de deux semaines. Ensuite, elle préfère aller dormir avec le mâle dans une autre cavité située sur leur territoire. Si le couple n'a qu'une cavité, il se glisse parfois subrepticement dans celle d'un voisin. Il arrive aussi aux adultes de quitter la colonie pour aller dormir dans un arbre, en compagnie d'autres hirondelles, à moins de 1 km de là. Ces abris accueillent des adultes de plusieurs colonies.

La première phase de croissance dure de vingt-sept à trente-cinq jours, mais elle est généralement terminée au bout de vingt-huit jours. Les petits doivent absolument savoir voler lorsqu'ils quittent le nid, car (habituellement) aucun perchoir, qui leur permettrait de faire escale, ne se trouve à proximité. En outre, ils doivent pouvoir revenir chaque nuit au nichoir. Lorsqu'ils s'envolent pour la première fois, ils sont parfois attaqués par des adultes. (Voir *Seconde phase de croissance.*)

Certains observateurs ont vu des femelles pénétrer sur le territoire d'une colonie tard dans la saison, tuer les oisillons qui occupaient un nid afin de s'approprier et le nid, et le mâle qui le défend pour élever sa propre nichée. Ils croient qu'il peut s'agir de jeunes femelles qui, arrivées en retard sur le territoire de reproduction, n'ont réussi à s'approprier aucune cavité de nidification et par le fait même aucun partenaire.

Seconde phase de croissance

Lorsqu'une corniche entoure le nichoir, les jeunes sortent de leur cavité trois ou quatre jours avant de prendre leur envol. Ils exercent leurs ailes et attendent d'être nourris par les parents. Si des hirondelles vagabondes, notamment des mâles immatures, se trouvent dans la région lorsque les parents sont absents, ils essaient parfois de déloger les oisillons de leur corniche. Ces derniers s'empressent alors de regagner le nid.

En revanche, si d'autres jeunes hirondelles du même âge se tiennent sur la corniche, à proximité du nid, les parents les nourrissent sans pouvoir, selon toute apparence, faire la distinction entre leurs petits et ceux des autres. Il arrive que des juvéniles plus développés entrent dans le nid, piétinant les oisillons ou les empêchant de recevoir leur nourriture, auquel cas la nichée meurt.

Il faut jusqu'à trois jours aux petits pour quitter le nid. En général, leur premier vol a lieu pendant les deux premières heures de la matinée. Souvent, ils essaient de suivre l'un des parents. Habituellement, ils s'envolent un par un, mais ce n'est pas toujours le cas. Lorsqu'un juvénile s'éloigne de la colonie pour la première fois, des adultes le prennent parfois en chasse, lui donnant des coups de bec. Cependant, les parents s'efforcent de le protéger en éloignant les attaquants.

Après avoir pris son envol, la petite hirondelle pourprée va se percher sur des arbres, des fils électriques ou des antennes de télévision. Bien que les oisillons d'une même nichée commencent par se disperser, ils ne tardent guère à se réunir sur un perchoir commun, à moins de 1 km du nid, grâce à leurs cris. Là, les parents viennent les nourrir. À la fin de la journée, les petits suivent les adultes jusqu'au nichoir. Ils passent la nuit éparpillés dans plusieurs cavités et, le lendemain, ils retournent à leur lieu de rassemblement de la veille pour y être encore nourris par les parents. Ce manège dure deux ou trois jours. Les adultes se partagent équitablement la tâche de nourrir la couvée, pendant que les jeunes prennent des bains de soleil, font leur toilette, se reposent, exécutent quelques brèves envolées pour regagner presque aussitôt le perchoir collectif. Il arrive que toute la famille retourne au nid avant les gros orages.

Au début, les adultes se perchent à côté des jeunes pour leur offrir leur nourriture. Ensuite, ils se contentent de planer juste au-dessus d'eux. Enfin, les juvéniles, capables de voler, vont à la rencontre des parents et le transfert de nourriture s'effectue dans les airs. En général, les jeunes oiseaux exécutent un frémissement d'ailes avant de recevoir leur part.

Certains mâles immatures, ainsi que certains adultes des deux sexes attaquent parfois les juvéniles sur leurs perchoirs. Ils atterrissent sur leur dos et leur donnent des coups de bec. Parfois, ils les prennent en chasse. Mais il suffit que les petits se mettent à crier pour que les parents viennent promptement à leur défense.

On a émis l'hypothèse que ce harcèlement des jeunes par des adultes, qui aurait pour conséquence de dissuader les juvéniles de venir se reproduire à cet endroit les années suivantes, permettrait ainsi d'atténuer la concurrence autour des nichoirs... à l'avantage des assaillants, évidemment.

Au bout de deux ou trois jours, la famille quitte le perchoir collectif, à la recherche, croit-on, d'endroits où la nourriture est plus facilement accessible aux jeunes. Des observateurs croient qu'il faut au moins une semaine pour que les oisillons s'émancipent. Les parents retournent au nichoir sept ou huit jours après l'envolée des petits afin de défendre une ou plusieurs cavités pendant environ une autre semaine. Ensuite, les oiseaux quittent peu à peu les nichoirs pour se joindre à d'autres hirondelles pourprées dans des régions où la nourriture abonde. Ils dorment dans des abris communautaires avant et pendant la grande migration vers le sud.

Même si certains auteurs des siècles passés, y compris Audubon lui-même, étaient persuadés que les hirondelles pourprées avaient trois couvées, on sait aujourd'hui qu'elles n'en ont qu'une, même dans le sud. C'est uniquement lorsque la saison est exceptionnellement chaude que les oiseaux ont parfois deux couvées, car ils peuvent pondre alors près d'un mois plus tôt qu'à l'accoutumée en raison de l'abondance précoce d'insectes aériens qui constituent l'essentiel de l'alimentation des adultes.

Les juvéniles retournent généralement vers leur lieu de naissance l'année suivante afin de s'y reproduire.

Le plumage

Comment différencier le mâle de la femelle

Les mâles de deux ans ou plus ont un plumage d'un noir chatoyant tirant sur le bleu, totalement dépourvu de plumes claires. Les mâles de un an ressemblent à la femelle. Ils ont la tête plus terne et la poitrine claire. Toutefois, certains portent des taches bleu foncé de dimensions variables sur la poitrine. La femelle a le dos bleu terne, la poitrine grisâtre et parfois un collier grisâtre, très estompé, sur la nuque.

Comment distinguer les jeunes des adultes

Les juvéniles ressemblent aux femelles adultes à une exception près: leur front est beaucoup plus gris, surtout chez les jeunes femelles.

Mue

Les hirondelles pourprées muent complètement une fois par an. La mue commence peu après la reproduction, à la fin de juillet ou au début d'août. Les adultes commencent à perdre les plumes de leur corps et certaines de leurs rémiges primaires (les plus longues plumes de leurs ailes). La mue des mâles commence avant celle des femelles. Les oiseaux ont acquis la plupart de leurs nouvelles rémiges primaires avant la migration, pendant laquelle la mue s'interrompt.

À leur arrivée dans le sud, elle reprend: les oiseaux perdent leurs dernières rémiges primaires ainsi que leurs rémiges secondaires, les rectrices et les dernières plumes de la tête. La mue se termine en février, avant la migration vers le nord.

Chez les juvéniles, la mue des plumes de vol ne commence qu'après la migration.

Les déplacements saisonniers

La migration de printemps commence vers la fin de janvier, les oiseaux atteignant leurs territoires de reproduction les plus méridionaux vers le début de février. Il leur faut près de deux semaines pour couvrir 5° de latitude. Dès la fin d'avril, ils ont atteint le 40e parallèle, soit approximativement à la hauteur de Philadelphie et de San Francisco. Les vieux mâles migrent généralement les premiers. Ils sont suivis des vieilles femelles, puis des oiseaux âgés de un an.

Les chercheurs ont la certitude que la température influence le moment du retour des hirondelles pourprées dans leur territoire. Les oiseaux peuvent avoir en effet jusqu'à cinq jours d'avance ou de retard, selon qu'il a fait plus chaud ou plus froid que la normale. De plus, on a remarqué que, pour une région donnée, certaines colonies arrivent chaque année avant d'autres. On a émis l'hypothèse qu'il s'agit de colonies nombreuses à l'intérieur desquelles la rivalité pour les bons nichoirs est féroce. En général, la plupart des oiseaux apparaissent une semaine après les premiers arrivés. Contrairement à certaines croyances, les hirondelles pourprées n'envoient pas d'«éclaireurs» qui, après une brève apparition, repartiraient pour indiquer la route à suivre au reste du vol.

La migration d'automne se produit en septembre et en octobre. Les oiseaux passent l'hiver en Amérique du Sud. Dans l'est, on remarque que les vols se déplacent graduellement vers le sud, voyagent de jour et s'arrêtent pour manger. Beaucoup d'hirondelles pourprées franchissent d'une traite le golfe du Mexique. Elles traversent ensuite l'Amérique centrale pour s'installer au Brésil, au Venezuela et dans d'autres pays adjacents. On ne sait pas exactement quel itinéraire suivent les populations de l'ouest, mais on suppose qu'elles longent la côte pacifique, le Mexique, jusqu'en Amérique du Sud.

Le comportement en société

À l'automne, après la période de reproduction, les hirondelles pourprées de certaines régions se rassemblent pour dormir dans de grands abris communautaires, qui contiennent jusqu'à cent mille oiseaux. En général, tous se retrouvent une heure avant le crépuscule sur des perchoirs collectifs tels que les fils téléphoniques. Elles mangent, se lavent et lissent leurs plumes. Puis, à la tombée du jour, elles pénètrent dans un abri, généralement un bosquet. Les hirondelles pourprées, très matinales, quittent les abris plusieurs heures avant l'aube. Elles changent parfois de perchoirs et d'abri au cours de la saison.

Dans l'ouest, les abris sont utilisés tout au long de la saison de reproduction. On a étudié l'un d'entre eux, situé en Arizona. Près de trois mille oiseaux ont commencé à y dormir dès leur arrivée dans la région, au printemps. Tout au long de l'incubation, les femelles sont restées dans leur nid, sans regagner l'abri. Mais après l'émancipation des petits, et les femelles et les jeunes se sont joints aux autres, faisant grimper la population de la colonie à près de treize mille oiseaux. On a estimé que cet abri était utilisé par toutes les hirondelles pourprées habitant dans une région de près de 900 km^2.

Très solidaires, les hirondelles se regroupent fréquemment au-dessus d'un nichoir pour y attaquer les prédateurs qui pourraient s'y présenter, tels les éperviers, les hiboux, les goélands et même les geais bleus. Ensemble, elles les expulsent en plongeant abruptement sur eux, mais en évitant la plupart du temps les collisions. Les hirondelles s'attaquent également aux chiens et aux chats qui s'aventurent à proximité de la colonie.

BobHines

Grand corbeau

Corvus corax (Linné) / Common Raven

Par sa taille impressionnante, ses croassements graves et variés et son comportement rappelant celui des rapaces, le corbeau a inspiré des mythes, dans de nombreuses cultures, qui lui accordent une position enviable dans la nature. Pourtant, malgré l'intérêt qu'il a toujours suscité, son existence et son comportement demeurent nimbés de mystère. Cela serait-il dû en partie à sa coutume de rechercher les endroits les plus reculés des plaines et des montagnes pour y bâtir son nid? Dans les régions montagneuses, il est rare de croiser un corbeau avant d'avoir atteint la toundra, au-delà de la limite des arbres. Ailleurs, il niche dans les hautes crevasses d'inaccessibles falaises.

Le corbeau se méfie beaucoup des humains. Si vous cherchez un nid, vous serez sans doute repéré bien avant de l'avoir atteint. L'oiseau s'envolera en criant à votre approche. C'est pourquoi, si vous avez la chance de trouver un nid, il est préférable de l'observer à distance, à l'aide d'un télescope ou de puissantes jumelles.

Pour découvrir les habitudes du corbeau, vous devrez le surprendre en train de chasser, de s'approcher ou de s'éloigner de son nid ou de son abri communautaire. Avec les années, et les bribes d'informations recueillies, vous finirez par dresser un tableau complet de sa vie et, dans plusieurs cas, vous en apprendrez même davantage sur le grand corbeau que ce qui est présenté dans ce chapitre.

CALENDRIER DU COMPORTEMENT

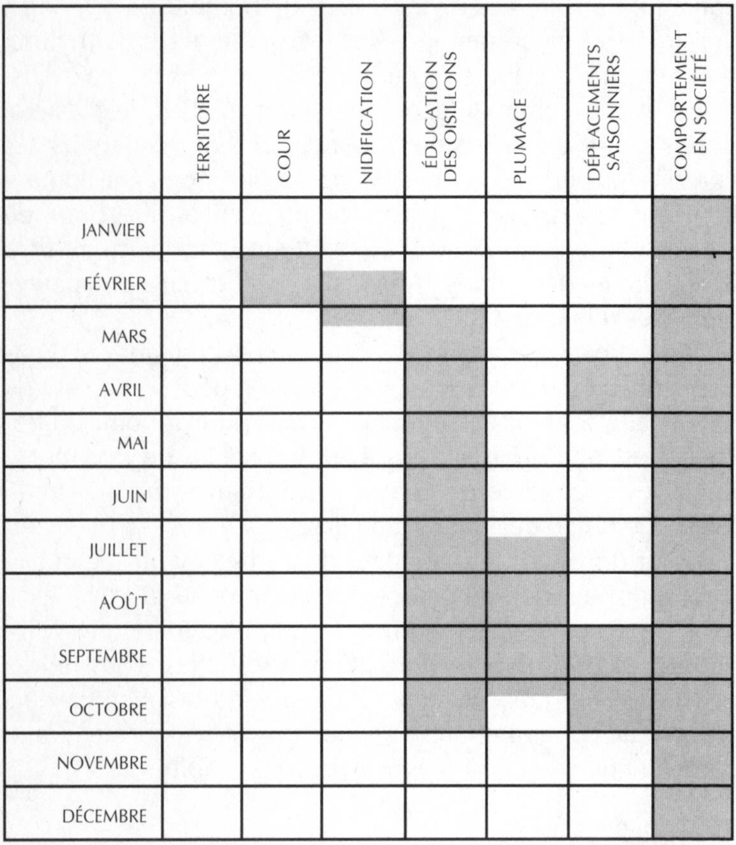

	TERRITOIRE	COUR	NIDIFICATION	ÉDUCATION DES OISILLONS	PLUMAGE	DÉPLACEMENTS SAISONNIERS	COMPORTEMENT EN SOCIÉTÉ
JANVIER							
FÉVRIER							
MARS							
AVRIL							
MAI							
JUIN							
JUILLET							
AOÛT							
SEPTEMBRE							
OCTOBRE							
NOVEMBRE							
DÉCEMBRE							

Communication visuelle

1. Vol acrobatique

Mâle ou femelle *P*

Il s'agit de parades aériennes très élaborées, comprenant des plongeons abrupts, des sauts périlleux, des vols où les partenaires évoluent en harmonie et des vols ondulants.

Cri: Aucun.

Contexte: On observe ces manœuvres surtout vers la fin de l'hiver et au printemps, entre deux partenaires qui renouent leur lien «conjugal» à proximité du nid. (Voir *La cour.*)

2. Hérissement des plumes de la gorge et du crâne

Mâle ou femelle *P, É, A, H*

L'oiseau hérisse les plumes du cou et de la tête, se tient bien droit et, s'il s'agit du mâle, avance parfois d'une démarche hiératique. Si le corbeau est très énervé, il adopte une posture horizontale avant de hocher la tête à plusieurs reprises.

Cris: Aucun ou «gou» s'il s'agit du mâle. La femelle peut émettre une sorte de caquet rauque, parfois mécanique.

Contexte: Les oiseaux adoptent ce comportement ritualisé pour affirmer leur domination sur des concurrents ou dans un contexte sexuel. L'oiseau soumis peut se recroqueviller en ouvrant légèrement les ailes. (Voir *Le comportement en société.*)

3. Toilette mutuelle

Mâle ou femelle *P, É, A, H*

L'un des oiseaux lisse les plumes de la tête ou de la gorge d'un autre oiseau avec son bec.

Cri: Aucun.

Contexte: Lorsqu'un corbeau hérisse les plumes de sa tête, il incite souvent son partenaire ou un autre oiseau à lui faire la toilette. (Voir *La cour, Le comportement en société.*)

Communication auditive

Les cris des corbeaux sont complexes et, parfois, difficiles à distinguer les uns des autres. De plus, chaque individu possède son propre registre, et l'on a constaté que le répertoire des corbeaux contenait souvent des imitations d'autres sons. Les cris les plus courants sont décrits ci-dessous et nous en mentionnons d'autres plus loin. Sachez toutefois que le mâle lance des cris plus sonores et plus graves que ceux de la femelle.

1. Croassement

Mâle ou femelle *P, É, A, H*

C'est le cri le plus connu du corbeau, un cri bref, grave, composé de notes sèches.

Contexte: Les oiseaux croassent lorsqu'ils sont dérangés. Ils émettront sans doute ce cri à votre approche.

2. Gou

Mâle ou femelle *P, É, A, H*

Il s'agit d'une note grave et profonde. Elle est un peu plus longue et plus basse que le croassement.

Contexte: Les membres d'une famille communiquent de cette façon, surtout lorsque les parents nourrissent les jeunes ou au moment du transfert de nourriture entre adultes. On l'entend aussi lorsque les parents s'approchent du nid avec de la nourriture. (Voir *L'éducation des oisillons.*)

3. Clonk

Mâle ou femelle *P*

C'est une note très basse, très sonore, qui ressemble un peu au bruit d'un gong.

Contexte: On n'est pas certain du contexte dans lequel ce cri est lancé. Les oiseaux l'émettent lorsqu'ils décrivent des cercles au-dessus du nid, au printemps. On ne sait pas s'ils s'en servent pendant les autres saisons.

4. Hiou

Mâle ou femelle *P, É, A, H*

Il s'agit d'un cri expiré, moyennement aigu, assez bien rendu par la graphie «hiou».

Contexte: C'est le cri des juvéniles qui veulent, pense-t-on, rester en contact avec leurs parents. On l'entend aussi, quoique moins fort, de la part d'oiseaux soumis qui se trouvent face à un oiseau dominant.

5. Cra-cra

Mâle ou femelle *P, É, H*

Il s'agit d'une série de notes aigres, brèves, répétées à un rythme rapide. Elles sont plus aiguës que le croassement habituel du corbeau, rappelant plutôt le cri des corneilles.

Contexte: Les jeunes lancent ce cri lorsqu'ils mendient de la nourriture. La femelle l'émet lorsque le mâle s'approche d'elle pour la nourrir. (Voir *L'éducation des oisillons, La cour.*)

DESCRIPTION DU COMPORTEMENT

Le territoire

Fonction: Nidification.
Dimensions: Les environs immédiats du nid.
Comportements habituels: Plongeons en direction de l'intrus.
Durée de sa défense: Surtout pendant la saison de reproduction.

Les couples de corbeaux ont un comportement territorial pendant la saison des amours. En effet, ils défendent les alentours immédiats de leur nid contre les autres corbeaux et les rapaces. En général, ils plongent sur l'intrus. On a remarqué toutefois que leur aire était beaucoup plus vaste et chevauchait celle d'autres couples de corbeaux avec lesquels ils entretenaient des relations dépourvues d'agressivité. Les couples dorment soit sur leur territoire, soit dans des abris communautaires avec d'autres corbeaux. (Voir *Le comportement en société.*)

On a déjà remarqué que trois ou quatre corbeaux, parfois plus, pouvaient se tenir aux alentours du nid, voire dans le nid même, pendant la saison de reproduction. Il s'agit probablement des juvéniles de la couvée précédente qui aident simplement leurs parents à élever la nouvelle génération.

Parfois, des groupes de corbeaux semblent vagabonder sans but précis pendant la saison de reproduction. On a émis l'hypothèse qu'il s'agissait d'oiseaux immatures ou célibataires, dépourvus de territoire. Ils rôdent un peu partout, cherchant des endroits où la nourriture abonde. (Voir *Le comportement en société.*)

La cour

Comportements habituels: Ascensions dans les airs, «vol acrobatique», «toilette mutuelle».
Durée: Début de la saison des nids.

Après la formation du couple, les partenaires restent ensemble tout le temps, jusqu'à ce que la mort les sépare. Dans un tel cas, le survivant s'empresse de se trouver un autre partenaire. Chaque corbeau possède ses propres habitudes et son propre registre de cris, ce qui vous aidera à reconnaître les couples que vous avez déjà repérés d'une année à l'autre.

Au début de la saison, le couple revient aux alentours du nid de l'année précédente. Ses premières visites sont parfois brèves mais elles ne tardent pas à se prolonger.

Le comportement du couple présente à ce stade trois caractéristiques qui sont probablement des éléments de la cour. Tout d'abord, les oiseaux s'élèvent dans les airs en décrivant des cercles au-dessus du nid. Ils sont si proches l'un de l'autre que les extrémités de leurs ailes semblent se toucher. Le mâle vole habituellement au-dessus de la femelle. On peut également apercevoir l'un des oiseaux, surtout le mâle, se livrer à des manœuvres acrobatiques comportant des plongeons abrupts, des ascensions verticales et des roulades. Enfin, lorsque les oiseaux sont perchés côte à côte, ils effleurent à plusieurs reprises le bec de leur partenaire et se lissent mutuellement les plumes de la poitrine.

Une quatrième parade, que l'on appelle «vol à l'unisson», se déroule près des abris secondaires. Il s'agit de vols extrêmement synchronisés, au cours desquels les oiseaux exécutent simultanément les mêmes mouvements. On ignore leur fonction exacte, mais ils ressemblent énormément à des parades nuptiales. (Voir *Le comportement en société*.)

La nidification

Emplacement du nid: Soit dans une crevasse abritée d'une falaise ou d'une corniche, soit à la cime des arbres, surtout des conifères; occasionnellement au sommet de constructions humaines.
Dimensions: Diamètre de 0,90 à 1,50 m; dépression à l'intérieur du nid d'environ 30 cm de diamètre.
Matériaux: Assiette de grosses tiges sèches, de terre et de mottes; rebord fait de brindilles plus minces; dépression intérieure tapissée de copeaux d'écorce, de poils, de laine ou d'autres fibres dont disposent les oiseaux.

Plusieurs générations de corbeaux bâtissent des nids au même endroit, leurs emplacements favoris pouvant servir pendant une centaine d'années. Les couples qui construisent dans les arbres conservent cette habitude, au fil des ans et il en va de même pour ceux qui préfèrent les falaises. On a remarqué qu'un nid pouvait servir deux années de suite, surtout s'il se trouve sur une falaise, mais, en général, le couple possède deux ou plusieurs nids, non loin les uns des autres, qu'il utilise tour à tour.

Les deux adultes se chargent de bâtir le nid mais, selon le couple, c'est tantôt le mâle, tantôt la femelle qui abat le plus gros du travail. Dans un cas précis, seule la femelle s'est occupée des travaux. Le mâle se contentait de l'accompagner tandis qu'elle partait à la recherche de matériaux. Parfois, il exécutait des manœuvres acrobatiques au-dessus d'elle. Au cours de ces allées et venues, lorsqu'il se trouve près du nid, le couple communique à l'aide du «croassement». Tandis que la femelle installe des matériaux dans le nid, le mâle se penche parfois à proximité.

Il faut entre quatorze et dix-huit jours au couple pour terminer le nid. Les oiseaux arrachent les petites branches mortes des arbres au lieu de les recueillir au sol. Certaines mesurent près de 1 m de long et plus de 2 cm de diamètre. Si la brindille tombe du nid — ce qui est fréquent —, les oiseaux ne font aucun effort pour l'y replacer. Lorsque vient le moment d'installer le rembourrage intérieur, ils s'installent dans le nid et pivotent sur eux-mêmes à plusieurs reprises, le moulant avec leur corps.

De nouvelles branches étant recueillies chaque année, même lorsque les oiseaux réutilisent un ancien nid, vous saurez que celui que vous avez aperçu est occupé s'il contient de la végétation fraîchement coupée.

L'éducation des oisillons

Œufs: De 3 à 5 en moyenne; verdâtres, parsemés d'un nombre variable de taches brunes.
Incubation: De 18 à 19 jours; seule la femelle incube.
Première phase de croissance: Environ 6 semaines.
Seconde phase de croissance: De 5 à 6 mois.
Couvée: 1.

Ponte et incubation

Entre l'achèvement du nid et la ponte du premier œuf, il peut s'écouler de quelques jours à près de quatre semaines. On ignore quels facteurs déterminent la durée de cet intervalle. Ensuite, la femelle pond un œuf par jour. Elle enfouit les premiers dans les matériaux accumulés au fond du nid, probablement pour les garder au chaud puisqu'il fait encore froid au début de la saison. Parfois, elle reste au nid, mais l'incubation proprement dite ne commence pas avant la ponte du dernier ou de l'avant-dernier œuf.

Vous saurez que l'incubation a commencé lorsque vous ne verrez plus qu'un seul corbeau planer au-dessus du nid. Il s'agira sans doute du mâle, car sa compagne passe presque tout son temps sur les œufs.

Pendant l'incubation, le mâle nourrit la femelle dans le nid même ou à proximité. Au moment de recevoir sa nourriture, elle bat légèrement des ailes tout en lançant le cri «cra-cra». Parfois, l'un des oiseaux pousse aussi le cri «gou» au moment du transfert de nourriture.

Lorsque le mâle ne chasse pas pour se nourrir ou pour nourrir sa compagne, il se tient perché près du nid, sur une branche morte ou une saillie de la falaise. La femelle quitte parfois le nid, auquel cas le mâle vient s'installer sur les œufs. Toutefois, il n'incube pas.

Si vous vous approchez d'un nid de corbeau pendant l'incubation, les deux adultes risquent de s'envoler, même si vous êtes encore à près de 1 km de distance. Ils décriront des cercles au-dessus du nid en croassant.

Lorsque les œufs sont détruits, la femelle pond à nouveau dans les trois semaines qui suivent. Sa nouvelle couvée contient soit le même nombre d'œufs que la précédente, soit un de moins.

Première phase de croissance

Les œufs éclosent en un jour ou deux. La femelle mange les coquilles et garde les oisillons sous son ventre pendant plus de deux semaines. Pendant ce temps, la famille est nourrie par le mâle. Ensuite, les deux adultes se partagent la tâche d'alimenter les petits. Au cours des premières semaines, la femelle s'absente occasionnellement du nid. Le mâle vient alors monter la garde à proximité ou à l'intérieur du nid jusqu'à son retour.

Les parents commencent par offrir aux petits des lambeaux de nourriture déchiquetée. Ensuite, ils laissent tomber dans le nid de plus gros morceaux, que les oisillons sont capables de déchirer. Parfois, les parents transportent, dans leur jabot, de l'eau qu'ils régurgitent dans le bec des petits. Par les journées froides, les parents recouvrent la nichée des matériaux isolants qui tapissent l'intérieur du nid. En revanche, s'il fait chaud, la femelle mouille les plumes de son ventre et s'installe au-dessus des oisillons pour les protéger de la chaleur.

Les petits défèquent en soulevant la queue au-dessus du rebord du nid. Par conséquent, vous apercevrez sur les branchages ou sur la corniche de la falaise de grosses taches blanchâtres qui trahiront la présence du nid.

Un intervalle de plusieurs jours peut s'écouler avant que les oisillons ne quittent tous le nid.

Seconde phase de croissance

Lorsqu'ils quittent le nid pour la première fois, les petits corbeaux savent déjà voler. Toutefois, ils retournent au nid et continuent d'être nourris par les adultes pendant une semaine ou plus. Ensuite, ils s'aventurent plus loin, mais ne quittent définitivement leurs parents que cinq ou six mois après leur premier vol. La famille décide parfois d'aller explorer des endroits où la nourriture est plus abondante.

Le plumage

Comment différencier le mâle de la femelle

Le plumage du mâle et celui de la femelle sont identiques. Toutefois, le mâle est un peu plus gros que la femelle et ses cris sont plus graves.

Comment distinguer les jeunes des adultes
Les jeunes présentent des reflets bruns sur la tête et la queue tandis que les adultes sont d'un noir uni. Chez les juvéniles, les plumes de la gorge ne sont pas aussi longues que celles des adultes.

Mue
Les adultes muent complètement une fois par an, de juillet à octobre.

Les déplacements saisonniers

Les migrations des corbeaux n'ont pas été étudiées en profondeur, mais certains couples restent dans le voisinage de leur nid toute l'année et d'autres, pense-t-on, migrent. Il s'agit sans doute des oiseaux du Grand Nord. La migration d'automne se déroule en septembre et en octobre. Les observateurs des migrations de rapaces aperçoivent parfois de petits vols de corbeaux qui traversent le ciel à la même époque. On ignore où ils passent l'hiver.

Le comportement en société

En automne et en hiver, de nombreux observateurs sont parvenus à repérer les grands abris communautaires des corbeaux. Une fois adopté, un abri est utilisé pendant des dizaines d'années, parfois plus. L'un d'entre eux est situé dans la végétation basse d'un marécage de l'Oregon. On a remarqué que, bien que les oiseaux ne dorment pas toutes les nuits exactement au même endroit, ils ne s'éloignent guère. En l'occurrence, l'abri est protégé par un escarpement peu élevé. Les corbeaux l'utilisent de la mi-octobre à la mi-mars, mais c'est en janvier qu'ils sont les plus nombreux, leur effectif dépassant huit cents oiseaux. À partir de février, leur nombre diminue. Ce phénomène coïncide avec les premières activités de nidification.

Dans ces marécages, les oiseaux se réunissent dans des abris secondaires, souvent des clairières, pour manger avant de regagner leur refuge pour la nuit. Ils se rendent directement à ces abris secondaires, en faisant alterner les vols battus et les vols planés, seuls ou en groupe de deux à cinq oiseaux. Ceux qui arrivent par couple se livrent à des vols synchronisés pendant lesquels ils battent des ailes et planent à l'unisson, exécutent des mouvements ondulants ou se poursuivent à toute allure, silencieusement. Parfois, deux oiseaux s'éloignent en sautillant, l'un recroquevillé avec les ailes partiellement ouvertes, l'autre debout, en effectuant le «hérissement des plumes de la gorge et du crâne». Il leur arrive de se frotter le bec avant que l'un des deux ne se mette à lisser les plumes de la poitrine de l'autre. On a remarqué qu'un groupe de quatre oiseaux pouvaient exécuter simultanément ces parades.

Les corbeaux sont faciles à repérer dans les abris secondaires, mais lorsqu'ils se rendent à leurs abris nocturnes, ils volent bas et en silence. On sait qu'ils partent une demi-heure environ avant le crépuscule et, arrivés à l'abri, ils s'y installent sans plus de cérémonies.

Il faut absolument étudier davantage ce phénomène; par exemple, à quelles saisons les corbeaux utilisent-ils des abris et quelles sont les raisons qui les motivent à vivre en communauté. Parfois, les groupes semblent se former et choisir un abri en raison de l'abondance de nourriture à un endroit, par exemple la proximité d'un dépotoir. On a également remarqué que certains abris étaient occupés toute l'année, mais que le nombre d'oiseaux le fréquentant variait.

La plupart des couples dorment près du nid pendant la saison de reproduction et, parfois, toute l'année. Par conséquent, il est possible que ce soient principalement des juvéniles et des célibataires qui vivent en communauté.

Dans certaines régions, on remarque la présence de vols de corbeaux qui ne se reproduisent pas et fréquentent des lieux où les couples nidificateurs ne sont guère nombreux, mais on ignore s'il s'agit d'oiseaux sexuellement immatures. Les grands groupes qui se rassemblent pour la nuit en automne et en hiver sont peut-être constitués de tous ces petits vols.

Vers la fin de l'été, les juvéniles qui se sont émancipés rejoignent parfois d'autres corbeaux du même âge et, peut-être, des adultes qui ne se sont pas accouplés ou qui, pour une raison quelconque, n'ont pas de territoire. Parmi ces vols, on remarque des couples d'oiseaux qui passent leur temps ensemble, mais on ignore la nature exacte du lien qui les unit. Ce sont également ces vols qui fréquentent les abris communautaires.

On estime que les corbeaux peuvent parcourir jusqu'à 37 km pour retrouver leur abri.

BobHines

Merle bleu à poitrine rouge

(aussi appelé merle bleu de l'est)

Sialia sialis (Linné) / Eastern Bluebird

Peu d'espèces d'oiseaux suscitent autant de passion chez les ornithologues amateurs que le merle bleu à poitrine rouge. Cette passion est d'ailleurs bien compréhensible, car la beauté de son plumage alliée à l'amabilité de son tempérament le distingue de ses rivaux. Si des merles bleus à poitrine rouge nichent sur votre terrain, vous vous sentirez sans doute, comme d'autres avant vous, particulièrement flatté par l'honneur qu'ils vous font.

Jadis, cet oiseau était plus commun, mais ses populations ont fortement décliné depuis le début du siècle, en partie à cause de l'introduction en 1851 du moineau domestique et, en 1890, de l'étourneau, deux espèces européennes qui font compétition aux merles bleus à poitrine rouge pour les emplacements de nidification. Les merles bleus à poitrine rouge en sortent perdants, car ils sont moins agressifs que leurs adversaires. En outre, les habitats favoris de nos petits amis, tels que les vieilles pommeraies et les bosquets situés en lisière des champs ont été détruits au profit des villes et des banlieues. Enfin, ce petit oiseau est extrêmement frileux et de nombreux vols ont été presque exterminés par les vagues de froid qu'ont subies leurs territoires d'hiver, dans le sud-est des États-Unis.

Fort heureusement, les populations de merles bleus à poitrine rouge ont amorcé une remontée, notamment grâce aux efforts de la North American Bluebird Society et de son fondateur, le Dr Lawrence Zeleny, qui ont encouragé la construction et l'installation de nichoirs destinés à cette espèce un peu partout. Toutefois, le nombre de nichoirs est encore insuffisant et les ornithologues amateurs peuvent apporter une contribution valable à la préservation de cette magnifique espèce en participant à cette entreprise.

CALENDRIER DU COMPORTEMENT

	TERRITOIRE	COUR	NIDIFICATION	ÉDUCATION DES OISILLONS	PLUMAGE	DÉPLACEMENTS SAISONNIERS	COMPORTEMENT EN SOCIÉTÉ
JANVIER							
FÉVRIER							
MARS							
AVRIL							
MAI							
JUIN							
JUILLET							
AOÛT							
SEPTEMBRE							
OCTOBRE							
NOVEMBRE							
DÉCEMBRE							

Communication visuelle

1. Vol de parade

Mâle *P, É*

Chez le merle bleu à poitrine rouge, le vol peut être modifié de plusieurs manières: parfois, le petit oiseau exécute un vol-papillon où son battement d'ailes est lent et très accentué. À d'autres moments, il voltige en face de son nid. Et, en troisième lieu, il peut exécuter un vol maladroit, ses battements d'ailes inégaux paraissant dépourvus de synchronisation.

Cris: «Chant» ou «tchip».

Contexte: On observe cette parade pendant la formation des territoires et la cour. Elle sert peut-être à la revendication territoriale ou à la recherche d'une partenaire. (Voir *Le territoire, La cour.*)

2. Battement d'ailes

Mâle ou femelle *P, É*

Installé sur son perchoir, l'oiseau fait battre l'une ou l'autre de ses ailes, parfois les deux, à un rythme modéré. De plus, il arrive que ses ailes frémissent lorsqu'elles sont à la verticale.

Cri: «Chant».

Contexte: Le mâle adopte ce comportement ritualisé lorsque la femelle est à proximité; on l'observe parfois à l'entrée du nid. Peut-être s'agit-il d'un geste de bienvenue entre partenaires. (Voir *La cour.*)

3. Frémissement d'ailes

Mâle ou femelle *P, É*

L'oiseau frémit rapidement des ailes tout en déployant fugitivement la queue au même rythme.

Cri: «Tchip».

Contexte: Cette parade semble caractériser les affrontements entre merles bleus à poitrine rouge. Elle est souvent suivie d'une poursuite. (Voir *Le territoire.*)

4. Cou tendu vers l'avant

Mâle ou femelle *P, É, A, H*

Installé sur son perchoir, l'oiseau se penche vers l'avant, adoptant une posture horizontale. La tête et le cou sont tendus dans le prolongement du corps.

Cri: Aucun ou «tchip».

Contexte: L'oiseau prend cette attitude pendant les affrontements, par exemple lorsque d'autres merles bleus à poitrine rouge s'approchent du nid. Parfois, il ouvre la gueule ou fait claquer le bec en direction de l'intrus.

Communication auditive

1. Chant

Mâle ou femelle *P, É*

Le chant est constitué d'une série de six à huit sifflements mélodieux, très doux, sur un registre plutôt bas. Parfois, l'intervalle qui sépare chaque série disparaît complètement. À l'occasion, les oiseaux n'en chantent que la première

partie. Bien que les représentants des deux sexes soient capables de chanter, le mâle a un chant plus sonore, plus énergique et c'est lui qu'on entend le plus souvent.
Contexte: On entend le «chant» pendant les revendications territoriales, la cour et lorsque les oiseaux sont dérangés au nid, par exemple, à votre approche. (Voir *Le territoire, La cour.*)

2. Tchi-ou-oui

Mâle ou femelle *P, É, A, H*

On entend un sifflement mélodieux, assez grave, composé de une à trois notes. Ce cri est assez bien rendu par la graphie «tchi-ou-oui».
Contexte: Il permet au couple, à la famille ou au vol de rester en contact. Les parents émettent aussi ce cri lorsqu'ils s'approchent du nid avec de la nourriture. (Voir *La cour, L'éducation des oisillons.*)

3. Tchip

Mâle ou femelle *P, É, A, H*

Ce cri bref et sec peut être émis une seule fois ou répété rapidement à plusieurs reprises, ce qui le fait ressembler à un jacassement.
Contexte: Il caractérise les situations alarmantes, par exemple lorsqu'un intrus s'approche du nid.

DESCRIPTION DU COMPORTEMENT

Le territoire

Fonctions: Accouplement; nidification; subsistance.
Dimensions: De 1 à 12 ha.
Comportements habituels: «Chant»; «vol de parade», poursuites.
Durée de sa défense: De l'arrivée des mâles à la fin de la saison des nids.

Les territoires s'étendent habituellement sur des zones dégagées, comprenant des arbres creux ou des nichoirs ainsi que des clairières dans lesquelles les oiseaux peuvent attraper les insectes dont ils se nourrissent. Les dimensions de ces territoires varient, mais on a constaté qu'elles diminuaient à mesure que d'autres merles bleus à poitrine rouge arrivaient dans la région et que l'éducation des oisillons retenait le couple aux environs du nid. Par conséquent, la superficie d'un territoire se situe habituellement entre 1 et 12 ha. Même s'il contient beaucoup de cavités, le couple n'en utilisera qu'une. En général, ces oiseaux nichent à plus d'une centaine de mètres les uns des autres mais on a remarqué quelques exceptions.

Soit que les merles bleus à poitrine rouge migrent, soit qu'ils passent l'hiver non loin de leur territoire de reproduction. Cependant, quoi qu'ils fassent, ils réintègrent toujours ce territoire au début du printemps. Les partenaires n'arrivent pas forcément en même temps. On a remarqué que les oiseaux âgés de un an revenaient souvent se reproduire dans la région de leur naissance.

Les oiseaux affichent, à leur retour, un comportement qui peut paraître étrange. Ils ne se montrent sur leur territoire que quelques heures le matin, mangent, explorent des cavités, puis disparaissent pendant le reste de la journée. Peu à peu, ils y passent plus de temps, mais on a constaté qu'un couple pouvait facilement, après avoir consacré quelques jours à examiner un territoire, s'envoler pour s'installer ailleurs. Le mauvais temps également incite les merles bleus à poitrine rouge à quitter provisoirement leur territoire.

Le mâle revendique son fief en lançant le «chant» du haut de ses perchoirs. Parfois, il exécute son «vol de parade» accompagné du «chant», en se déplaçant d'un perchoir à l'autre ou en se rendant à son nid. Les deux partenaires défendent leur territoire contre l'intrusion d'autres merles bleus à poitrine rouge, les mâles contre les mâles et les femelles contre les femelles.

Parmi les manifestations d'agressivité se trouvent les poursuites et plusieurs parades et cris tels que le «chant», le «tchip», le «frémissement d'ailes» et la posture «cou tendu vers l'avant». On peut les surprendre à proximité d'un nichoir ou aux frontières territoriales. Il arrive fréquemment que deux mâles exécutent le «chant» en duo aux frontières de leurs domaines, surtout lorsque deux couples nichent à proximité l'un de l'autre.

À cette époque, les merles bleus à poitrine rouge se livrent à d'autres manifestations qui, croit-on, servent à la revendication territoriale: ils effectuent de courts vols semi-circulaires ou un vol rapide en ligne droite entre deux perchoirs, accompagné du «chant»; le mâle se perche à l'entrée du nid, la queue déployée, avant de passer à plusieurs reprises la tête par l'ouverture. (Il lui arrive parfois d'effectuer ce mouvement en tenant dans le bec une petite brindille.)

À l'automne, il se peut que les merles bleus à poitrine rouge se mettent à inspecter les nichoirs et manifestent de l'agressivité. On a même remarqué qu'ils apportaient parfois des matériaux dans le nid.

La cour

Comportements habituels: «Chant»; «vol de parade», «battement d'ailes».
Durée: Pendant les jours qui suivent l'arrivée de la femelle sur le territoire.

Avant l'apparition de la femelle, le mâle lance surtout le «chant», qu'il répète jusqu'à vingt fois par minute. Mais dès l'arrivée de sa compagne, cette fréquence diminue pour atteindre de cinq à dix fois par minute environ.

C'est le mâle qui entame les parades nuptiales, après la réunion des partenaires, qu'ils soient arrivés ou non ensemble sur le territoire de reproduction. Il effectue le «vol de parade» accompagnés du «chant». Habituellement, il termine ses manœuvres aériennes à proximité d'une cavité. Il se perche à l'entrée ou sur une branche voisine en exécutant le «battement d'ailes», sans cesser d'émettre le «chant». Ensuite, agrippé au rebord, il balance son corps d'avant en arrière, tout en sortant la tête de la cavité et en regardant aux alentours entre chaque balancement. Parfois, il tient une brindille dans son bec. Souvent, il atterrit sur le nichoir en tournant le dos à la femelle. Il déploie alors sa queue tout en abaissant les ailes, exhibant ainsi son dos d'un bleu vibrant. Il se livre parfois à une sorte de petit pas de danse, frémissant des ailes et pivotant sur lui-même.

Les premiers jours de la cour, on peut observer quatre principales manifestations ritualisées: le «chant», le «vol de parade», le «battement d'ailes» et le mouvement de balancement décrit ci-dessus. Ces parades ne sont pas exécutées dans un ordre précis et le mâle peut les répéter à plusieurs reprises, à l'entrée d'une cavité ou de plusieurs. De plus, il lui arrive également de poursuivre la femelle sur une courte distance.

Au début, celle-ci semble plutôt indifférente à ces avances, mais peu à peu, elle s'approche d'une cavité choisie par le mâle pour l'examiner. Souvent, il en profite pour pénétrer dans la cavité tout en chantant doucement. La femelle s'éloigne et le mâle recommence ses parades. Parfois, elle explore ainsi plusieurs cavités avant d'en choisir une. Entre ses visites, elle exécute aussi le «battement d'ailes» et lance le «chant» très doucement.

Si elle entre dans une cavité dans laquelle se trouve déjà le mâle, cela indique généralement qu'elle l'a choisi comme partenaire. Ensuite, la femelle prend davantage d'initiative et, si elle s'approche d'un nichoir sur lequel est perché le mâle, celui-ci s'empresse de lui laisser la place. À ce stade, il est probable que la femelle domine le mâle.

Un peu plus tard, les parades nuptiales diminuent de fréquence mais les oiseaux restent en contact grâce au doux cri «tchi-ou-oui». Ils s'accueillent souvent avec le «battement d'ailes». En outre, on peut observer le transfert de nourriture, le mâle venant offrir des insectes à la femelle. Parfois, elle se recroqueville, frémit des ailes et lance un petit gazouillis pendant qu'elle reçoit l'offrande. Le transfert de nourriture se poursuit tout au long de la première partie de la saison de reproduction.

La copulation commence parfois avant la nidification et se poursuit même après que la femelle a commencé à incuber: le mâle se pose sur le dos de sa compagne qui se tient recroquevillée. Parfois, il lui donne de petits coups de bec sur la tête.

Les merles bleus à poitrine rouge sont habituellement monogames et les couples restent unis pendant plusieurs saisons successives, notamment s'ils ont réussi à se reproduire. À l'occasion, un oiseau cherche un autre partenaire pour élever une seconde couvée pendant la même saison. On a également relevé plusieurs cas de polygamie et de polyandrie. Par exemple, on a vu deux mâles accouplés avec la même femelle, défendre ensemble un territoire et élever avec succès leur couvée commune. Dans un autre cas, un mâle, qui avait déjà produit une couvée, s'est accouplé avec une autre femelle pour en élever une seconde. (Voir *L'éducation des oisillons.*)

La nidification

Emplacement du nid: Dans une cavité naturelle ou un nichoir.
Dimensions: Diamètre de 6 à 15 cm.
Matériaux: Assiette d'herbes fines, d'aiguilles de pin, de tiges d'herbes folles et de petites brindilles; l'intérieur est tapissé d'herbes plus fines et, plus rarement, de poils ou de plumes.

Les merles bleus à poitrine rouge construisent leur nid dans les cavités naturelles des arbres ou dans des nichoirs.

On les a également vus s'installer dans des endroits pour le moins étranges, tels que des gouttières, des boîtes de conserve, des nids d'hirondelles à front blanc, des bouches de canons et autres cavités.

Le nid, constitué d'herbes sèches, a une structure lâche. Parfois, les oiseaux en tapissent l'intérieur avec de l'herbe plus fine et, plus rarement, des crins de chevaux ou des plumes.

Bien que le couple entre dans plusieurs cavités pendant la cour, c'est la femelle qui élit celle qui deviendra le nid. De une à six semaines peuvent s'écouler entre le moment où son emplacement est choisi et sa construction. Il arrive également que la femelle tapisse plusieurs cavités de brindilles avant de choisir celle qui accueillera ses œufs.

Le mâle transporte des matériaux pendant la cour et la nidification, mais c'est la femelle qui se charge du plus gros du travail. Il lui faut entre deux et quatorze jours — habituellement quatre ou cinq — pour achever le nid. S'il fait froid, elle interrompt les travaux tant que la température n'est pas redevenue clémente.

L'éducation des oisillons

Œufs: Habituellement 4 ou 5; bleu clair, parfois blancs.
Incubation: De 12 à 18 jours, en moyenne 13 ou 14; seule la femelle incube.
Première phase de croissance: De 16 à 20 jours en moyenne.
Seconde phase de croissance: De 3 à 4 semaines.
Couvées: Environ 2 ou 3.

Ponte et incubation

Une semaine peut s'écouler, parfois davantage, entre la fin des travaux de construction du nid et le début de la ponte. La femelle ne pond généralement qu'un œuf par jour, souvent tôt le matin. L'incubation commence véritablement après l'arrivée du dernier, mais il arrive que la femelle passe de brefs moments sur les œufs avant que la couvée ne soit complète.

Elle est seule à incuber. Le temps qu'elle passe chaque jour au nid varie en fonction de la température et d'autres facteurs, encore inconnus. Lorsqu'elle sort du nid pour se reposer ou pour manger, le mâle s'approche de la cavité. Parfois, il pénètre à l'intérieur, mais on sait qu'il n'incube pas, car son ventre ne présente aucun repli incubateur. En outre, des observateurs ont pu s'approcher assez près du nid, munis d'un équipement spécial qui leur a permis de regarder à l'intérieur, confirmant cette hypothèse. La nuit, le mâle reste souvent dans la cavité avec la femelle tandis qu'elle continue d'incuber. Pendant la journée, il la nourrit.

Des études ont également permis d'observer un autre phénomène intéressant qui se déroule dans le nid. En effet, il arrive que, pendant l'incubation et la première phase de croissance, la femelle enfonce à plusieurs reprises le bec dans les matériaux du nid pour les secouer. On ignore exactement pourquoi la femelle agit de cette manière, mais il est possible que cela serve à débarrasser les brindilles des parasites et des débris susceptibles de nuire à la couvée.

De récentes études sur les merles bleus à poitrine rouge ont montré que les femelles pondaient parfois un œuf dans le nid d'autres femelles. Cette forme de parasitisme, qui est courante chez certaines espèces (le canard huppé, par exemple), commence seulement à être étudiée chez les oiseaux chanteurs. Après avoir prélevé, par des méthodes inoffensives, des échantillons sanguins chez des merles bleus à poitrine rouge adultes et chez leurs oisillons, les chercheurs ont constaté que, dans 9 p. 100 des cas, la couvée était issue de plus d'un père ou de plus d'une mère. Ce phénomène ne peut se produire que si la femelle s'est accouplée avec plus d'un mâle ou si une autre femelle a pondu dans le nid de la première. On ignore encore la raison de ces extraordinaires «stratégies» de reproduction.

Première phase de croissance
En gros, on peut dire que les œufs éclosent dans l'ordre où ils ont été pondus. Toutefois, chaque couvée peut contenir un ou plusieurs œufs clairs. Après l'éclosion, les adultes mangent ou emportent les coquilles. Les oisillons sont presque «nus», seulement recouverts de minces plaques de duvet grisâtre. La femelle les couve donc pendant les premiers jours, jusqu'à ce que leur plumage soit plus abondant et que leur température corporelle se stabilise.

Au début, c'est le mâle qui nourrit toute la famille: il apporte les insectes à la femelle qui, à son tour, les donne aux oisillons. Un peu plus tard, lorsque sa présence au nid apparaît moins essentielle, la femelle participe à la collecte de nourriture et ce sont les deux parents qui offrent leur récolte aux petits. Les premiers jours, ce sont uniquement des insectes «mous», par exemple des chenilles, que les parents leur apportent, mais ensuite de gros insectes adultes, tels que des scarabées et des sauterelles, constituent l'essentiel de leur alimentation. Il leur arrive même de se nourrir de baies.

Les oisillons grandissent très vite. Entre le quatrième et le septième jour, leurs yeux s'ouvrent. Les rémiges primaires apparaissent dès le quatrième jour et les plumes de la queue, le huitième. Pendant la première semaine, ils émettent un doux gazouillis qui ne tarde pas à se changer, dès la deuxième, en un zézaiement plus aigre. À l'âge de douze jours, ils pèsent presque le même poids que les adultes et leur duvet a été remplacé par le plumage des juvéniles, gris et bleu. Dès le quinzième jour, ils ont toutes leurs plumes.

Au début de la première phase de croissance, les parents mangent les poches fécales. Au bout de sept ou huit jours, ils commencent à les emporter, parfois jusqu'à une cinquantaine de mètres du nid. Un autre indice vous permettra de déterminer à quel stade est parvenue la croissance des oisillons. En effet, pendant les premiers jours, les parents pénètrent dans la cavité pour nourrir leur nichée. Ensuite, ils se contentent de plonger la tête à l'intérieur, les pattes agrippées au rebord.

Si l'un des petits meurt pendant cette phase, les parents l'emportent du nid, à moins qu'il ne soit trop gros.

Seconde phase de croissance

Le moment auquel les oisillons quittent le nid varie. Si on les dérange pendant les derniers jours de la première phase de croissance, ils s'envolent prématurément, ce qui diminue évidemment leurs chances de survie. Mais en général, ils ne s'éloignent guère avant l'âge de dix-sept à vingt jours. Pour les inciter à sortir, les adultes les nourrissent moins. Il faut environ deux heures pour que toute la couvée soit sortie du nid. Parfois, un ou deux oisillons attendent le lendemain. Le premier jour, ils sont capables de voler sur une distance de 100 m environ, se posant souvent sur les rameaux inférieurs des arbres avant de remonter peu à peu, de branche en branche. Dès leur départ, ils commencent à lancer le cri «tchi-ou-oui», ce qui permet aux parents de rester en contact avec eux pendant qu'ils continuent à rechercher de la nourriture. On a constaté que la couvée continuait d'être nourrie par les adultes pendant trois ou quatre semaines, parfois plus. Toutefois, si la femelle pond une seconde couvée, c'est le mâle qui se chargera seul de nourrir les petits de la première.

La femelle change parfois de cavité pour y élever sa deuxième ou sa troisième couvée. Parfois, elle recommence à pondre trois ou quatre jours après que les oisillons ont quitté le nid. Il arrive que un ou plusieurs rejetons de la couvée précédente restent dans les parages et aident les parents à nourrir la nouvelle nichée.

Ces assistants ne sont pas toujours des juvéniles mais parfois des adultes. Des observateurs ont rapporté qu'un mâle de un an, après avoir élevé sa propre couvée, est revenu au nid de ses parents pour les aider à nourrir leur nouvelle famille. En outre, on a constaté que des adultes qui élevaient déjà leurs oisillons s'occupaient aussi de jeunes oiseaux qui s'étaient aventurés sur leur territoire.

Les couples qui ont réussi leur première couvée restent ensemble pour élever les suivantes. En cas d'échec, par contre, l'un des partenaires — parfois les deux — s'éloigne pour aller nicher ailleurs. On a vu des mâles se déplacer sur une distance de près de 5 km pour revendiquer un nouveau territoire. Après la destruction de sa couvée, une femelle a parcouru 20 km. Le mauvais temps et les prédateurs — ratons laveurs et autres mammifères, serpents, troglodytes ou moineaux — sont les principaux responsables de la destruction d'une couvée.

Le plumage

Comment différencier le mâle de la femelle
Le mâle a le dos et la tête d'un bleu très vif tandis que la femelle est plutôt bleu-gris.

Comment distinguer les jeunes des adultes
Le plumage des juvéniles ressemble à celui des femelles adultes à l'exception de taches brunâtres sur la poitrine. Les juvéniles muent partiellement en août et en septembre, perdant ainsi ces taches. À partir de ce moment-là, ils sont identiques aux adultes.

Mue
Les adultes muent complètement une fois l'an, en août et en septembre.

Les déplacements saisonniers

Les merles bleus à poitrine rouge qui vivent dans la partie la plus septentrionale de leur aire de distribution passent l'hiver dans les États américains du sud-est, au Mexique et en Amérique du Sud. La migration se déroule en octobre et en novembre. Les oiseaux voyagent en groupe plus ou moins nombreux.

Il arrive que certains merles bleus à poitrine rouge soient sédentaires et passent l'hiver à proximité de leur territoire de reproduction, surtout si la nourriture est suffisante et s'ils ont réussi à se reproduire. Parfois, ils restent en compagnie de leur progéniture jusqu'à la saison de reproduction suivante.

En général, il s'agit surtout d'oiseaux qui vivent dans la partie la plus méridionale de l'aire de distribution de cette espèce.

Le comportement en société

Pendant l'hiver, les merles bleus à poitrine rouge se déplacent en petit vol de cinq à dix oiseaux, parfois plus. Ils se nourrissent de fruits et de baies tels le sumac et la rose multiflore. Ils s'intéressent parfois aux mangeoires qui contiennent un mélange de raisins secs et de saindoux. Lorsque l'hiver est rigoureux, ils s'abritent ensemble dans des nichoirs et d'autres cavités bien protégées. Parfois, ils s'installent côte à côte, la tête vers l'intérieur, sans doute pour conserver leur chaleur.

BobHines

Junco ardoisé

Junco hyemalis (Linné) / Dark-Eyed Junco

Chaque automne, nous attendons l'arrivée de «l'oiseau des neiges» qui se reproduit dans le nord. Son surnom trouve son origine dans les deux principales couleurs de son plumage: «Ciel plombé au-dessus, neige en dessous». Cette expression décrit très justement le junco ardoisé. De plus, il mérite doublement ce surnom car il apparaît juste après les premières neiges.

Les ornithologues ont longtemps pensé qu'il existait quatre variétés de juncos, soit le junco à ailes blanches, le junco ardoisé, le junco de l'Oregon et le junco à tête grise. Aujourd'hui, on considère qu'elles appartiennent toutes à la variété junco ardoisé.

Les juncos comptent parmi les clients privilégiés des mangeoires d'hiver, aux États-Unis et dans le sud du Canada. Une large part des études a surtout porté sur leur comportement en société, pendant l'hiver, mais il en reste encore beaucoup à apprendre sur leurs parades nuptiales et leurs habitudes pendant la saison des nids.

Les juncos reviennent chaque hiver au même endroit, rassemblés en vols stables. Il est à noter que leur comportement est régi par une hiérarchie très stricte. Il vous suffira de les observer à proximité de vos mangeoires pour vous en rendre compte: les oiseaux dominants exécutent l'«attaque à coups de bec», chargeant leurs congénères moins élevés dans la hiérarchie, qui eux cèdent ou, tout simplement, les évitent. À l'occasion, deux oiseaux se font face pour exécuter simultanément le «hochement de tête».

Parfois, ces affrontements dégénèrent au point que les combattants s'agrippent l'un à l'autre et s'élèvent dans les airs. Mais habituellement, les manifestations ritualisées suffisent à régler les conflits. À l'approche du printemps, les juncos commencent à chanter et à exécuter davantage de «poursuites aériennes», le mâle derrière la femelle. Il est possible qu'une partie de la cour se déroule avant que les vols d'hiver ne se dispersent.

La nuit, les juncos dorment souvent au même endroit. Il est très divertissant de les suivre de la mangeoire jusqu'à leur abri. Habituellement, ils choisissent un conifère au feuillage épais, qui les protégera du froid et des prédateurs.

CALENDRIER DU COMPORTEMENT

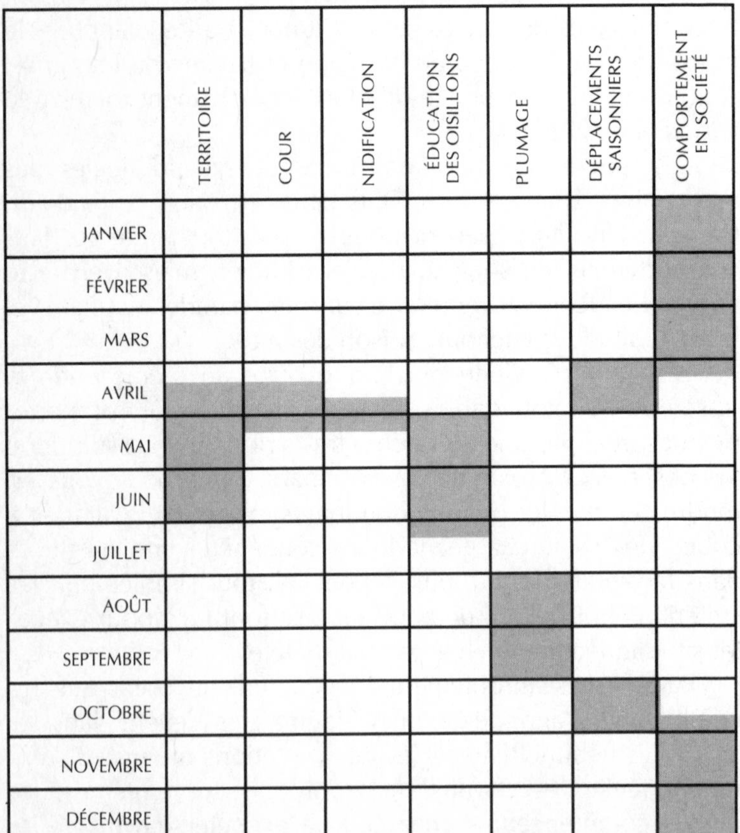

	TERRITOIRE	COUR	NIDIFICATION	ÉDUCATION DES OISILLONS	PLUMAGE	DÉPLACEMENTS SAISONNIERS	COMPORTEMENT EN SOCIÉTÉ
JANVIER							
FÉVRIER							
MARS							
AVRIL							
MAI							
JUIN							
JUILLET							
AOÛT							
SEPTEMBRE							
OCTOBRE							
NOVEMBRE							
DÉCEMBRE							

Communication visuelle

1. Attaque à coups de bec

Mâle ou femelle *P, É, A, H*

Le plumage lisse, le corps à l'horizontale, le cou tendu, la queue parfois déployée, l'oiseau charge un congénère qui, s'il ne cède pas du terrain,.risque de recevoir des coups de bec.
Cris: «Kiou» ou «bzzt».
Contexte: C'est l'oiseau dominant qui exécute cette parade pendant les affrontements.

2. Poursuite aérienne

Mâle *P, É, A, H*

Il s'agit de courtes poursuites aériennes pendant lesquelles l'un des oiseaux se tient à quelque distance de l'autre. Parfois, ils exécutent des demi-tours abrupts. Leur queue est déployée.
Cris: «Tsip», «bzzt», «kiou».
Contexte: On observe cette conduite pendant les affrontements et dans le cadre de la cour.

3. Élévation de la queue

Mâle ou femelle *P, É, A, H*

L'oiseau déploie la queue, qu'il élève ensuite au-dessus du niveau de la tête. Son cou rentré dans les épaules, son bec parfois béant et ses ailes légèrement élevées le font paraître plus gros qu'il ne l'est en réalité.
Cri: Aucun.

Contexte: Il s'agit d'une parade hostile que l'on peut observer pendant les affrontements.

4. Hochement de tête

Mâle ou femelle *P, É, A, H*

Deux oiseaux, face à face, hochent la tête à plusieurs reprises, le cou bien tendu.

Cris: «Chant», «kiou», «bzzt».

Contexte: Cette manifestation caractérise les affrontements et la cour.

Communication auditive

1. Chant

Mâle *P, É, A, H*

Le chant du junco est un trille variable. Parfois, il est monotone, parfois il monte ou il descend. Son rythme également peut varier. On a déjà entendu l'oiseau mettre bout à bout deux ou trois trilles émis sur des registres différents.

Contexte: On l'entend pendant les querelles ou la cour.

2. Kiou

Mâle ou femelle *P, É, A, H*

Ce bruit, bien que sec, est très musical. L'oiseau le répète parfois.

Contexte: Il exprime surtout l'hostilité. Nous avons entendu à plusieurs reprises des juncos lancer le «kiou» si un rival les dérangeait pendant qu'ils se nourrissaient. L'intrus battait en retraite ou s'arrêtait net.

3. Bzzt

Mâle ou femelle *P, É, A, H*

On entend une sorte de bourdonnement très bref.

Contexte: Ce cri caractérise les situations moyennement alarmantes. On l'entend souvent lorsque les oiseaux s'approchent de la mangeoire ou atterrissent sur un arbre.

4. Toc

Mâle ou femelle *P, É, A, H*

Ce cri est très bref et très sec.

Contexte: Ce cri exprime peut-être de l'inquiétude. On entend parfois un oiseau le lancer lorsqu'il a été séparé du vol. Il sert sans doute aussi à rester en contact avec les autres à distance.

5. Tsip

Mâle ou femelle *P, É, A, H*

Ce cri, également très bref, est beaucoup plus aigu que le précédent. Les oiseaux le répètent parfois à deux ou trois reprises.

Contexte: Il s'agit du cri le plus souvent émis lorsque les juncos se déplacent en groupe, au sol ou dans les airs. Peut-être leur sert-il à rester en contact les uns avec les autres.

DESCRIPTION DU COMPORTEMENT

Le territoire

Fonctions: Accouplement; nidification; subsistance.
Dimensions: De 1 à 1,5 ha.
Comportements habituels: «Chant»; poursuites.
Durée de sa défense: Tout au long de la saison de reproduction.

Les mâles arrivent sur leur territoire avant les femelles et commencent à chanter du haut de grands arbres. Le «chant» est constitué d'un trille variable et l'on a constaté que chaque oiseau avait son propre répertoire, ce qui permettait de le distinguer des autres mâles. Tout intrus est aussitôt chassé par l'occupant du territoire.

En général, un territoire couvre entre 1 et 1,5 ha mais il arrive qu'il soit plus petit. Le domaine d'un mâle comprend souvent un espace à découvert, soit un affleurement rocheux, soit une berge abrupte, car c'est dans ce genre d'endroit que les juncos se plaisent à nicher. On les a toutefois vus bâtir leur nid sous des buissons, dans des forêts moins denses.

La cour

Comportements habituels: Poursuites; «chant».
Durée: De l'arrivée de la femelle jusqu'à la période d'incubation.

Lorsque la femelle arrive, le mâle commence par se montrer agressif et n'hésite pas à la prendre en chasse, mais elle persiste à rester sur le territoire. Plusieurs auteurs ont décrit les parades auxquelles se livrent alors les deux oiseaux: ils sautillent, les ailes baissées et la queue déployée, exposant leurs rectrices extérieures blanches. On sait que le couple est formé lorsqu'on voit les oiseaux se promener ensemble sur le territoire, à moins d'une quinzaine de mètres l'un de l'autre, et lorsque la fréquence à laquelle le mâle chante le «chant» diminue beaucoup.

Des études plus approfondies de cette phase s'imposent.

La nidification

Emplacement du nid: Habituellement sur le sol, dans une petite dépression, souvent dissimulée par la végétation qui la surplombe.
Dimensions: Diamètre de près de 6 cm; profondeur de 3 cm; hauteur de 6,5 cm.
Matériaux: Feuilles sèches; mousse; brindilles; aiguilles de pin; écorce; plumes; poils; petites racines de fougère.

C'est surtout la femelle qui bâtit le nid, bien que le mâle y apporte quelques matériaux. Les juncos affectionnent les parois verticales des affleurements rocheux, des berges dénudées ou le réseau de racines mis à jour au pied de grands arbres renversés. Ils peuvent aussi nicher au pied d'un arbre, sous des buissons de bleuets ou une pile de

fagots. Beaucoup de nids sont entièrement dissimulés par la végétation qui les surplombe, par exemple, des fougères, de la mousse ou des branches basses. À de rares occasions, les juncos nichent dans les arbres, et lorsque cela arrive, ils choisissent de préférence des conifères.

L'éducation des oisillons

Œufs: De 3 à 6, généralement entre 3 et 5; grisâtres ou bleu pâle, mouchetés de brun rouille et de gris; les taches sont habituellement concentrées à une extrémité.
Incubation: De 12 à 13 jours; seule la femelle incube.
Première phase de croissance: De 9 à 13 jours.
Seconde phase de croissance: Environ 3 semaines.
Couvées: De 1 à 2.

Ponte et incubation

La femelle, qui se charge de toute l'incubation, pond un œuf par jour et commence à incuber dès la ponte du dernier. On a vu une femelle commencer à incuber après avoir pondu son troisième œuf, soit l'avant-dernier de la couvée. Ses trois premiers ont éclos le même jour et le quatrième un jour plus tard.

Les auteurs de cette étude ont également constaté que les femelles pondaient généralement trois œufs lorsqu'il s'agissait de leur seconde couvée de la saison, que la première ait été ou non menée à maturité.

Première phase de croissance

Les deux parents se chargent de nourrir les oisillons, en moyenne huit fois par heure. Leur alimentation est principalement constituée d'insectes sans carapace et de graines. Lorsque les parents rapportent de gros insectes, ils prennent soin de leur retirer les ailes et les pattes avant de les offrir aux oisillons.

Les deux adultes mangent les poches fécales pendant les premiers jours. Ensuite, ils préfèrent les emporter. Plusieurs observateurs ont vu des couples de juncos transporter les excréments des oisillons jusqu'à une certaine branche, toujours la même. Dans un autre cas, les parents avaient coutume de déposer les poches fécales sur un fil téléphonique qui devenait ainsi tout blanc, jusqu'à ce qu'une averse le nettoie.

C'est uniquement la femelle qui garde les petits sous son ventre. Ils ouvrent les yeux le deuxième jour et, dès le septième, leurs plumes apparaissent à l'extérieur de leurs gangues. Si vous vous approchez du nid à ce stade, les oisillons se recroquevillent, terrifiés. Mais au bout d'une huitaine de jours, ils se montrent beaucoup plus remuants et risquent de quitter prématurément le nid si un danger les menace.

Seconde phase de croissance

Les oisillons continuent d'être nourris par les parents après leur départ du nid, pendant trois semaines ou plus. Une étude a rapporté le cas d'un mâle qui a continué à nourrir sa progéniture pendant vingt-quatre jours après son départ du nid. Toutefois, le vingt-septième jour, il commença à manifester de l'agressivité envers ses jeunes, chassant l'un d'eux qui s'approchait de lui pour mendier. Ce mâle conduisait encore les petits à une mangeoire quarante-six jours après leur départ du nid, mais il ne les nourrissait plus.

Si elle pond une seconde couvée, la femelle commence parfois à bâtir son nouveau nid aussi tôt que deux jours après que ses oisillons sont partis. C'est alors le mâle qui continue de s'occuper d'eux.

Une autre étude rapporte le cas inusité d'un mâle qui a pris en charge la couvée d'un congénère qui était mort le matin même de l'éclosion (un œuf sur trois seulement avait été fécondé). Dès l'après-midi, la femelle avait trouvé un nouveau partenaire. Au début, elle s'est occupée seule de son oisillon. Pendant les trois jours suivants, elle s'est accouplée à plusieurs reprises avec le nouveau mâle. Dès le quatrième jour, celui-ci s'occupait également de l'oisillon orphelin dont la croissance s'est déroulée sans problème.

Le plumage

Le plumage des juncos varie en fonction de leur région d'origine. C'est pourquoi les ornithologues considéraient autrefois qu'il existait en Amérique du Nord quatre variétés différentes de juncos, que l'on regroupe aujourd'hui en une seule, le junco ardoisé. Vous apercevrez donc le junco ardoisé (espèce type) dans l'est, le junco de l'Oregon dans l'ouest, le junco à flancs rosâtres (couleur que revêt le junco de l'Oregon) dans les Rocheuses canadiennes, le junco à ailes blanches dans les Montagnes Noires du Wyoming et du Dakota du Sud et le junco à tête grise dans le sud des Rocheuses. Étant donné que toutes ces variétés se croisent volontiers, il existe encore d'autres couleurs de plumage.

Comment différencier le mâle de la femelle
Il est très difficile de différencier le mâle de la femelle chez le junco ardoisé. En général, si l'oiseau est très foncé, il s'agit probablement d'un mâle. On sait que les mâles sont également plus foncés que les femelles chez les juncos à ailes blanches, qui ressemblent d'ailleurs aux juncos ardoisés, à l'exception des barres alaires blanches et des rectrices extérieures blanches plus prononcées. Chez le junco de l'Oregon, le mâle porte un capuchon noir tandis que la femelle arbore un capuchon gris. Les spécimens des deux sexes sont identiques chez les juncos à flancs rosâtres et à tête grise.

Comment distinguer les jeunes des adultes
Quelle que soit la variété observée, les juvéniles ont la poitrine rayée, contrairement aux adultes.

Mue
Les juncos muent une fois par an, en août et en septembre.

Les déplacements saisonniers

Les juncos quittent la partie septentrionale de leur aire de reproduction en octobre et en novembre. Ils migrent en groupe jusqu'à leurs territoires d'hiver, dans le sud du Canada et la totalité des États-Unis. Ils retournent chaque année dans la même région. En général, les oiseaux les plus vieux, et donc dominants, arrivent les premiers. Ils sont suivis de leurs congénères plus jeunes. Les mâles hivernent plus au nord que les femelles. C'est pourquoi la proportion de mâles dans une bande augmente au fur et à mesure que l'on monte vers le nord.

Le comportement en société

C'est le comportement des juncos sur leur territoire hivernal qui a fait l'objet des études les plus approfondies. La population des vols reste stable durant tout l'hiver. Chaque vol occupe une superficie de 5 à 6 ha. Cependant, la troupe ne se déplace pas toujours de concert et vous apercevrez parfois de petits groupes de juncos au nombre variable. Aucun des oiseaux ne sort du périmètre délimité par la troupe. Bien qu'ils ne défendent pas véritablement de territoire, leurs aires de subsistance ne se chevauchent pas. Il arrive toutefois que certains oiseaux s'aventurent sur l'aire d'une bande voisine notamment si la nourriture se fait rare.

Au sein d'une troupe, la hiérarchie est très stricte. Les mâles dominent habituellement les femelles et les adultes dominent les juvéniles.

Une large part du comportement que l'on observe à proximité des mangeoires consiste en manifestations de cette hiérarchie. Plusieurs parades permettent aux oiseaux d'afficher leur dominance dans le groupe, par exemple l'«attaque à coups de bec», le «hochement de tête» et la «poursuite aérienne». On remarque que ce sont surtout les mâles qui poursuivent les femelles en vol et, cette parade devenant plus fréquente au printemps juste avant la migration, des chercheurs croient qu'on peut l'associer à la cour.

Au moment des repas, les oiseaux semblent se disperser sur une superficie précise. On y remarque plusieurs parades dont l'«attaque à coups de bec» est la plus fréquente. Les oiseaux dominants semblent s'en prendre surtout à d'autres oiseaux dominants, car ceux qui sont soumis ont plutôt tendance à les éviter. S'il arrive qu'aucun des deux ne veuille céder, ils se font face en exécutant le «hochement de tête». Parfois, une poursuite s'amorce et dégénère en bataille qui se déroule ainsi: ils se donnent des coups de patte en s'élevant de plusieurs dizaines de centimètres dans les airs. Cependant, les combats véritables se produisent assez rarement.

Pendant la journée, les troupes de juncos suivent un programme bien précis. La nuit, ils s'abritent ensemble, utilisant le même arbre à plusieurs reprises. Avant que le calme ne se fasse pour la nuit, on assiste à de nombreuses poursuites entre les branches, les oiseaux exhibant généreusement leurs rectrices blanches. Il est possible que l'éclat de ces plumes dans la pénombre permette aux oiseaux de repérer leurs congénères et d'éviter d'être séparés du reste du vol.

À l'approche du printemps, les mâles lancent plus fréquemment le «chant» et on remarque une recrudescence de la «poursuite aérienne». Dès mars et avril, les oiseaux ont pris la route de leur territoire de reproduction.

Bob Hines

Bruant à gorge blanche

Zonotrichia albicollis (Gmelin)
White-Throated Sparrow

Chaque été, nous allons au bord d'un joli petit lac de montagne en Nouvelle-Angleterre. Se trouvant au sommet d'un bassin hydrographique, il se déverse à chaque extrémité. Il est entouré de sapins baumiers et de bouleaux. Au cours des années, une famille de castors a construit un barrage au niveau de chaque déversoir.

Se promener autour de ce lac par une soirée d'été nous procure un plaisir sans pareil, à cause de la présence des castors et des bruants à gorge blanche. En effet, plusieurs couples de bruants à gorge blanche y ont établi leur territoire et, au crépuscule, les mâles commencent à chanter, de leurs voix pures et claires qui traversent sans effort l'étendue sombre et silencieuse du lac. Puis, au fur et à mesure que la pénombre s'épaissit, les castors s'activent. Seul, le sillage en V qu'ils laissent derrière eux est là pour nous révéler leur présence sur le lac lisse, qu'ils traversent aussi aisément que le chant des bruants franchit la nuit cristalline.

Ces activités ne durent qu'une heure environ, jusqu'à la tombée du jour. Alors, nous rebroussons chemin, mais cet instant où la beauté de la nature sauvage nous a imprégnés nous comble pour les mois à venir.

Le «chant» du bruant à gorge blanche compte parmi les plus beaux qu'il nous soit donné d'entendre. Ce sont surtout les mâles qui l'utilisent dans le but de revendiquer leur territoire et d'attirer une partenaire. On a étudié en détail les variations se produisant d'un individu à l'autre.

Un autre domaine a également fait l'objet d'études approfondies. Il s'agit du polymorphisme des bruants à gorge blanche. En effet, chez certains oiseaux, les rayures de la tête sont noires et blanches. Chez d'autres, elles sont plutôt fauves et brunes. On a remarqué que les oiseaux aux rayures fauves et brunes s'accouplaient presque toujours avec des oiseaux aux rayures noires et blanches. Les scientifiques s'interrogent sur les raisons de ce phénomène et n'ont émis pour l'instant que des hypothèses.

CALENDRIER DU COMPORTEMENT

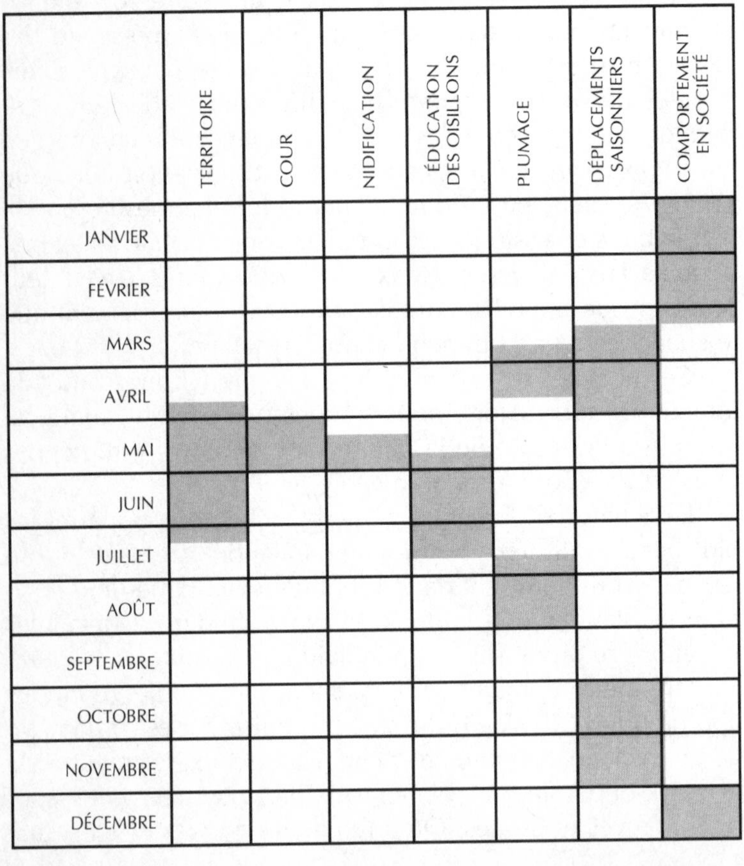

	TERRITOIRE	COUR	NIDIFICATION	ÉDUCATION DES OISILLONS	PLUMAGE	DÉPLACEMENTS SAISONNIERS	COMPORTEMENT EN SOCIÉTÉ
JANVIER							
FÉVRIER							
MARS							
AVRIL							
MAI							
JUIN							
JUILLET							
AOÛT							
SEPTEMBRE							
OCTOBRE							
NOVEMBRE							
DÉCEMBRE							

Malgré ces nombreuses études, plusieurs aspects du comportement des bruants à gorge blanche restent nimbés de mystère. Prenons par exemple la fonction de leurs divers cris, leurs habitudes durant la nidification et la cour. Bien que les oiseaux se méfient des humains pendant la saison des nids, ils sont relativement faciles à observer, car leurs territoires sont exigus; les spécimens des deux sexes sont faciles à reconnaître à cause de leur tête de couleur différente et il est même possible de reconnaître les mâles les uns des autres grâce à leur version du «chant».

GUIDE DE LA COMMUNICATION

Communication visuelle

1. Battement de la queue

Mâle ou femelle *P, É, A, H*

L'oiseau bat rapidement de la queue à plusieurs reprises.

Cri: «Pik».

Contexte: L'oiseau exécute cette parade s'il est très inquiet ou très énervé.

2. Hérissement de la huppe

Mâle ou femelle *P, É, A, H*

L'oiseau hérisse les plumes du sommet du crâne, donnant ainsi l'impression qu'il possède une véritable huppe.

Cri: «Pik» ou aucun.

Contexte: Cette attitude exprime l'inquiétude et caractérise les affrontements. Elle est parfois accompagnée du «battement de la queue».

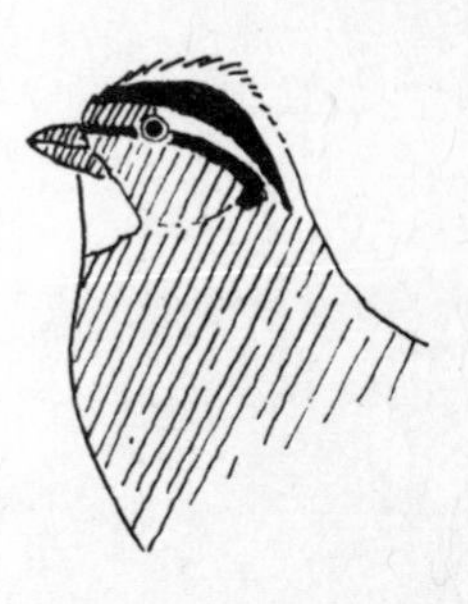

3. Vol frémissant

Mâle *P, É*

L'oiseau vole lentement, en frémissant des ailes. Il ne couvre qu'une petite distance et ne s'élève guère.

Cri: Aucun.

Contexte: Ce vol prélude à la copulation et se produit en réponse au «trille» de la femelle. (Voir *La cour.*)

Communication auditive

1. Chant

Mâle ou femelle *P, É, A, H*

Il s'agit d'une magnifique série de notes sifflées, sur deux ou trois tons. On distingue facilement le «chant» des autres sons émis par les bruants. De plus, chaque individu y va de sa propre version, ce qui permet de reconnaître un spécimen d'un autre.

Contexte: Les oiseaux chantent principalement pendant la revendication territoriale et la cour. Étant donné qu'on entend aussi le «chant» pendant la migration et en hiver, il conserve probablement une signification territoriale en dehors de la saison. Bien que ce soient surtout les mâles qui l'utilisent, les femelles à bandes blanches et noires en émettent également une version. (Voir *Le plumage, Le territoire, La cour, Les déplacements saisonniers, Le comportement en société.*)

2. Tsîît

Mâle ou femelle *P, É, A, H*

Ce cri est expiré, très aigu, assez proche de la graphie «tsîît».

Contexte: Les membres d'un vol communiquent à l'aide de ce cri pendant les repas ou au cours de la migration. On l'entend aussi entre deux partenaires sur le territoire de reproduction. Peut-être permet-il aux oiseaux de rester en contact même à distance. (Voir *Le comportement en société.*)

3. Pîk

Mâle ou femelle *P, É, A, H*

Il s'agit d'un cri très bref et très ténu. Il peut être plus ou moins aigu selon la gravité de la situation.

Contexte: La variante la moins aiguë permet aux oiseaux de rester en contact à distance. En revanche, on entend les versions les plus aiguës lorsque les oiseaux sont menacés, par exemple si un intrus s'approche du nid. (Voir *Le territoire, L'éducation des oisillons.*)

4. Tchp-pp

Mâle ou femelle *P, É, A, H*

On entend une série de cris chuintés, répétés rapidement, dont la transcription ressemblerait à «tchp-pp-pp-pp».

Contexte: Ce cri caractérise les affrontements, par exemple les querelles territoriales entre mâles. (Voir *Le territoire.*)

5. Trille

Mâle ou femelle *P, É*

Il s'agit d'un trille suraigu qui se prolonge durant une seconde, parfois plus. Contexte: C'est surtout la femelle qui lance ce cri avant la copulation ou en réponse au «chant» du mâle. (Voir *La cour.*)

DESCRIPTION DU COMPORTEMENT

Le territoire

Fonctions: Accouplement; nidification; subsistance.
Dimensions: De 0,5 à 1,5 ha environ.
Comportements habituels: «Chant»; poursuites.
Durée de sa défense: De l'arrivée des oiseaux sur le territoire de reproduction jusqu'à la seconde phase de croissance des oisillons.

Les bruants à gorge blanche se reproduisent surtout dans des clairières ou en lisière des bois, là où se trouvent des bosquets éparpillés et des arbustes. Les mâles arrivent avant les femelles et semblent réintégrer chaque année le même territoire. Peu après leur arrivée, ils commencent à revendiquer leur fief.

À leur arrivée, ils se contentent principalement de pourchasser les intrus. Ces poursuites sont parfois accompagnées du «hérissement de la huppe», du «tchp-pp» et du cri «pîk». Ensuite, les mâles passent de plus en plus de temps à lancer leur «chant», bien en évidence du haut de leurs perchoirs. Toutefois, ils évitent de se percher à la cime des arbres, préférant les branches situées juste en dessous.

Des études ont révélé que les oiseaux évitaient de chanter en même temps que leurs voisins, ce qui donne l'impression d'assister à un duo, voire à un trio, chaque oiseau attendant que l'autre ait fini son «chant» pour commencer le sien. C'est pour maximiser l'efficacité de leur propre «chant» que les mâles évitent de chanter en même temps que leurs voisins.

La femelle ne tarde pas à arriver et le couple ne quitte plus son territoire, qui est d'ailleurs fort exigu. Il mesure en moyenne entre 0,5 et 1,5 ha. En outre, la surface défendue rétrécit au fur et à mesure que la saison avance, notamment dans les régions où plusieurs couples essaient de nicher en même temps.

Vers le milieu de l'été, lorsque les juvéniles acquièrent leur indépendance, la défense des frontières s'atténue. Le mâle ne quitte toutefois pas son domaine, contrairement à la femelle et aux oisillons qui s'aventurent plus loin.

On entend également chanter les bruants à gorge blanche pendant la migration, lorsqu'ils s'arrêtent pour se nourrir. Il est possible que le «chant» serve alors à revendiquer un minuscule territoire de subsistance qui ne servira qu'une fois.

La cour

Comportements habituels: «Chant»; poursuites.
Durée: À partir de l'arrivée de la femelle sur le territoire.

Les femelles arrivent une ou deux semaines après les mâles. Elles reviennent chaque année sur le même territoire.

Dès que la femelle a reparu, le «chant» du mâle devient moins fréquent. Toutefois, il recommence avec intensité si, la première couvée ayant été détruite, le couple s'efforce d'en élever une nouvelle.

On ne sait pas grand-chose de la cour. Il est possible que les femelles soient d'abord attirées sur un territoire par le «chant» des mâles. Ensuite, on pense que le mâle pourchasse la femelle jusqu'à ce qu'ils s'habituent progressivement l'un à l'autre. Après la formation du couple, les partenaires demeurent à proximité l'un de l'autre à l'aide des cris «tsîît» ou «pîk».

Pendant ce temps, le mâle surveille étroitement les mâles qui s'approchent de sa partenaire. Il va jusqu'à tenter de déplacer les frontières de son propre territoire si la femelle s'intéresse à une portion d'un territoire voisin. La défense du territoire et la surveillance de la femelle reprend si le couple tente de mener à terme une nouvelle couvée, après la perte de la première.

Environ une semaine avant la ponte, la femelle commence à lancer le «trille», quelquefois en réponse au «chant» du mâle. Dans tous les cas, cela semble indiquer qu'elle est prête à s'accoupler. Le mâle s'approche d'elle en exécutant le «vol frémissant». Elle bat des ailes et continue à lancer le «trille» pendant l'accouplement.

Un autre aspect de la cour est en rapport avec le polymorphisme de cette espèce (voir *Le plumage*). Les oiseaux à bandes blanches ne s'accouplent qu'avec des oiseaux à bandes fauves. Par conséquent, un couple est toujours composé de deux oiseaux de couleurs différentes. Lorsque vous aurez distingué le mâle de la femelle, vous n'aurez plus de difficulté à les reconnaître du reste de la saison.

La nidification

Emplacement du nid: Au sol ou légèrement au-dessus; habituellement près du pied d'un buisson ou d'un arbuste, dans une clairière ou à l'orée du bois.
Dimensions: Diamètre de 6,5 cm; profondeur de 4 cm.
Matériaux: L'extérieur est constitué d'herbes grossières; l'intérieur, d'herbes plus fines, de petites racines et, parfois, de poils d'animaux.

Peu d'observateurs ont vu des bruants à gorge blanche construire un nid. Toutefois, il semble que ce soit la femelle qui s'en charge presque entièrement, surtout le matin. En général, chaque nid est plutôt éloigné du précédent, qu'il s'agisse du premier ou du deuxième nid de la saison.

L'éducation des oisillons

Œufs: De 4 à 6; brillants; blanchâtres tirant sur le bleu délavé ou le vert très pâle, mouchetés de brun.
Incubation: De 11 à 14 jours; seule la femelle incube.
Première phase de croissance: De 7 à 12 jours.
Seconde phase de croissance: De 3 à 4 semaines.
Couvées: Habituellement 1, parfois 2.

Ponte et incubation

La femelle pond un œuf par jour, surtout le matin. L'incubation, qui dure entre onze et quatorze jours, commence avec la ponte du dernier œuf et seule la femelle incube.

Pendant cette période, le mâle se tient à quelque distance du nid. Parfois, il lance une version très atténuée du «chant» tout en cherchant sa nourriture au sol. Des observateurs croient qu'il informe ainsi sa compagne de l'endroit où il se trouve. La femelle quitte le nid plusieurs fois par jour pour manger, généralement en compagnie du mâle.

Les bruants à gorge blanche se comportent très discrètement aux environs de leur nid. Il n'est pas facile d'inciter la femelle à s'envoler. Elle peut rester dans le nid, immobile, jusqu'à ce que l'observateur se trouve à une cinquantaine de centimètres d'elle. Même à ce moment-là, elle s'éloigne en marchant rapidement sur le sol avant de s'envoler. Tant que vous resterez dans les environs, vous entendrez le mâle et la femelle lancer certains cris, tels que le «pîk», et accomplir le «battement de la queue». Mais les oiseaux resteront probablement cachés, même lorsqu'ils réprimandent un intrus.

Première phase de croissance

Cette phase est relativement courte, ne dépassant guère huit à dix jours. Étant donné que cette espèce niche au sol, il est en effet préférable que les oisillons quittent le nid le plus vite possible pour échapper aux prédateurs. Les parents sont silencieux pendant cette phase. Lorsque le mâle ou la femelle apportent de la nourriture aux oisillons, ils ne volent pas directement au nid. En général, ils atterrissent à quelque distance de ce dernier et s'y rendent en marchant ou en sautillant.

Les petits quittent le nid avant de savoir voler. Ils se dirigent à petits sauts vers des perchoirs proches.

Seconde phase de croissance

On ne sait pas grand-chose de cette phase. Cependant, on sait que les parents continuent de nourrir leur nichée et l'on a remarqué que les oisillons étaient capables de voler quelques jours après leur départ du nid. Les parents s'empressent de les défendre à la moindre alerte, se perchant à la vue des intrus en lançant des «pîk».

Cette phase dure de trois à quatre semaines. Apparemment, si la femelle et les oisillons s'aventurent à l'extérieur du territoire, le mâle ne les suit pas: il préfère rester sur son domaine jusqu'à la migration.

Le plumage

Comment différencier le mâle de la femelle

Le plumage n'offre aucun indice permettant de distinguer le mâle de la femelle. Toutefois, on sait que c'est surtout le mâle qui chante et qui défend le territoire, et que la femelle est seule à incuber.

Comment distinguer les jeunes des adultes
Les jeunes bruants ont des taches grisâtres sur la gorge, de très fines rayures sur la poitrine et sont parfois dépourvus des lores jaunes qu'arborent les adultes. Quant aux adultes, ils ont une gorge d'un blanc immaculé, des lores jaunes et une poitrine claire.

Mue
Les bruants à gorge blanche muent deux fois par an. Une mue complète se produit vers la fin de juillet et au début d'août. La plupart des oiseaux à rayures blanches acquièrent à ce moment-là des rayures beiges.

Une mue partielle de la tête, de la gorge, de la poitrine et des flancs a lieu vers la fin de mars pour se poursuivre jusqu'au début d'avril. Pendant cette mue, les oiseaux récupèrent leurs rayures blanches si caractéristiques.

Polymorphisme
On connaît deux formes de bruants à gorge blanche: des oiseaux à la tête rayée de blanc et de noir, et des oiseaux aux rayures brunes et fauves. Ces couleurs sont permanentes et n'ont aucun rapport avec le sexe de l'oiseau. On a remarqué toutefois que les oiseaux rayés de fauve ne s'accouplaient qu'avec des oiseaux rayés de blanc, phénomène extrêmement rare parmi les oiseaux.

Les déplacements saisonniers

Les bruants à gorge blanche hivernent dans l'est et dans le sud des régions centrales et occidentales de l'Amérique du Nord. Ils migrent de nuit, en vol moyennement nombreux et s'arrêtent pendant la journée pour se nourrir dans les taillis. On peut entendre le «chant» pendant la migration printanière et, plus rarement, à l'automne. On ignore quelles fonctions celui-ci remplit pendant la migration.

Les opérations de baguage des oiseaux a permis de découvrir que les femelles et les immatures migraient plus au sud que les mâles adultes.

La migration printanière a lieu en avril.

Le comportement en société

Pendant la migration et sur le territoire hivernal, les oiseaux se regroupent en bandes de cinq à quinze individus et se nourrissent au sol, souvent en compagnie d'autres espèces telles que les juncos, qui cherchent également leur nourriture au sol. On peut entendre le «chant» en hiver, mais c'est surtout le «tsîît» qui domine, pendant que les oiseaux fouillent l'herbe. Il sert sans doute de cri de ralliement, permettant aux oiseaux de rester en groupe.

Bob Hines

Goglu

Dolichonyx oryzivorus (Linné) / Bobolink

L'observation du comportement des goglus est surtout récompensée par les parades nuptiales et territoriales des mâles. Tout en nous faisant entendre leur «chant», qui ressemble à un concert de plusieurs petites flûtes qui joueraient d'harmonieuses gammes ascendantes, ils se livrent à d'extraordinaires parades dont l'effet est accentué par les couleurs contrastantes de leur plumage.

Les goglus nichent en colonie à population variable dans des champs de foin, ce qui rend encore plus passionnante l'observation de leurs nombreuses parades sur ces territoires exigus. Toutefois, l'activité peut devenir si intense au sein d'une colonie qu'il est quelquefois difficile d'observer le comportement d'un oiseau en particulier.

Il est intéressant de noter que les mâles sont enclins à la polygamie. Certains n'ont pas moins de quatre femelles qui nichent sur leur domaine. Il s'agit sans aucun doute des «anciens» de la colonie, qui bénéficient d'une expérience et de territoires particulièrement enviables. On a étudié en détail les relations de ces mâles avec leurs diverses partenaires et il semble qu'ils s'efforcent de participer à l'éducation des oisillons de toutes les couvées, dans la mesure du possible. Toutefois, c'est leur première compagne de la saison qui profite principalement de leur aide. Après l'émancipation des oisillons de la première couvée, le mâle consacre son énergie à aider ses autres partenaires à élever les leurs.

Les goglus recherchent pour s'y reproduire un habitat très spécifique: il leur faut impérativement un champ de foin. D'ailleurs, on a remarqué que les populations de goglus déclinent à mesure que les terres agricoles disparaissent. Par conséquent, il est important que dans les régions où ils ont toujours niché, on continue de moissonner les champs. Malheureusement, la récolte des foins coïncide souvent avec la seconde phase de croissance des oisillons. En retardant la récolte d'une ou deux semaines, pour permettre aux jeunes de voler correctement, on assurera leur survie. Nous espérons que, après avoir lu ce chapitre, vous contribuerez à protéger les colonies de goglus qui vivent dans votre région.

CALENDRIER DU COMPORTEMENT

	TERRITOIRE	COUR	NIDIFICATION	ÉDUCATION DES OISILLONS	PLUMAGE	DÉPLACEMENTS SAISONNIERS	COMPORTEMENT EN SOCIÉTÉ
JANVIER							
FÉVRIER							
MARS							
AVRIL							
MAI							
JUIN							
JUILLET							
AOÛT							
SEPTEMBRE							
OCTOBRE							
NOVEMBRE							
DÉCEMBRE							

Communication visuelle

1. Posture de chant

Mâle *P, É*

L'oiseau baisse la tête, déploie les ailes et la queue, hérisse les plumes de la nuque. Parfois, il se balance latéralement en sautillant. Le mâle peut adopter cette posture soit au sol, soit sur un perchoir. On remarque des gradations dans son attitude. S'il n'est pas très excité, il se contente parfois de hérisser les plumes de la nuque.
Cri: «Chant».
Contexte: C'est la parade la plus commune durant la revendication territoriale. Les versions les moins intenses servent à l'établissement des frontières, mais si l'oiseau adopte la posture dans son intégralité, cela signifie qu'il menace les autres mâles. Cette parade peut également servir à attirer les femelles. (Voir *Le territoire, La cour.*)

2. Vol avec chant

Mâle *P, É*

L'oiseau vole lentement, mais en battant rapidement des ailes, qu'il tient juste au-dessous du niveau du corps. Il peut effectuer cette parade très haut dans les airs ou au ras du sol.
Cri: «Chant».
Contexte: Si l'oiseau vole en cercle au ras du sol, il s'agit sans doute d'une parade nuptiale. En revanche, un vol en

altitude sert à revendiquer le territoire. On a déjà vu deux mâles exécuter cette parade le long d'une frontière commune. Pendant l'incubation, plusieurs mâles du même champ s'élèvent parfois dans les airs en exécutant le «vol avec chant». (Voir *Le territoire, La cour.*)

3. Hochement du bec

Mâle ou femelle *P, É*

L'oiseau élève rapidement le bec, à deux ou trois reprises.

Cri: Aucun.

Contexte: On observe cette parade surtout entre deux mâles qui marchent le long de leur frontière commune ou qui sont perchés à proximité l'un de l'autre. Elle est rarement exécutée par une femelle. (Voir *Le territoire.*)

4. Battement de la queue et des ailes

Mâle ou femelle *P, É*

L'oiseau bat rapidement de la queue et des ailes en même temps.

Cris: Mâle: «tchik»; femelle: «couic».

Contexte: Les oiseaux manifestent de cette manière si des intrus s'approchent du nid. (Voir *L'éducation des oisillons.*)

5. Élévation des ailes

Mâle *P, É*

L'oiseau élève les ailes qu'il tient au-dessus du corps pendant quelques secondes. Parfois, il hérisse les plumes du corps et déploie la queue.

Cri: «Chant».

Contexte: On observe cette parade chez

les mâles, pendant la cour, lorsqu'une femelle les survole ou se perche à proximité. (Voir *La cour.*)

6. Chute libre

Mâle *P, É*

Après un vol circulaire avec «chant», exécuté à faible altitude, le mâle se laisse tomber sur un perchoir, les pattes pendantes, les ailes en V. Parfois, ses ailes restent dans cette position pendant quelques secondes après l'atterrissage.
Cri: «Bzz».
Contexte: Les mâles se livrent à cette parade à proximité d'une femelle pendant la cour, après un «vol avec chant» exécuté à faible altitude. (Voir *La cour.*)

Communication auditive

1. Chant

Mâle *P, É*

Le chant des goglus est complexe mais très harmonieux. Il consiste en une série de notes distinctes, suivies d'une autre série de gazouillis ascendants. Sa longueur et sa complexité le distinguent facilement des autres sons émis par cette espèce. Il existe une version longue, qui dure de quatre à six secondes, et une version plus brève qui dure de deux à trois secondes. On peut également en entendre des fragments ou une combinaison de plusieurs versions placées bout à bout.

Contexte: Le «chant» accompagne deux parades, soit la «posture de chant» et le «vol avec chant». (Voir *Le territoire, La cour.*)

Remarque: Les goglus émettent une grande diversité de cris brefs. C'est en remarquant les circonstances dans lesquelles ils sont lancés ainsi que le sexe de l'oiseau qui les utilise que vous parviendrez à les identifier. Les nommer et les décrire ne vous sera pas d'une grande utilité à cet égard.

2. Tzip

Femelle *P, É*

Il s'agit d'un «tzip» répété de trois à dix fois, à un rythme régulier.
Contexte: Les femelles poussent ce petit cri au début de la saison des nids, souvent au cours d'un conflit avec d'autres femelles.

3. Couic

Femelle *É*

Ce cri, très bref et répété à plusieurs reprises, est assez bien rendu par la graphie «couic». Il accompagne le «battement de la queue et des ailes» ou un vol plané au-dessus du nid.
Contexte: La femelle lance ce cri de son perchoir ou en plein vol lorsqu'un danger menace le nid ou les petits. Elle réagit de cette manière à l'approche des humains. (Voir *L'éducation des oisillons.*)

4. Fîîou

Mâle *É*

Il s'agit d'un sifflement très clair, sur un octave descendant.

Contexte: Le mâle pousse ce cri lorsqu'il plane au-dessus d'intrus qui se trouvent à proximité du nid ou des petits pendant les deux premières phases de croissance. (Voir *L'éducation des oisillons.*)

5. Bzz

Mâle *P, É*

C'est un bourdonnement assez bref, mais répété à deux ou trois reprises.

Contexte: Le mâle émet ce son pendant la cour ou lorsqu'il exécute la «chute libre». (Voir *La cour.*)

6. Tchik

Mâle *P, É*

Il s'agit d'un son bref, aigre, qui se répète jusqu'à quinze fois.

Contexte: On entend les mâles crier de cette manière pendant les poursuites territoriales ou lorsqu'ils se livrent au «battement de la queue et des ailes». (Voir *Le territoire, L'éducation des oisillons.*)

7. Tchoc

Mâle ou femelle *É*

Cette note brève et sèche peut être répétée toutes les trois ou quatre secondes.

Contexte: Les oiseaux utilisent ce cri lorsque des intrus les dérangent au début de la saison des nids, par exemple, avant et pendant l'incubation. (Voir *L'éducation des oisillons.*)

8. Pik

Mâle ou femelle *P, É, A*

Il s'agit d'un son bref et métallique.

Contexte: Adultes et immatures émettent ce son à la fin de la saison de reproduction, après leur rassemblement en bande. C'est le cri caractéristique des goglus pendant la migration. (Voir *L'éducation des oisillons, Les déplacements saisonniers.*)

9. Cri des juvéniles

Une ou deux semaines avant de rejoindre les adultes pour former les vols d'automne, les immatures émettent un son que l'on a très justement comparé à celui d'un élastique tendu qui se relâche. Après la formation des troupes, ce cri est remplacé par le «pik».

DESCRIPTION DU COMPORTEMENT

Le territoire

Fonctions: Accouplement; nidification; subsistance.
Dimensions: Environ 0,5 ha si la nourriture est abondante; de 2,5 à 4,5 ha si la nourriture est rare.
Comportements habituels: «Chant»; poursuites, «défilés parallèles».
Durée de sa défense: De l'arrivée des oiseaux sur leur territoire jusqu'à la seconde phase de croissance.

À leur arrivée dans la région où ils se reproduisent, les mâles se nourrissent en groupe et se promènent dans les champs sans toutefois se livrer à beaucoup de parades. Cependant, quelques jours plus tard — parfois une semaine —, ils commencent à occuper chacun une zone bien définie dans laquelle ils passent plus de temps à effectuer la «posture de chant» et le «vol avec chant», parades qu'ils accompagnent du «chant». Il est à noter que la «posture avec chant» est parfois exécutée tour à tour par deux voisins. Ces manifestations ritualisées se déroulent sur des perchoirs situés un peu partout sur le territoire, tels de petits taillis ou des tiges très hautes d'herbe folle.

Les intrus sont poursuivis, parfois pendant près d'une minute et souvent à haute altitude. Il s'agit fréquemment de mâles vagabonds qui ne connaissent pas les frontières des territoires et qui sont donc expulsés d'un territoire et de l'autre par leurs occupants respectifs. L'oiseau pourchassé lance parfois le «tchik».

Les frontières sont fixées de deux manières. Parfois, les voisins volent parallèlement l'un à l'autre, en suivant l'une de leurs frontières communes avant de retourner au centre de leurs territoires respectifs. Une autre parade, exécutée au sol, pourrait s'appeler «défilé parallèle»: deux voisins atterrissent à une frontière commune et se mettent à marcher solennellement ou à sautiller le long de celle-ci. D'autres parades accompagnent généralement le défilé parallèle. Chaque oiseau peut faire mine de chercher de la nourriture, adopter la «posture de chant», se livrer au «hochement du bec» ou exécuter de petites courses rapides le long de la frontière. On a également surpris deux mouvements de la tête: un mouvement latéral et un hochement. Ces mouvements permettent à l'oiseau d'exposer sa nuque dorée, tout en dissimulant son bec.

Les défilés parallèles sont les premières manifestations de la revendication territoriale. Ils peuvent se poursuivre pendant deux à trois heures d'affilée. Un mâle s'y livre parfois avec plusieurs de ses congénères pendant la même journée ou avec le même, plusieurs jours de suite.

On observe de temps à autre des combats aériens: deux mâles, volant à la verticale, se font face et, à un certain moment, commencent à se donner des coups de bec tandis que leurs pattes s'imbriquent les unes dans les autres, provoquant leur chute.

Au début, les mâles ne passent pas toute la journée sur leur territoire. Ils se nourrissent généralement ailleurs. C'est entre l'aurore et le milieu de la matinée que les activités territoriales sont les plus intenses. Dans un champ, le centre est occupé d'abord par les oiseaux les plus âgés, qui jouent un rôle dominant. Les retardataires, généralement les jeunes mâles, en occupent la périphérie. Comme on peut l'observer chez de nombreuses espèces d'oiseaux, la superficie des territoires diminue à mesure que d'autres mâles arrivent et que les pressions et les conflits s'intensifient.

Lorsque les femelles se présentent, les conflits territoriaux ont habituellement été réglés. Par conséquent, on observe moins la «posture de chant» et le «vol avec chant». Pendant l'incubation, les mâles d'une région se livrent parfois au «vol avec chant» en synchronisme. Après que les premiers ont commencé à s'élever dans les airs, d'autres les imitent.

La défense territoriale s'atténue après l'éclosion des œufs, car les mâles aident les femelles à nourrir les oisillons, ce qui leur laisse moins de temps pour parader. Après la seconde phase de croissance, les jeunes oiseaux s'éparpillent sur les territoires environnants qui ne sont plus défendus.

Les goglus se montrent souvent agressifs envers les autres espèces qui tentent de nicher dans les mêmes champs qu'eux. Ils pourchassent les carouges à épaulettes, les hirondelles bicolores et les autres oiseaux qui s'aventurent dans les parages.

On sait que les goglus reviennent généralement à moins de 50 m de l'endroit où ils ont niché l'année précédente. Cependant, les mâles de un an ne parviennent pas tous à s'installer sur un territoire.

La cour

Comportements habituels: «Vol avec chant»; «élévation des ailes»; «chute libre».
Durée: De l'arrivée de la femelle jusqu'à la seconde phase de croissance.

Les femelles arrivent sur le territoire de reproduction une semaine environ après les mâles. Chez les goglus, la polygamie est courante. Les mâles s'accouplent avec deux, trois ou, plus rarement, quatre femelles pendant la même saison. En général, il faut que tous les «aînés» d'un territoire aient réussi à attirer une femelle pour que l'un d'eux puisse en courtiser une deuxième. Les premières femelles qui se présentent sur les territoires sont généralement plus âgées que les retardataires (elles ont au moins deux ans). Les mâles polygames attirent leur seconde femelle plusieurs jours après l'arrivée de la première. Il arrive que les femelles qui se sont accouplées très tôt se montrent agressives envers celles qui essaient ensuite de s'accoupler avec le même mâle.

Dès qu'une femelle vole au-dessus de lui ou se perche à proximité, le mâle se livre à l'«élévation des ailes», parade qu'il accompagne d'une courte version du «chant». Ensuite, il exécute un «vol avec chant».

Pendant la cour, le «vol avec chant» revêt une forme légèrement différente: il se déroule à une altitude moindre que pendant les revendications territoriales, soit à moins de 3 m du sol. De plus, l'oiseau décrit lentement un cercle, se posant ensuite tout près de l'endroit d'où il s'est envolé.

Après cette parade, le mâle effectue parfois une «chute libre», se laissant choir sur le sol, parmi la végétation, pattes pendantes, ailes en V. Il lance parfois le cri «bzz» et ses ailes restent dans la même position plusieurs secondes après l'atterrissage. Ensuite, il se fraye un chemin dans l'herbe, les ailes partiellement déployées tandis que la femelle vient se percher tout près. Si la cour bat son plein, les oiseaux recommencent très fréquemment tout cet enchaînement, à un intervalle très rapproché.

Pendant la cour, on voit également le mâle pourchasser la femelle: lorsqu'elle atterrit près de lui, il se lance à sa poursuite. Elle s'envole en suivant une trajectoire irrégulière tandis qu'il plonge dans sa direction à plusieurs reprises, sans vraiment la toucher. Parfois, d'autres mâles se joignent au premier pour poursuivre une femelle. Toutefois, la fréquence de ces poursuites diminue après le début de la ponte.

La femelle ne quitte guère le territoire du mâle après la formation du couple. Parfois, elle va se nourrir sur l'aire collective de subsistance, et il arrive que le mâle l'accompagne à cette occasion.

La nidification

Emplacement du nid: Dans les champs de foin, à même le sol.
Dimensions: Diamètre de 6,5 cm; profondeur de 2,5 à 5 cm.
Matériaux: Herbes et feuilles de carex grossièrement liées à l'extérieur; l'intérieur est tapissé d'un revêtement doux.

Les goglus se plaisent à nicher dans les champs de foin, à proximité de leurs congénères.

Le nid est bâti sur le sol parmi l'herbe et les plantes sauvages, dans une petite dépression naturelle ou creusée par l'oiseau. Il se trouve généralement à proximité d'une touffe d'herbe plus épaisse, souvent du côté sud ou est de cette dernière. Il n'est recouvert d'aucun matériau.

C'est la femelle qui se charge de bâtir le nid, allant recueillir des matériaux à quelque distance de celui-ci. Elle travaille le plus discrètement possible, effectuant ses allées et venues en volant au ras du sol. Il lui faut trois jours, parfois plus, pour l'achever.

L'éducation des oisillons

Œufs: Environ 5 ou 6; les couvées tardives en comptent 4 ou 5; de couleur cannelle, ils portent d'abondantes taches brunes, disposées irrégulièrement.
Incubation: Environ 12 jours; seule la femelle incube.
Première phase de croissance: De 10 à 11 jours.
Seconde phase de croissance: Au moins 3 semaines.
Couvée: 1.

Ponte et incubation
La femelle commence à pondre deux jours après l'achèvement du nid, à raison d'un œuf par jour. Les premières arrivées pondent cinq ou six œufs, mais les retardataires n'en pondent que quatre ou cinq en raison, peut-être, de leur manque d'expérience. En effet, les femelles qui arrivent les premières sur le territoire de reproduction, comme nous l'avons mentionné précédemment, sont plus âgées que les autres et, donc, plus expérimentées.

L'incubation, qui commence la veille de la ponte du dernier œuf, est prise entièrement en charge par la femelle.

Elle passe environ vingt minutes au nid puis s'éloigne pendant dix minutes. Elle consacre ses pauses à se nourrir sur le territoire, parfois accompagnée du mâle. Il arrive que le couple quitte le territoire pour aller manger sur l'aire collective.

Si vous vous approchez du nid, vous entendrez sûrement la femelle ou le mâle pousser le cri «tchoc». De plus, le mâle volera peut-être au-dessus de vous en lançant le cri «fîîou».

Première phase de croissance

Les œufs éclosent en l'espace de trente-six heures et la femelle emporte les coquilles au loin. Dans une colonie, l'éclosion de tous les œufs s'étale sur au moins une semaine.

Pendant quatre jours, les petits restent sous le ventre des parents. Si les deux adultes peuvent s'occuper du nid, l'un reste avec les oisillons pendant que l'autre va recueillir de la nourriture. Par conséquent, la couvée est constamment gardée. Mais lorsque la femelle est seule, elle doit partager son temps entre la garde des oisillons et la récolte de nourriture.

Les deux adultes se chargent de nourrir leur progéniture dont l'alimentation est surtout constituée de chenilles. Les mâles polygames aident surtout la première femelle à nourrir et à garder la nichée, mais ils adaptent leur comportement à l'âge des oisillons de chaque nid. Lorsque les plus âgés ont atteint un certain stade de croissance, le mâle polygame décide parfois d'aller aider la deuxième femelle à élever sa couvée. Tout dépend de l'abondance de la nourriture et, comme nous l'avons dit, du stade auquel les oisillons de chaque couvée sont parvenus. Il arrive que le mâle apporte de la nourriture dans le second nid, comme s'il voulait vérifier que tout va bien, puis retourne nourrir les petits de la première couvée. Pendant cette première phase, les parents passent de plus en plus de temps à récolter de la nourriture dans les aires collectives de subsistance.

Pendant les premiers jours, les poches fécales ne semblent pas être emportées à l'extérieur du nid, à moins qu'elles ne soient trop petites pour qu'on les voie. Plus tard, les adultes les emportent à une quinzaine de mètres de là, parfois plus loin.

Au bout de quatre jours, les adultes cessent de garder les petits et ne restent au nid que le temps de leur donner à manger. C'est à ce moment-là que vous aurez le plus de chances de repérer le nid. Toutefois, les goglus sont extrêmement méfiants et ne s'approcheront de la couvée pour la nourrir que si vous êtes assez loin du nid. Parfois, ils atterrissent à distance du nid et s'en approchent en marchant parmi l'herbe haute. Pour découvrir l'emplacement d'un nid, notez plutôt l'endroit d'où les parents s'envolent, car après avoir nourri leur couvée, ils s'éloignent sans précaution. En général, c'est le meilleur indice.

Pendant la première phase de croissance, les parents réagissent énergiquement si vous vous approchez du nid. Ils se livrent au «battement de la queue et des ailes», tout en lançant le «tchik». Le mâle peut également voler au-dessus de vous en lançant le «fîîou». La femelle survole l'intrus, très énervée, lançant le «couic» que vous pourrez aussi entendre pendant la seconde phase de croissance. Par conséquent, vous comprendrez très vite que vous êtes à proximité du nid ou des petits.

Les oisillons restent dans le nid pendant environ onze jours, mais, si on les dérange, ils sortent un jour ou deux avant. Ce départ prématuré peut présenter des risques et vous devriez donc éviter de les déranger vers cette époque de leur croissance.

Certains observateurs ont mentionné que d'autres adultes que les parents apportaient parfois de la nourriture au nid pendant la première phase de croissance. Il s'agissait parfois de mâles, parfois de femelles. On ignore quelles relations les parents entretiennent avec ces adultes et d'autres études s'imposent à cet égard.

Seconde phase de croissance

Quelques minutes après avoir quitté le nid, les jeunes goglus commencent à lancer leur cri, un genre de bourdonnement, pour permettre aux parents de les retrouver facilement afin de leur offrir leur nourriture. Ils sont incapables de voler à leur départ du nid, mais dans les deux jours qui suivent, ils apprennent à le faire sur de courtes distances. Trois jours plus tard, ils volent correctement et se lancent à la poursuite de leurs parents lorsqu'ils ont faim.

Les juvéniles vagabondent volontiers et, en une journée, ils peuvent s'éloigner de plus de 50 m du nid. Par conséquent, ils s'éparpillent sur les territoires des autres mâles, précipitant la dislocation des frontières territoriales. Une semaine après leur départ, ils se rassemblent, en compagnie des adultes, en bande de plus en plus nombreuse à mesure que d'autres juvéniles apprennent à voler. À ce stade, les petits semblent mendier leur pitance auprès de n'importe quel adulte et l'on ignore si les parents reconnaissent encore leur progéniture. La troupe ne se disperse guère, flânant et s'envolant de concert en cas d'alerte. En plein vol, adultes et immatures lancent le cri «pik». Ils restent en groupe jusqu'au moment de la migration.

Il arrive, assez rarement toutefois, que des femelles, qui ont niché tôt dans la saison et bénéficient d'une nourriture abondante, essaient d'élever une seconde couvée. Mais aucun auteur ne mentionne la réussite d'une telle tentative.

Le plumage

Comment différencier le mâle de la femelle

Pendant la saison des nids, il est facile de distinguer le mâle de la femelle. Le mâle a la tête, le ventre et les ailes noires tandis que sa nuque est chamois tirant sur le doré. Il a des taches blanches sur le dos. La femelle est entièrement chamois, avec le dos, les ailes et les flancs rayés de noir. En hiver, mâles et femelles sont identiques.

Comment distinguer les jeunes des adultes

Les juvéniles ressemblent à la femelle pendant la saison des nids à quelques exceptions près. En effet, ils ne portent pas de rayures noires sur les flancs et leur ventre est plus jaune.

Mue
Les goglus muent complètement deux fois par an. L'une des mues commence après la reproduction, vers la fin de juillet. La femelle ne change pas de couleur, mais le mâle se transforme complètement pour ressembler à la femelle. Même son bec noir devient roux. Une autre mue complète se produit vers la fin de l'hiver, avant la migration. Le plumage de la femelle reste identique, mais le mâle retrouve son bec noir et son plumage si caractéristique.

Les déplacements saisonniers

Après la saison de reproduction, les goglus, qui restent désormais en bande, s'installent dans des régions marécageuses et des champs cultivés pour s'y nourrir de céréales sauvages et y dormir ensemble. C'est à cette époque que l'une de leurs mues commence. Vers la fin de juillet, ils entament leur migration. Ils voyagent surtout de nuit et se nourrissent pendant la journée. S'ils découvrent un endroit riche en nourriture, ils s'y arrêtent pendant quelques jours.

Dans l'ouest des États-Unis et du Canada, les oiseaux prennent la direction de l'est pour se joindre à leurs congénères pour la «grande» migration. Tous suivent la côte est vers la Floride, pour ensuite traverser le golfe du Mexique jusqu'à Cuba où ils font parfois escale pour manger. Ils reprennent ensuite leur route, qui passe au-dessus des Antilles pour se rendre jusqu'en Amérique du Sud. Leur migration les conduit jusqu'au sud du Brésil, au nord de l'Argentine ou au Paraguay. Ils hivernent dans les champs de céréales et d'autres milieux semblables.

Au printemps, ils reprennent la route du nord en suivant le même itinéraire, passant par les Antilles et le golfe du Mexique. Vers la mi-avril, ils atterrissent sur la côte de la

Louisiane ou de la Floride. Ils voyagent toujours de nuit. Les goglus se dirigent tous vers le nord et, arrivés dans les provinces de l'est, les oiseaux qui nichent dans l'ouest quittent leurs congénères pour retrouver leurs territoires de reproduction. Les oiseaux arrivent dans leur territoire de reproduction, au nord, vers le début de mai.

Pendant la migration, on entend surtout le cri «pik».

À l'aller et au retour, les goglus couvre une distance de plus de 17 000 km, ce qui constitue la plus longue migration de tous les oiseaux chanteurs d'Amérique du Nord.

Le comportement en société

Les goglus se rassemblent en groupe après la saison de reproduction. Ils dorment et se nourrissent ensemble pendant leur mue afin de se préparer à la migration.

Glossaire

Abri primaire: Emplacement fixe où les oiseaux se rassemblent habituellement pendant leur période d'inactivité, notamment la nuit.

Abri secondaire: Emplacement fixe qui remplit les mêmes fonctions que l'abri primaire, mais qui est utilisé pendant de plus courtes périodes, généralement intercalées pendant la phase active de la journée des oiseaux.

Aire: Zone dans laquelle un oiseau vit, mais qu'il ne défend pas nécessairement.

Chant: Moyen complexe de communication auditive, partiellement transmis par hérédité et partiellement appris par chaque individu.

Cour: Ensemble des manifestations qui caractérisent les relations entre mâles et femelles en période de reproduction.

Couvée: Tous les oiseaux nés de la même ponte.

Cri: Moyen de communication auditive, dont la structure est généralement plus simple que celle du chant.

Déplacements saisonniers: Mouvements de populations, prévisibles et de vaste envergure, qui se déroulent à certaines saisons.

Formation des couples: Aspect de la cour qui englobe les premières rencontres entre les futurs parents et les manifestations qui les lient l'un à l'autre.

Frottement du bec: L'oiseau frotte son bec contre une branche pendant les affrontements.

Garde des oisillons: Pendant les jours qui suivent l'éclosion des œufs, l'un des parents, parfois les deux, garde les oisillons sous son ventre pour les protéger et les tenir au chaud. On dit aussi qu'il les couve.

Incubation: Les oiseaux s'installent sur les œufs pour les tenir au chaud, favorisant ainsi la croissance des poussins.

Jeune oiseau (on dit aussi: juvénile): Oiseau qui a quitté le nid mais dépend encore, partiellement ou totalement, des parents pour se nourrir.

Oisillon: Oiseau nouveau-né qui demeure dans le nid et dépend entièrement des parents.

Parade (on dit aussi: manifestation): Mouvement ou cri stéréotypés qui, dans certaines situations, modifient le comportement des animaux se trouvant à proximité.

Poches fécales: Petite masse d'excréments solides d'un oisillon, entourée d'une couche de mucus. Elle est soit mangée par les parents, soit emportée au loin.

Replis incubateurs: Taches que présente la poitrine d'un oiseau incubateur où le plumage est moins épais et où le sang afflue pour permettre aux œufs de demeurer au chaud pendant l'incubation.

Territoire: Toute zone défendue.

Transfert de nourriture: L'un des partenaires adultes nourrit l'autre, notamment pendant la saison de reproduction.

Bibliographie

Bent, A. C. *et al.*, *Life Histories of North American Birds,* 23 volumes, Peter Smith and Dove, New York, 1919-1968.

Godfrey, W. Earl, *Encyclopédie des oiseaux du Québec,* Éd. de l'Homme, Montréal, 1972.

Heymer, Armin, *Vocabulaire éthologique,* Éd. Paul Parey, Berlin, 1977.

McElroy, Thomas P., Jr., *The New Handbook of Attracting Birds,* Alfred A. Knopf, New York, 1975.

Peterson, Roger Tory, *Guide des oiseaux de l'Amérique du Nord à l'est des Rocheuses,* France-Amérique, Montréal, 1984.

Robbins, Chandler S., Bortel Brunn et Herbert Zim, *Guide des oiseaux d'Amérique du Nord,* Éd. Marcel Broquet, La Prairie (Qc.), 1980.

Terres, J. K., *The Audubon Society Encyclopædia of North American Birds,* Alfred A. Knopf, New York, 1980.

Table des matières

Ouvrages parus chez les éditeurs du groupe Sogides

* Pour l'Amérique du Nord seulement

AFFAIRES

* **Acheter une franchise,** Levasseur, Pierre
* **Bourse, La,** Brown, Mark
* **Comprendre le marketing,** Levasseur, Pierre
* **Devenir exportateur,** Levasseur, Pierre

Étiquette des affaires, L', Jankovic, Elena

* **Faire son testament soi-même,** Poirier, Me Gérald et Lescault-Nadeau, Martine

Finances, Les, Hutzler, Laurie H.
Gérer ses ressources humaines, Levasseur, Pierre
Gestionnaire, Le, Colwell, Marian
Informatique, L', Cone, E. Paul

* **Lancer son entreprise,** Levasseur, Pierre

Leadership, Le, Cribbin, James
Meeting, Le, Holland, Gary
Mémo, Le, Reinold, Cheryl

* **Ouvrir et gérer un commerce de détail,** Roberge, C.-D. et Charbonneau, A.

Patron, Le, Reinold, Cheryl

* **Stratégies de placements,** Nadeau, Nicole

ANIMAUX

Art du dressage, L', Chartier, Gilles
Cheval, Le, Leblanc, Michel
Chien dans votre vie, Le, Margolis, M. et Swan, C.
Éducation du chien de 0 à 6 mois, L', DeBuyser, Dr Colette et Dehasse, Dr Joël

* **Encyclopédie des oiseaux,** Godfrey, W. Earl

Guide de l'oiseau de compagnie, Le, Dr R. Dean Axelson
Guide des oiseaux, Le, T.1, Stokes, W. Donald
Guide des oiseaux, Le, T.2, Stokes, W. Donald et Stokes, Q. Lilian

* **Mon chat, le soigner, le guérir,** D'Orangeville, Christian

Observations sur les mammifères, Provencher, Paul

* **Papillons du Québec, Les,** Veilleux, Christian et Prévost, Bernard

Petite ferme, T.1, Les animaux, Trait, Jean-Claude
Vous et vos oiseaux de compagnie, Huard-Viau, Jacqueline
Vous et vos poissons d'aquarium, Ganiel, Sonia
Vous et votre beagle, Eylat, Martin
Vous et votre berger allemand, Eylat, Martin

ANIMAUX

Vous et votre boxer, Herriot, Sylvain
Vous et votre braque allemand, Eylat, Martin
Vous et votre caniche, Shira, Sav
Vous et votre chat de gouttière, Mamzer, Annie
Vous et votre chat tigré, Eylat, Odette
Vous et votre chihuahua, Eylat, Martin
Vous et votre chow-chow, Pierre Boistel
Vous et votre cocker américain, Eylat, Martin
Vous et votre collie, Éthier, Léon
Vous et votre dalmatien, Eylat, Martin
Vous et votre danois, Eylat, Martin
Vous et votre doberman, Denis, Paula
Vous et votre fox-terrier, Eylat, Martin
Vous et votre golden retriever, Denis, Paula
Vous et votre husky, Eylat, Martin
Vous et votre labrador, Van Der Heyden, Pierre
Vous et votre lévrier afghan, Eylat, Martin
Vous et votre lhassa apso, Van Der Heyden, Pierre
Vous et votre persan, Gadi, Sol
Vous et votre petit rongeur, Eylat, Martin
Vous et votre schnauzer, Eylat, Martin
Vous et votre serpent, Deland, Guy
Vous et votre setter anglais, Eylat, Martin
Vous et votre shih-tzu, Eylat, Martin
Vous et votre siamois, Eylat, Odette
Vous et votre teckel, Boistel, Pierre
Vous et votre terre-neuve, Pacreau, Marie-Edmée
Vous et votre yorkshire, Larochelle, Sandra

ARTISANAT/BRICOLAGE

Art du pliage du papier, L', Harbin, Robert
* **Artisanat québécois, T.1**, Simard, Cyril
* **Artisanat québécois, T.2,** Simard, Cyril
* **Artisanat québécois, T.3,** Simard, Cyril
* **Artisanat québécois, T.4,** Simard, Cyril et Bouchard, Jean-Louis
* **Construire des cabanes d'oiseaux,** Dion, André
* **Encyclopédie de la maison québécoise,** Lessard, Michel et Villandré, Gilles
* **Encyclopédie des antiquités,** Lessard, Michel et Marquis, Huguette
* **J'apprends à dessiner,** Nassh, Joanna

Taxidermie moderne, La, Labrie, Jean
* **Tissage, Le,** Grisé-Allard, Jeanne et Galarneau, Germaine

Vitrail, Le, Bettinger, Claude

BIOGRAPHIES

* **Brian Orser - Maître du triple axel,** Orser, Brian et Milton, Steve
* **Dans la fosse aux lions,** Chrétien, Jean
* **Dans la tempête,** Lachance, Micheline
* **Duplessis, T.1 - L'ascension,** Black, Conrad
* **Duplessis, T.2 - Le pouvoir,** Black, Conrad
* **Ed Broadbent - La conquête obstinée du pouvoir**, Steed, Judy
* **Establishment canadien, L',** Newman, Peter C.
* **Larry Robinson,** Robinson, Larry et Goyens, Chrystian
* **Michel Robichaud - Monsieur Mode,** Charest, Nicole
* **Monopole, Le,** Francis, Diane
* **Nouveaux riches, Les,** Newman, Peter C.
* **Paul Desmarais - Un homme et son empire**, Greber, Dave
* **Plamondon - Un cœur de rockeur,** Godbout, Jacques
* **Prince de l'Église, Le,** Lachance, Micheline
* **Québec Inc.,** Fraser, M.
* **Rick Hansen - Vivre sans frontières,** Hansen, Rick et Taylor, Jim
* **Saga des Molson, La**, Woods, Shirley
* **Sous les arches de McDonald's,** Love, John F.
* **Trétiak, entre Moscou et Montréal,** Trétiak, Vladislav

BIOGRAPHIES

* **Une femme au sommet - Son excellence Jeanne Sauvé,** Woods, Shirley E.

CARRIÈRE/VIE PROFESSIONNELLE

* **Choix de carrières, T.1,** Milot, Guy
* **Choix de carrières, T.2,** Milot, Guy
* **Choix de carrières, T.3,** Milot, Guy
Comment rédiger son curriculum vitae, Brazeau, Julie
Guide du succès, Le, Hopkins, Tom
* **Je cherche un emploi,** Brazeau, Julie
Parlez pour qu'on vous écoute, Brien, Michèle
Relations publiques, Les, Doin, Richard et Lamarre, Daniel
Techniques de vente par téléphone, Porterfield, J.-D.
* **Test d'aptitude pour choisir sa carrière,** Barry, Linda et Gale
Une carrière sur mesure, Lemyre-Desautels, Denise
Vente, La, Hopkins, Tom

CUISINE

* **À table avec Sœur Angèle,** Sœur Angèle
* **Art d'apprêter les restes, L',** Lapointe, Suzanne
Barbecue, Le, Dard, Patrice
* **Biscuits, brioches et beignes,** Saint-Pierre, A.
* **Boîte à lunch, La,** Lambert-Lagacé, Louise
Brunches et petits déjeuners en fête, Bergeron, Yolande
100 recettes de pain faciles à réaliser, Saint-Pierre, Angéline
* **Confitures, Les,** Godard, Misette
Congélation de A à Z, La, Hood, Joan
Congélation des aliments, La, Lapointe, Suzanne
Conserves, Les, Sœur Berthe
Crème glacée et sorbets, Lebuis, Yves et Pauzé, Gilbert
Crêpes, Les, Letellier, Julien
Cuisine au wok, Solomon, Charmaine
Cuisine aux micro-ondes 1 et 2 portions, Marchand, Marie-Paul
* **Cuisine chinoise traditionnelle, La,** Chen, Jean
* **Cuisine créative Campbell, La,** Cie Campbell
Cuisine facile aux micro-ondes, Saint-Amour, Pauline
* **Cuisine joyeuse de Sœur Angèle, La,** Sœur Angèle
Cuisine micro-ondes, La, Benoît, Jehane
* **Cuisine santé pour les aînés,** Hunter, Denyse
Cuisiner avec le four à convection, Benoît, Jehane
* **Cuisiner avec les champignons sauvages du Québec,** Leclerc, Claire L.
Faire son pain soi-même, Murray Gill, Janice
* **Faire son vin soi-même,** Beaucage, André
Fine cuisine aux micro-ondes, La, Dard, Patrice
Fondues et flambées de maman Lapointe, Lapointe, Suzanne
Fondues, Les, Dard, Patrice
Je me débrouille en cuisine, Richard, Diane
Livre du café, Le, Letellier, Julien
Menus pour recevoir, Letellier, Julien
Muffins, Les, Clubb, Angela
Nouvelle cuisine micro-ondes I, La, Marchand, Marie-Paul et Grenier, Nicole
Nouvelles cuisine micro-ondes II, La, Marchand, Marie-Paul et Grenier, Nicole
Omelettes, Les, Letellier, Julien
Pâtes, Les, Letellier, Julien
* **Pâtisserie, La,** Bellot, Maurice-Marie
* **Recettes au blender,** Huot, Juliette
* **Recettes de gibier,** Lapointe, Suzanne
* **Robot culinaire, Le,** Martin, Pol

DIÉTÉTIQUE

Combler ses besoins en calcium, Hunter, Denyse
* **Compte-calories, Le,** Brault-Dubuc, M. et Caron Lahaie, L.
* **Cuisine du monde entier avec Weight Watchers,** Weight Watchers
Cuisine sage, Une, Lambert-Lagacé, Louise
Défi alimentaire de la femme, Le, Lambert-Lagacé, Louise
* **Diète Rotation, La,** Katahn, Dr Martin
* **Diététique dans la vie quotidienne,** Lambert-Lagacé, Louise
Livre des vitamines, Le, Mervyn, Leonard
Menu de santé, Lambert-Lagacé, Louise
Oubliez vos allergies, et... bon appétit, Association de l'information sur les allergies
* **Petite et grande cuisine végétarienne,** Bédard, Manon
* **Plan d'attaque Weight Watchers, Le,** Nidetch, Jean
* **Plan d'attaque Plus Weight Watchers, Le,** Nidetch, Jean
* **Régimes pour maigrir,** Beaudoin, Marie-Josée
Sage bouffe de 2 à 6 ans, La, Lambert-Lagacé, Louise
* **Weight Watchers - Cuisine rapide et savoureuse,** Weight Watchers
* **Weight Watchers - Agenda 85 - Français,** Weight Watchers
* **Weight Watchers - Agenda 85 - Anglais,** Weight Watchers
* **Weight Watchers - Programme - Succès Rapide,** Weight Watchers

ENFANCE

* **Aider son enfant en maternelle,** Pedneault-Pontbriand, Louise
Années clés de mon enfant, Les, Caplan, Frank et Thérèsa
Art de l'allaitement maternel, L', Ligue internationale La Leche
Avoir un enfant après 35 ans, Robert, Isabelle
Bientôt maman, Whalley, J., Simkin, P. et Keppler, A.
Comment nourrir son enfant, Lambert-Lagacé, Louise
Deuxième année de mon enfant, La, Caplan, Frank et Thérèsa
Développement psychomoteur du bébé, Calvet, Didier
Douze premiers mois de mon enfant, Les, Caplan, Frank
* **En attendant notre enfant,** Pratte-Marchessault, Yvette
* **Enfant unique, L',** Peck, Ellen
Évoluer avec ses enfants, Gagné, Pierre-Paul
Exercices aquatiques pour les futures mamans, Dussault, J. et Demers, C.
* **Femme enceinte, La,** Bradley, Robert A.
* **Futur père,** Pratte-Marchessault, Yvette
Jouons avec les lettres, Doyon-Richard, Louise
Langage de votre enfant, Le, Langevin, Claude
Mal des mots, Le, Thériault, Denise
Manuel Johnson et Johnson des premiers soins, Le, Rosenberg, Dr Stephen N.
Massage des bébés, Le, Auckette, Amédia D.
Mon enfant naîtra-t-il en bonne santé? Scher, Jonathan et Dix, Carol
* **Pour bébé, le sein ou le biberon?** Pratte-Marchessault, Yvette
* **Pour vous future maman,** Sekely, Trude
Préparez votre enfant à l'école, Doyon-Richard, Louise
Psychologie de l'enfant de 0 à 10 ans, Cholette-Pérusse, Françoise
Respirations et positions d'accouchement, Dussault, Joanne
Soins de la première année de bébé, Les, Kelly, Paula
Tout se joue avant la maternelle, Ibuka, Masaru

ÉSOTÉRISME

Avenir dans les feuilles de thé, L, Fenton, Sasha
Graphologie, La, Santoy, Claude
Interprétez vos rêves, Stanké, Louis
Lignes de la main, Stanké, Louis
Lire dans les lignes de la main, Morin, Michel
Vos rêves sont des miroirs, Cayla, Henri
Votre avenir par les cartes, Stanké, Louis

HISTOIRE

* **Arrivants, Les,** Collectif
* **Civilisation chinoise, La,** Guay, Michel
* **Or des cavaliers thraces, L',** Palais de la civilisation
* **Samuel de Champlain,** Armstrong, Joe C.W.

JARDINAGE

* **Chasse-insectes pour jardins, Le,** Michaud, O.
* **Comment cultiver un jardin potager,** Trait, J.-C.
* **Encyclopédie du jardinier**, Perron, W. H.
* **Guide complet du jardinage**, Wilson, Charles
J'aime les azalées, Deschênes, Josée
J'aime les cactées, Lamarche, Claude
J'aime les rosiers, Pronovost, René
J'aime les tomates, Berti, Victor
J'aime les violettes africaines, Davidson, Robert
Jardin d'herbes, Le, Prenis, John
* **Je me débrouille en aménagement extérieur,** Bouillon, Daniel et Boisvert, Claude
* **Petite ferme, T.2- Jardin potager,** Trait, Jean-Claude
* **Plantes d'intérieur, Les,** Pouliot, Paul
* **Techniques de jardinage, Les,** Pouliot, Paul
Terrariums, Les, Kayatta, Ken

JEUX/DIVERTISSEMENTS

* **Améliorons notre bridge,** Durand, Charles
* **Bridge, Le,** Beaulieu, Viviane
* **Clés du scrabble, Les,** Sigal, Pierre A.
Dictionnaire des mots croisés, noms communs, Lasnier, Paul
Dictionnaire des mots croisés, noms propres, Piquette, Robert
Dictionnaire raisonné des mots croisés, Charron, Jacqueline
* **Jouons ensemble,** Provost, Pierre
Livre des patiences, Le, Bezanovska, M. et Kitchevats, P.
Monopoly, Orbanes, Philip
* **Ouverture aux échecs,** Coudari, Camille
* **Scrabble, Le,** Gallez, Daniel
Techniques du billard, Morin, Pierre

LINGUISTIQUE

Anglais par la méthode choc, L', Morgan, Jean-Louis
J'apprends l'anglais, Sillicani, Gino et Grisé-Allard, Jeanne
* **Secrétaire bilingue, La,** Lebel, Wilfrid

PHOTOGRAPHIE

* **Initiation à la photographie-Olympus,** London, Barbara
* **Initiation à la photographie-Pentax,** London, Barbara

Photo à la portée de tous, La, Désilets, Antoine

PSYCHOLOGIE

Aider mon patron à m'aider, Houde, Eugène
* **Amour de l'exigence à la préférence, L',** Auger, Lucien

Apprivoiser l'ennemi intérieur, Bach, Dr G. et Torbet, L.
Art d'aider, L', Carkhuff, Robert R.
Auto-développement, L', Garneau, Jean
* **Bonheur au travail, Le,** Houde, Eugène

Bonheur possible, Le, Blondin, Robert
Ces hommes qui méprisent les femmes... et les femmes qui les aiment, Forward, Dr S. et Torres, J.
Changer ensemble, les étapes du couple, Campbell, Suzan M.
Chimie de l'amour, La, Liebowitz, Michael
Comment animer un groupe, Office Catéchèse
Comment déborder d'énergie, Simard, Jean-Paul
Communication dans le couple, La, Granger, Luc
Communication et épanouissement personnel, Auger, Lucien
Contact, Zunin, L. et N.
Découvrir un sens à sa vie avec la logo-thérapie, Frankl, Dr V.
* **Dynamique des groupes,** Aubry, J.-M. et Saint-Arnaud, Y.

Élever des enfants sans perdre la boule, Auger, Lucien
Enfants de l'autre, Les, Paris, Erna
Être soi-même, Corkille Briggs, D.
Facteur chance, Le, Gunther, Max
Infidélité, L', Leigh, Wendy
Intuition, L', Goldberg, Philip
* **J'aime,** Saint-Arnaud, Yves

Journal intime intensif, Le, Progoff, Ira
Mensonge amoureux, Le, Blondin, Robert
Parce que je crois aux enfants, Ruffo, Andrée
Parle-moi... j'ai des choses à te dire, Salomé, Jacques
Perdant / Gagnant - Réussissez vos échecs, Hyatt, Carole et Gottlieb, Linda
* **Personne humaine, La ,** Saint-Arnaud, Yves
* **Plaisirs du stress, Les,** Hanson, Dr Peter, G.

Pourquoi l'autre et pas moi? - Le droit à la jalousie, Auger, Dr Louise
Prévenir et surmonter la déprime, Auger, Lucien
* **Prévoir les belles années de la retraite,** D. Gordon, Michael
* **Psychologie de l'amour romantique,** Branden, Dr N.

Puissance de l'intention, La, Leider, R.-J.
S'affirmer et communiquer, Beaudry, Madeleine et Boisvert, J.R.
S'aider soi-même, Auger, Lucien
S'aider soi-même d'avantage, Auger, Lucien
* **S'aimer pour la vie,** Wanderer, Dr Zev

Savoir organiser, savoir décider, Lefebvre, Gérald
Savoir relaxer pour combattre le stress, Jacobson, Dr Edmund
Se changer, Mahoney, Michael
Se comprendre soi-même par les tests, Collectif
Se connaître soi-même, Artaud, Gérard
Se créer par la Gestalt, Zinker, Joseph
* **Se guérir de la sottise,** Auger, Lucien

Si seulement je pouvais changer! Lynes, P.
Tendresse, La, Wolfl, N.
Vaincre ses peurs, Auger, Lucien
Vivre avec sa tête ou avec son cœur, Auger, Lucien

ROMANS/ESSAIS/DOCUMENTS

* **Baie d'Hudson, La,** Newman, Peter, C.
* **Conquérants des grands espaces, Les,** Newman, Peter, C.
* **Des Canadiens dans l'espace,** Dotto, Lydia
* **Dieu ne joue pas aux dés,** Laborit, Henri
* **Frères divorcés, Les,** Godin, Pierre
* **Insolences du Frère Untel, Les,** Desbiens, Jean-Paul
* **J'parle tout seul,** Coderre, Émile

Option Québec, Lévesque, René
* **Oui,** Lévesque, René
* **Provigo,** Provost, René et Chartrand, Maurice

Sur les ailes du temps (Air Canada), Smith, Philip
* **Telle est ma position,** Mulroney, Brian
* **Trois semaines dans le hall du Sénat,** Hébert, Jacques
* **Un second souffle,** Hébert, Diane

SANTÉ/BEAUTÉ

* **Ablation de la vésicule biliaire, L',** Paquet, Jean-Claude
* **Ablation des calculs urinaires, L',** Paquet, Jean-Claude
* **Ablation du sein, L',** Paquet, Jean-claude
* **Allergies, Les,** Delorme, Dr Pierre

Bien vivre sa ménopause, Gendron, Dr Lionel
Charme et sex-appeal au masculin, Lemelin, Mireille
Chasse-rides, Leprince, C.
* **Chirurgie vasculaire, La,** Paquet, Jean-Claude

Comment devenir et rester mince, Mirkin, Dr Gabe
De belles jambes à tout âge, Lanctôt, Dr G.
* **Dialyse et la greffe du rein, La,** Paquet, Jean-Claude

Être belle pour la vie, Bronwen, Meredith
Glaucomes et les cataractes, Les, Paquet, Jean-Claude
* **Grandir en 100 exercices,** Berthelet, Pierre
* **Hernies discales, Les,** Paquet, Jean-Claude

Hystérectomie, L', Alix, Suzanne
Maigrir: La fin de l'obsession, Orbach, Susie
* **Malformations cardiaques congénitales, Les,** Paquet, Jean-Claude

Maux de tête et migraines, Meloche, Dr J. , Dorion, J.
Perdre son ventre en 30 jours H-F, Burstein, Nancy et Roy, Matthews
* **Pontage coronarien, Le,** Paquet, Jean-Claude
* **Prothèses d'articulation,** Paquet, Jean-Claude
* **Redressements de la colonne,** Paquet, Jean-Claude
* **Remplacements valvulaires, Les,** Paquet, Jean-Claude

Ronfleurs, réveillez-vous, Piché, Dr J. et Delage, J.
Syndrome prémenstruel, Le, Shreeve, Dr Caroline
Travailler devant un écran, Feeley, Dr Helen
30 jours pour avoir de beaux cheveux, Davis, Julie
30 jours pour avoir de beaux ongles, Bozic, Patricia
30 jours pour avoir de beaux seins, Larkin, Régina
30 jours pour avoir de belles fesses, Cox, D. et Davis, Julie
30 jours pour avoir un beau teint, Zizmon, Dr Jonathan
30 jours pour cesser de fumer, Holland, Gary et Weiss, Herman
30 jours pour mieux s'organiser, Holland, Gary
30 jours pour redevenir un couple amoureux, Nida, Patricia et Cooney, Kevin
30 jours pour un plus grand épanouissement sexuel, Schneider, A.
Vos dents, Kandelman, Dr Daniel
Vos yeux, Chartrand, Marie et Lepage-Durand, Micheline

SEXUALITÉ

Contacts sexuels sans risques, I.A.S.H.S.
* **Guide illustré du plaisir sexuel,** Corey, Dr Robert et Helg, E.
Ma sexualité de 0 à 6 ans, Robert, Jocelyne
Ma sexualité de 6 à 9 ans, Robert, Jocelyne
Ma sexualité de 9 à 12 ans, Robert, Jocelyne
Mille et une bonnes raisons pour le convaincre d'enfiler un condom et pourquoi c'est important pour vous..., Bretman, Patti, Knutson, Kim et Reed, Paul
* **Nous on en parle,** Lamarche, M. et Danheux, P.
Pour jeunes seulement, photoroman d'éducation à la sexualité, Robert, Jocelyne
Sexe au féminin, Le, Kerr, Carmen
Sexualité du jeune adolescent, La, Gendron, Lionel
Shiatsu et sensualité, Rioux, Yuki
* **100 trucs de billard,** Morin, Pierre

SPORTS

Apprenez à patiner, Marcotte, Gaston
Arc et la chasse, L', Guardo, Greg
Armes de chasse, Les, Petit-Martinon, Charles
Badminton, Le, Corbeil, Jean
* **Canadiens de 1910 à nos jours, Les,** Turowetz, Allan et Goyens, C.
Carte et boussole, Kjellstrom, Bjorn
Comment se sortir du trou au golf, Brien, Luc
Comment vivre dans la nature, Rivière, Bill
Corrigez vos défauts au golf, Bergeron, Yves
* **Curling, Le,** Lukowich, E.
De la hanche aux doigts de pieds, Schneider, Myles J. et Sussman, Mark D.
Devenir gardien de but au hockey, Allaire, François
Golf au féminin, Le, Bergeron, Yves
Grand livre des sports, Le, Groupe Diagram
Guide complet de la pêche à la mouche, Le, Blais, J.-Y.
Guide complet du judo, Le, Arpin, Louis
Guide complet du self-defense, Le, Arpin, Louis
Guide de l'alpinisme, Le, Cappon, Massimo
Guide de la survie de l'armée américaine, Le, Collectif
Guide des jeux scouts, Association des scouts
Guide du trappeur, Le, Provencher, Paul
Initiation à la planche à voile, Wulff, D. et Morch, K.
J'apprends à nager, Lacoursière, Réjean
Je me débrouille à la chasse, Richard, Gilles et Vincent, Serge
Je me débrouille à la pêche, Vincent, Serge
Je me débrouille à vélo, Labrecque, Michel et Boivin, Robert
Je me débrouille dans une embarcation, Choquette, Robert
Jogging, Le, Chevalier, Richard
* **Jouez gagnant au golf,** Brien, Luc
* **Larry Robinson, le jeu défensif,** Robinson, Larry
Manuel de pilotage, Transport Canada
Marathon pour tous, Le, Anctil, Pierre
Maxi-performance, Garfield, Charles A. et Bennett, Hal Zina
Mon coup de patin, Wild, John
Musculation pour tous, La, Laferrière, Serge
* **Partons en camping,** Satterfield, Archie et Bauer, Eddie
Partons sac au dos, Satterfield, Archie et Bauer, Eddie
Passes au hockey, Chapleau, Claude
Pêche à la mouche, La, Marleau, Serge
Pêche à la mouche, Vincent, Serge
Planche à voile, La, Maillefer, Gérard
Programme XBX, Aviation Royale du Canada
Racquetball, Corbeil, Jean
Racquetball plus, Corbeil, Jean
Rivières et lacs canotables, Fédération québécoise du canot-camping
S'améliorer au tennis, Chevalier Richard
Saumon, Le, Dubé, J.-P.

SPORTS

Secrets du baseball, Les, Raymond, Claude
Ski de randonnée, Le, Corbeil, Jean
Taxidermie, La, Labrie, Jean
Taxidermie moderne, La, Labrie, Jean
Techniques du billard, Morin, Pierre
Techniques du golf, Brien, Luc
Techniques du hockey en URSS, Dyotte, Guy
Techniques du ski alpin, Campbell, S., Lundberg, M.
Techniques du tennis, Ellwanger
Tennis, Le, Roch, Denis
* **Viens jouer**, Villeneuve, Michel José
Vivre en forêt, Provencher, Paul
Volley-ball, Le, Fédération de volley-ball

ANIMAUX

* **Poissons de nos eaux,** Melançon, Claude

ACTUALISATION

Agressivité créatrice, L' - La nécessité de s'affirmer, Bach, Dr G.-R., Goldberg, Dr H.
Aimer, c'est choisir d'être heureux, Kaufman, B.-N.
Arrête! tu m'exaspères - Protéger son territoire, Bach, Dr G., Deutsch, R.
Ennemis intimes, Bach, Dr G., Wyden, P.
Enseignants efficaces - Enseigner et être soi-même, Gordon, Dr T.
États d'esprit, Glasser, W.
Focusing - Au centre de soi, Gendlin, Dr E.T.
Jouer le tout pour le tout, le jeu de la vie, Frederick, C.
Manifester son affection -De la solitude à l'amour, Bach, Dr G., Torbet, L.
Miracle de l'amour, Kaufman, B.-N.
Nouvelles relations entre hommes et femmes, Goldberg, Dr H.
* **Parents efficaces,** Gordon, Dr T.
Se vider dans la vie et au travail - Burnout, Pines, A. , Aronson, E.
Secrets de la communication, Les, Bandler, R., Grinder, J.

DIVERS

* **Coopératives d'habitation, Les,** Leduc, Murielle
* **Hiérarchie ethnique dans la grande entreprise,** Rainville, Jean
* **Initiation au coopératisme,** Bédard, Claude
* **Lune de trop, Une,** Gagnon, Alphonse

ÉSOTÉRISME

Astrologie pratique, L', Reinicke, Wolfgang
Grand livre de la cartomancie, Le, Von Lentner, G.
Grand livre des horoscopes chinois, Le, Lau, Theodora
* **Horoscope chinois,** Del Sol, Paula
Lu dans les cartes, Jones, Marthy
Synastrie, La, Thornton, Penny
Traité d'astrologie, Hirsig, H.

GUIDES PRATIQUES/JEUX/LOISIRS

* **1,500 prénoms et significations,** Grisé-Allard, J.
* **Backgammon,** Lesage, D.

NOTRE TRADITION

* **Lettre à un Français qui veut émigrer au Québec,** Dubuc, Carl

PSYCHOLOGIE/VIE AFFECTIVE ET PROFESSIONNELLE

Adieu, Halpern, Dr Howard
Adieu Tarzan, Franks, Helen
Aimer son prochain comme soi-même, Murphy, Dr Joseph
* **Anti-stress, L',** Eylat, Odette
Apprendre à vivre et à aimer, Buscaglia, L.
Art d'engager la conversation et de se faire des amis, L', Gabor, Don
Art de convaincre, L', Heinz, Ryborz
* **Art d'être égoïste, L',** Kirschner, Joseph
Autre femme, L', Sévigny, Hélène
Bains flottants, Les, Hutchison, Michael
Ces hommes qui ne communiquent pas, Naifeh S. et White, S.G.
Ces vérités vont changer votre vie, Murphy, Dr Joseph
Comment aimer vivre seul, Shanon, Lynn
Comment dominer et influencer les autres, Gabriel, H.W.
Comment faire l'amour à la même personne pour le reste de votre vie!, O'Connor, D.
Comment faire l'amour à une femme, Morgenstern, M.
Comment faire l'amour à un homme, Penney, A.
Comment faire l'amour ensemble, Penney, A.
Contacts en or avec votre clientèle, Sapin Gold, Carol
Contrôle de soi par la relaxation, Le, Marcotte, Claude
Dire oui à l'amour, Buscaglia, Léo
* **Famille moderne et son avenir, La,** Richards, Lyn
Femme de demain, Keeton, K.
Gestalt, La, Polster, Erving
Homme au dessert, Un, Friedman, Sonya
Homme nouveau, L', Bodymind, Dychtwald Ken
Influence de la couleur, L', Wood, Betty
Jeux de nuit, Bruchez, C.
Maigrir sans obsession, Orbach, Susie
Maîtriser son destin, Kirschner, Joseph
Massage en profondeur, Le, Painter, J., Bélair, M.
Mémoire, La, Loftus, Élizabeth
* **Mémoire à tout âge, La,** Dereskey, Ladislaus
Miracle de votre esprit, Le, Murphy, Dr Joseph
Négocier entre vaincre et convaincre, Warschaw, Dr Tessa
On n'a rien pour rien, Vincent, Raymond
Oracle de votre subconscient, L', Murphy, Dr Joseph

PSYCHOLOGIE/VIE AFFECTIVE ET PROFESSIONNELLE

Passion du succès, La, Vincent, R.
Pensée constructive et bon sens, La, Vincent, Raymond
* **Personnalité, La,** Buscaglia, Léo
Petit répertoire des excuses, Le, Charbonneau, C., Caron, N.
Pourquoi remettre à plus tard?, Burka, Jane B., Yuen, L.M.
Pouvoir de votre cerveau, Le, Brown, Barbara
Puissance de votre subconscient, La, Murphy, Dr Joseph
Réfléchissez et devenez riche, Hill, Napoleon
S'aimer ou le défi des relations humaines, Buscaglia, Léo
Sexualité expliquée aux adolescents, La, Boudreau, Y.
Succès par la pensée constructive, Le, Hill, Napoleon et Stone, W.-C.
Transformez vos faiblesses en force, Bloomfield, Dr Harold
Triomphez de vous-même et des autres, Murphy, Dr Joseph
Univers de mon subconscient, L', Vincent, Raymond
Vaincre la dépression par la volonté et l'action, Marcotte, Claude
Vieillir en beauté, Oberleder, Muriel
Vivre avec les imperfections de l'autre, Janda, Dr Louis H.
Vivre c'est vendre, Chaput, Jean-Marc

ROMANS/ESSAIS

* **Affrontement, L',** Lamoureux, Henri
* **C't'a ton tour Laura Cadieux,** Tremblay, Michel
* **Cœur de la baleine bleue, Le,** Poulin, Jacques
* **Coffret petit jour,** Martucci, Abbé Jean
* **Contes pour buveurs attardés,** Tremblay, Michel
* **De Z à A,** Losique, Serge
* **Femmes et politique,** Cohen, Yolande
* **Il est par là le soleil,** Carrier, Roch
* **Jean-Paul ou les hasards de la vie,** Bellier, Marcel
* **Neige et le feu, La,** Baillargeon, Pierre
* **Objectif camouflé,** Porter, Anna
* **Oslovik fait la bombe,** Oslovik
* **Train de Maxwell, Le,** Hyde, Christopher
* **Vatican -Le trésor de St-Pierre,** Malachi, Martin

SANTÉ

Tao de longue vie, Le, Soo, Chee
Vaincre l'insomnie, Filion, Michel et Boisvert, Jean-Marie

SPORT

* **Guide des rivières du Québec,** Fédération cano-kayac
* **Ski nordique de randonnée,** Brady, Michael

TÉMOIGNAGES

Merci pour mon cancer, De Villemarie, Michelle

COLLECTIFS DE NOUVELLES

- * **Aimer,** Beaulieu, V.-L., Berthiaume, A., Carpentier, A., Daviau, D.-M., Major, A., Provencher, M., Proulx, M., Robert, S. et Vonarburg, E.
- * **Crever l'écran,** Baillargeon, P., Éthier-Blais, J., Blouin, C.-R., Jacob, S., Jean, M., Laberge, M., Lanctôt, M., Lefebvre, J.-P., Petrowski, N. et Poupart, J.-M.
- * **Dix contes et nouvelles fantastiques,** April, J.-P., Barcelo, F., Bélil, M., Belleau, A., Brossard, J., Brulotte, G., Carpentier, A., Major, A., Soucy, J.-Y. et Thériault, M.-J.
- * **Dix nouvelles de science-fiction québécoise,** April, J.-P., Barbe, J., Provencher, M., Côté, D., Dion, J., Pettigrew, J., Pelletier, F., Rochon, E., Sernine, D., Sévigny, M. et Vonarburg, E.
- * **Dix nouvelles humoristiques,** Audet, N., Barcelo, F., Beaulieu, V.-L., Belleau, A., Carpentier, A., Ferron, M., Harvey, P., Pellerin, G., Poupart, J.-M. et Villemaire, Y.
- * **Fuites et poursuites,** Archambault, G., Beauchemin, Y., Bouyoucas, P., Brouillet,C., Carpentier, A., Hébert, F., Jasmin, C., Major, A., Monette, M. et Poupart, J.-M.
- * **L'aventure, la mésaventure,** Andrès, B., Beaumier, J.-P., Bergeron, B., Brulotte, G., Gagnon, D., Karch, P., LaRue, M., Monette, M. et Rochon, E.

DIVERS

- * **Beauté tragique,** Robertson, Heat
- * **Canada — Les débuts héroïques,** Creighton, Donald
- * **Défi québécois, Le,** Monnet, François-Marie
- * **Difficiles lettres d'amour,** Garneau, Jacques
- * **Esprit libre, L',** Powell, Robert
- * **Grand branle-bas, Le,** Hébert, Jacques et Strong, Maurice F.
- * **Histoire des femmes au Québec, L',** Collectif, CLIO
- * **Mémoires de J. E. Bernier, Les,** Therrien, Paul

DIVERS

* **Mythe de Nelligan, Le,** Larose, Jean
* **Nouveau Canada à notre mesure,** Matte, René
* **Papineau,** De Lamirande, Claire
* **Personne ne voudrait savoir,** Schirm, François
* **Philosophe chat, Le,** Savoie, Roger
* **Pour une économie du bon sens,** Bailey, Arthur
* **Québec sans le Canada, Le,** Harbron, John D.
* **Qui a tué Blanche Garneau?,** Bertrand, Réal
* **Réformiste, Le,** Godbout, Jacques
* **Relations du travail,** Centre des dirigeants d'entreprise
* **Sauver le monde,** Sanger, Clyde
* **Silences à voix haute,** Harel, Jean-Pierre

LIVRES DE POCHES 10 /10

* **37 1/2 AA,** Leblanc, Louise
* **Aaron,** Thériault, Yves
* **Agaguk,** Thériault, Yves
* **Blocs erratiques,** Aquin, Hubert
* **Bousille et les justes,** Gélinas, Gratien
* **Chère voisine,** Brouillet, Chrystine
* **Cul-de-sac,** Thériault, Yves
* **Demi-civilisés, Les,** Harvey, Jean-Charles
* **Dernier havre, Le,** Thériault, Yves
* **Double suspect, Le,** Monette, Madeleine
* **Faire sa mort comme faire l'amour,** Turgeon, Pierre
* **Fille laide, La,** Thériault, Yves
* **Fuites et poursuites,** Collectif
* **Première personne, La,** Turgeon, Pierre
* **Scouine, La,** Laberge, Albert
* **Simple soldat, Un,** Dubé, Marcel
* **Souffle de l'Harmattan, Le,** Trudel, Sylvain
* **Tayaout,** Thériault, Yves

LIVRES JEUNESSE

* **Marcus, fils de la louve,** Guay, Michel et Bernier, Jean

MÉMOIRES D'HOMME

* **À diable-vent,** Gauthier Chassé, Hélène
* **Barbes-bleues, Les,** Bergeron, Bertrand
* **C'était la plus jolie des filles,** Deschênes, Donald
* **Bête à sept têtes et autres contes de la Mauricie, La,** Legaré, Clément
* **Contes de bûcherons,** Dupont, Jean-Claude
* **Corbeau du Mont-de-la-Jeunesse, Le,** Desjardins, Philémon et Lamontagne, Gilles
* **Guide raisonné des jurons,** Pichette, Jean
* **Menteries drôles et merveilleuses,** Laforte, Conrad
* **Oiseau de la vérité, L',** Aucoin, Gérard
* **Pierre La Fève et autres contes de la Mauricie,** Legaré, Clément

ROMANS/THÉÂTRE

* **1, place du Québec, Paris VIe,** Saint-Georges, Gérard
* **7° de solitude ouest,** Blondin, Robert
* **37 1/2 AA,** Leblanc, Louise
* **Ah! l'amour l'amour,** Audet, Noël
* **Amantes,** Brossard, Nicole
* **Amour venin, L',** Schallingher, Sophie
* **Aube de Suse, L',** Forest, Jean
* **Aventure de Blanche Morti, L',** Beaudin-Beaupré, Aline
* **Baby-boomers,** Vigneault, Réjean
* **Belle épouvante, La,** Lalonde, Robert
* **Black Magic,** Fontaine, Rachel
* **Cœur sur les lèvres, Le,** Beaudin-Beaupré, Aline
* **Confessions d'un enfant d'un demi-siècle,** Lamarche, Claude
* **Coup de foudre,** Brouillet, Chrystine
* **Couvade, La,** Baillie, Robert
* **Danseuses et autres nouvelles, Les,** Atwood, Margaret
* **Double suspect, Le,** Monette, Madeleine
* **Entre temps,** Marteau, Robert
* **Et puis tout est silence,** Jasmin, Claude
* **Été sans retour, L',** Gevry, Gérard
* **Filles de beauté, Des,** Baillie, Robert
* **Fleur aux dents, La,** Archambault, Gilles
* **French Kiss,** Brossard, Nicole
* **Fridolinades, T. 1, (1945-1946),** Gélinas, Gratien
* **Fridolinades, T. 2, (1943-1944),** Gélinas, Gratien
* **Fridolinades, T. 3, (1941-1942),** Gélinas, Gratien
* **Fridolinades, T. 4, (1938-39-40),** Gélinas, Gratien
* **Grand rêve de Madame Wagner, Le,** Lavigne, Nicole
* **Héritiers, Les,** Doyon, Louise
* **Hier, les enfants dansaient,** Gélinas, Gratien
* **Holyoke,** Hébert, François
* **IXE-13,** Saurel, Pierre
* **Jérémie ou le Bal des pupilles,** Gendron, Marc
* **Livre, Un,** Brossard, Nicole
* **Loft Story,** Sansfaçon, Jean-Robert
* **Maîtresse d'école, La,** Dessureault, Guy
* **Marquée au corps,** Atwood, Margaret
* **Mensonge de Maillard, Le,** Lavoie, Gaétan
* **Mémoire de femme, De,** Andersen, Marguerite
* **Mère des herbes, La,** Marchessault, Jovette
* **Mrs Craddock,** Maugham, W. Somerset
* **Nouvelle Alliance, La,** Fortier, Jacques
* **Nuit en solo,** Pollak, Véra
* **Ours, L',** Engel, Marian
* **Passeport pour la liberté,** Beaudet, Raymond
* **Petites violences,** Monette, Madeleine
* **Père de Lisa, Le,** Fréchette, José
* **Plaisirs de la mélancolie,** Archambault, Gilles
* **Pop Corn,** Leblanc, Louise
* **Printemps peut attendre, Le,** Dahan, Andrée
* **Rose-Rouge,** Pollak, Véra
* **Sang de l'or, Le,** Leblanc, Louise
* **Sold Out,** Brossard, Nicole
* **Souffle de l'Harmattan, Le,** Trudel, Sylvain
* **So Uk,** Larche, Marcel
* **Triangle brisé, Le,** Latour, Christine
* **Vaincre sans armes,** Descarries, Michel et Thérèse
* **Y'a pas de métro à Gélude-la-Roche,** Martel, Pierre

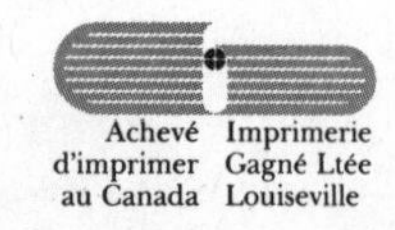

Achevé d'imprimer au Canada

Imprimerie Gagné Ltée Louiseville